近藤先生の面白授業

日中比較美術史

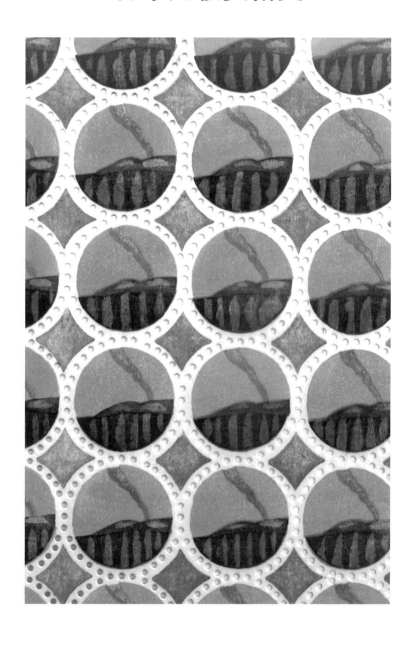

多摩美術大学名誉教授

近 藤 秀 實

本書では、歴史的記述や著者の意向を尊重し、引用する文献や資料に差別的
あるいは不適切な表現が含まれる場合でも、そのまま掲載いたしました。

はじめに

　やっと、学生達との COLLABORATION の成果を、皆様にお示しできることになりました。

　ここで、展開するのは、私が多摩美術大学で教鞭を執り、行った授業の内容です。

　それに伴った課題作品も、素晴らしいものが数多く手元にあるのですが、編集者によると著作権の問題もあり、勝手に掲載するのは許されないとのこと。残念至極。

　なおかつ、大学での講義が通年 30 回位だったのを、途中で半期毎に 15 回前後で完結せよとおっしゃる。一般の CULTURE CENTER 並みのやり方を強要されました。やり難いったらありゃしない。そもそも、中国 3000 年の歴史を 30 回でやること自体無理があるのに、15 回でとはこれ如何に。後期から受講する学生に前期で行った基本的内容を踏まえた授業をすると、前期、後期と両方受講する学生は、同じ内容を二度聞くことになる。まあ、その方が教育効果は上がると思うのですが、以下、そんな事情から重複する部分が頻出すると思われますが、どうぞご寛容を。

　「面白」と銘打ったのですが、「面白^{miàn bái}」では、おそらく、中国人には通じまい。日本語での「面白」は、「オカシイ」「可笑しい」となり、中国語では、「有趣^{yòu qù}」「愉快^{yú kuài}」「新奇^{xīn qí}」でしょうか。日本語の「面白」、あるいは一部通じるかも知れないが、むしろ「顔面蒼白」と取られることを恐れる。「臉面蒼白^{liǎn miàncāng bái}」でも結構。とにかく、今までの教科書には書いてないことを「オモシロ、オカシク」語るのが私の授業であったのだから。いわゆる完成した「美術史用語」など用いず、私の感性で勝手に作り上げた言葉遣いも登場するから、教科書通りの厳密な美術史授業ではないと、形式主義者は眉を顰^{ひそ}めるだろう。どうぞ顰めてください、似合いますよ。私はあくまでも若い学生諸君に、作品に接して、その内包する世界に少しでも接近してもらいたいだけだから。

　とにかく話を始めましょう。その前に、どうして私がこんなに「オカシク」なったのかを簡単に説明します。多摩美に奉職してからおよそ 7 年の私は、身なりも態度もごく「普通」、「フツー」であった。授業も普通の型にはまったものであった（伊藤若冲^{いとうじゃくちゅう}と中川幸夫さんの作品だけは必ず取り上げていたが）。

　だが、正統的な美術史の授業の中から、研究者として確立した卒業生が数人いるのは頼もしい。かつて私は共通教育担当教員で、傍ら芸術学科の授業も持っていたのだ。

　しかし、のちに考えを改めたのです。受講している学生の大部分は、DESIGN や美術制作に励む者達です。私は、その大勢の学生達のために、魅力ある美術史を教えようと決めたのです。

　その転機は、1995 年の中国滞在です。

　NECKTIE 大好き人間の私がほとんど着用しなくなったのは、1995 年 4 月 1 日から南京に滞在し、10 か月後に日本に帰ってからのことです。それ以後は、密かに決めました、これからは中国 FASHION でいこうと。恰好なぞどうでもよいではないかと。重要なの

は中身だと。当然、変人扱いです。在職8年目にして、それまでとは違った自分が登場したのです。

変人教師でも、教える内容とそれなりの研究成果を上げれば良いと心に念じて。お蔭で、NECKTIE は、簞笥の片隅で永久保存の憂き目に遭っています。嗚呼。

それから、20何年経過しました。70歳になり、定年退職して1年経ち、その間、「鍵戸息交」（家に鍵を掛け、閉じ籠り、世俗との交わりを絶つ。読書研究に専念する）の生活を行い、ただひたすら、研究を続けました。これが一番安上がりな生活なのです。家を独居房に見立て、友人・知人達との「面会」も年に数回。理想の「市隠生活」（意味は後ほど）の始まりです。生活範囲は狭まりましたが、興味の範囲、研究の範囲は、大いに広がりました。

ある小説家の生活 STYLE をちょっと真似て見ようと思ったが、全然駄目。とにかく私は、パチンコはやらないし喫茶店は入らないし、訪ねて来る友達もいない。まったくの孤立無援なのである。10匹350円で、西荻窪で買ったメダカだけが友達。とにかく、金がないのだ。メダカは長く付き合える。餌代も掛からない。これでも鎌倉時代（北鎌倉に住んでいた時）は、ウズラ（鶉）を二羽飼い、「李ちゃん、安ちゃん」と呼んでいたものだ（図1）。その後、江戸（東京）に移るときに連れて来たが、二羽共、都会生活が嫌いで、鳥小屋（犬小屋を改造した物）を飛び出し一時行方不明になった。しばらくして、近所の人が連れ戻してくれたものだ。東京にもいた、善き隣人哉。鎌倉時代の洗濯機は、江戸でも活躍してくれた。

ウズラの次は、近所の武蔵野八幡宮のお祭りで手に入れたメスのヒヨコ。何と、成鳥させることに三回成功した。その秘訣は、「愛」です。とにかく、餌の確保が大変。毎週日曜日には、小さな息子と BUCKET とスコップ（和蘭語らしい）を持って、各所の公園の片隅や、落ち葉の吹き溜まりをひっくり返し、蚯蚓探し。マア、ニワトリの馴つくこと。伊藤若冲の気持ちがわかります。暇なときは家の通路を散歩させました。卵はちゃんと産んでくれたのですが、何しろ朝が早い。コケコッコーの鳴き声は近隣に響く。毛布を被せても、体内時計に合せてコケコッコーである。

困った私はニワトリを里子に出しました。東京から300km離れた私の故郷岐阜県中津川

1-1. 伝李安忠『鶉図』(根津美術館)

市、しかも熊も猪も出る山間部に住む私の妹の所に、三回共、引き取って貰いました。しかし、三回共、キツネかイタチに喰われ、全滅。果たして、私は、罪を犯したのでしょうか。今でも心が痛みます。

それから30年後の2018年、公園で団栗を拾い、鉢の土に埋め、春の芽吹きを待ったのですが、片っ端からネズミに喰われました。はたしてこれは、ネズミが罪を犯したのでしょうか。それとも、これが自然の摂理なんでしょうか。イヤハヤ。

無収入で金はない、豊富にあるのは時間のみ。それでも生命を細々と維持するため、自転車で買い物に出ます。もちろん、運動も兼ねています。普通一般の皆様と違って、SPORTS GYM なぞに行く金もないのですから。あるのは我が身ひとつ。「砂漠の狐」です。コンコン。その際出会ったのが、八百屋（料理の材料購入）、花屋（BARGAIN 品の薔薇や菊の苗の購入。今は立派に花を咲かせています）、西荻窪の小盆栽屋（退職初年度は盆栽趣味に走ろうと考えましたが止めた。今は、単なる鉢植えで、すべて実生。まさに、鼠との闘いでした。団栗は彼等の好物です。銀杏の苗は退職前に学校で拾ったものです）、骨董屋（大人のママゴト、煎茶趣味を実行するため）、剥製屋（以前、多摩美図書館事務部長からその存在は聞いており、家の近くにある）など。すべて「屋」と名の付く、いわば自営業の人々。私は無職。私にとっては、異業種の類の人達ですが、いや、その話の内容が新鮮で面白く、とにかく、それまでの狭かった世界が広がるのです。たまに出る EROTIC 話には少々閉口します。私のような元学校教員には、絶対に口に出せなかった内容です。学校でそんな話をしたら、即座に何とか委員会からお達しが来ます。いやあ、自由業ならではの会話です。自由を謳歌。いずれも、簡単な自己紹介を行うのですが、所詮、暇な不良老人としか見てくれない。それはそれで良い。しかし、かつては私も前途溢れる学生諸君に美術史を教えて生業を立てていた身。ここらでその証に、授業で行った「教科書に書かれていない美術史」をまとめてみようと思い立った次第です。年間授業計画に従い、全30回分から抜粋します。その間、各種エピソードを混ぜます。学生曰く、「最初、近藤先生は"変人"だと思いましたが間違っていました。甘かった。先生は、実は"大変人"でした」と。いやはや変人に罪なし、罪人に罪あり。

1-2. 伝李安忠『鶉図』

目　　次

第**1**章

豚TOILET

2. YODA

中国の「気」に触れる「紙飛ばし」
学生達は、「私の気が触れた」と言う

　授業の初期段階、「陰と陽」の話をするときには、必ず実演する、中国服を着ての「気功」による「紙飛ばし」。まず、何百人も入る講義室のSTAGEの中央に私が立ちます。服は黒い中国服です。足を軽く広げ、腕をやや高く上方に広げ、体をRELAXさせ、臍下三寸の丹田に、天から降りて来る「気」を集中させる。「気」が十分に充電されたところで、手のひらを軽く体に接触させ、素早く紙に向けると、紙は見事にすっ飛ぶ。これ、近藤先生の「気功術」。本当です‼　もちろん、「気功」の本場中国でも何度もやっています。中国人も皆びっくりします。「気」を身体中にまんべんなく通わせる体操が、皆さんご存じの「太極拳」です。便秘体操もあります。私の「表演」はその一部。帰りのBUSの中で、その噂を学生達がしていたと職員の方から聞きました。恐縮。

　私は授業の冒頭で学生に訴える。「君達には、知性と美貌は求めない。求めるのは、豊かな感性と確かな技術である」と。美大の学生にとっての必須要件であると、私は思う。在学中に持ち得た「豊かな感性」も、いざ社会に出てみると、それを維持するのは難しいかも知れない。大きな魚が口を開けて待っているからだ。飲み込まれたらじっと耐える。「感性」は自分の体内に潜ませ、ただひたすら静かに。やがてまた、芽吹くはずだ。PINOCCHIOなのだ皆さんは、とも言う。あるとき、元教務部長にこの話をすると、「このご時世で、チョイとヤバイんじゃないか」とおっしゃる。私は、一瞬立ち止まって考えた。「しかし、差別やHARASSMENTでもない、前半は、後半部分を強調するためのRHETORICなのだ」と。もちろん、「知性と美貌」を兼ね備えていても、罪ではないのである。宜しく。

　しかし、せっかく大学に入ったわけだから、少々知性も磨こうねと、難しい話をする。

　次に「道教の祖」ともされる「老子」の話をする。

「陰と陽」を重視する人だ。

老子の本名は李耳、諡（死者に贈る名）は聃という。紀元前5世紀頃の人。ご存じ『老子』の著者。「老子」とは、英語に直訳すれば "OLD CHILD"、即ち年取った子供。わかるでしょ、「STAR WARS」の「YODA」そのものなのです。さらに名前に注目すれば、本名にも諡にも「耳」が付いている。「耳」を強調すれば、「YODA」の特長的造型ができ上がります（図2）。ボロボロの衣服は『老子』で強調されるところの、「外見より中身が大事」論の象徴です。さらに、映画では、"FORCE"（邦訳では、「理力」とされている）を使って宇宙船を水中から引き上げる。これは、中国流に言えば「気の力」の駆使である。「陰」と「陽」を合わせ持つのが「太玄」「太極」です（図3）。そうです、つまり「太極拳」は「気の踊り」なのでした。

しかも、『老子』は言う、「谷神不死、是謂玄牝、玄牝之門、是謂天地之根、綿綿乎若存、用之不勤」［谷神死せず、是を玄牝と謂う、玄牝の門、是天地の根と謂う、綿綿として存するが如く、之を用うれども勤れず］（谷神すなわち天地万物を生み出す大いなる力は不死不滅である。これを玄牝すなわち微妙な女性と言う。この玄牝の門は天地の生じた根本の場所である。この産みの親たる谷神は人目につかず微かにしかも永遠に存在し続け、産みの働きを続け、玄牝の門を用いているが疲れることがない）と。訳は、新釈漢文大系の『老子』（明治書院）によりました。この本の著者だけがはっきり言ってます。「『谷』は女性性器を象徴し、谷神は生成作用を言ったものではあるま

いか」と。そもそも女性が根源であり、物事の始まりであるとする。すごいことを言う人だ。「老子」は変だ。大変だ。

「貴方の家にはブタがいる」、さあ大変
「宀」と「豕」──甲骨文字の謎

「宀」は立派で大きな屋根、「豕」は「豚」を意味します。そうすると、「君の家族は、君も含めて、皆さん、豚なの？」と、私は、カワイイ学生達に聞きます。

沖縄にはかつて「豚TOILET」があったと聞きます（日本語の「豚」は、中国語では「猪」です）。沖縄には、中国文化の影響が色濃く見られます。私も、1993年、中国、江蘇省興化市の農村で、「豚TOILET」を見ました。もちろん、漢時代の明器（貴族豪族の墓の副葬品）に見られるような、屋根瓦付きの高級「豚TOILET」ではありません。遠くから眺め、その仕組みは判然としなかったのですが、用を足す場所の両脇に豚小屋がありました。このことは後に詳しく語ります。ちなみに、「豕」の付く文字、「豬圈」「豬溷」「豬欄」などは、すべて豚小屋を意味しました。初めに象形文字の「豚」と白川静『字統』より引用します（図4）。

「豚」と「猪」

「豚」と「猪」は、共に十二支の中の「亥」です。「亥」は、本来、「大きなイノシシ」を意味するともあ

3. 太極図

4-1. 牛の肩甲骨に刻まれた甲骨文字

4-2. 亀の甲羅に刻まれた甲骨文字

豚
ぶた・こぶた
トン

会意 肉と家とに従う。象の省に従ふ。象形。［説文］九下に「小さき家なり。象の肉を持ちて、以て祠祀に供するに従ふ」というのは、篆文の字形についていうものであるが、卜文の字はもと象形で、腹部に肉形をそえている。おそらく胎孕のあることを示すものであろう。［国語、楚語］に「豚解」の語があり、豚を七体に分けて供える。犠牲の最も軽いものには牛羊家の三牲を用いた。大牢には牛羊家といひ、豚を腯肥といふ」とあり、腯肥とはよく肥えたものをいう。

4-3. 白川静『字統』より

ります。しかし、「亥年」の中国では、大々的に「豚」のGOODSが売られます。街中、豚尽くしです。「三匹の子豚」どころではない、「万匹の大豚」状態です。

中国では、「猪」は日本で言うところの「豚」。日本で言う「猪」は、中国では「野猪」です。少々混乱しますが、『西遊記』に登場する「猪八戒」を御覧なさい。おわかりでしょう。つまり、「猪年」は「豚年」なのです。しかし、「月」（この説明は省きます。それぞれ各自で調べなさい）にくっつく「豕」と「者」とに、それぞれどうして分かれてしまったのか。「豚」は「肉と豕」で、「猪」は、本来は「豬」であるともしますが、どうして「豕と者」がくっ付いてしまったか、その点語源学者の説明はシドロモドロ。何か良い説明がないものでしょうか。皆さん、お助けを。学生さん、お助けを。

そこで、中国で料理屋さんに入って、メニューに「猪肉」と書いてあっても、決して「牡丹鍋・山鯨」のことではありません。ご注意を、皆さん。それはそれとして、2019年は日本で「豚CHOLERA」が流行っている。「豚舎」にいる「猪」はともかく、山にいる「野猪」も共に罹患すると言う。元々同種なんでしょうね。ヤヤコシイ。

そもそも中国の場合、文字と絵画とは極めて近い関係性を持っています。なぜならば、中国の文字は「象形文字」を基としているからです。「象」 （図5）は、皆さんご存知のELEPHANTです。紀元前1500年頃、最初の文字が中国でできた頃、黄河の近くの殷帝国の地の周辺に棲息していたのかも知れませんし、南方からはるばるやって来たのかも知れません。いずれにせよ、その「象」の姿形は、大きくて珍しく、見る人々を圧倒したでしょう（図6）。それを基に「象」という文字を作ったのです。なぜ立っているのかと学生に聞かれますが、私は答えられません。「豕」も立っています。

さて、「家」という字は、「宀」

5.「象」

6. 殷、青銅器の象

と「豕」で成り立っています。「宀」は、「立派で大きな屋根」、「豕」は、現在日本では、「月」をくっ付けて「豚」としています。現在の中国では、「猪」が日本語の「豚」を意味しています。即ち、「ブタ肉」は「イノシシ肉」です。混乱するでしょう。似たようなものですが、日本の「豚カツ」は中国では「炸猪排」となるわけです（繰り返しが多いのですが、若い学生諸君によりよく理解してもらうために、ついそうなってしまう私の授業の癖です。ご勘弁を。それでも究極的にはまったく理解していない学生もいます。眠っていたのでしょう。知識欲より睡眠欲が勝ったのです。授業とは、楽しいと同時に、一方でこんな虚しさとの闘いでもあるのです。嗚呼）。

さて、中国の漢時代、豪族などの有力者を埋葬するとき、墓の周囲に「明器」という陪葬品を一緒に埋めました。日本で言えば「埴輪」の類です。当時の死生観に基づくもので、あの世で現世と同じように暮らせるように、生前身の回りにあった日々の暮らしに使用した品々のミニチュアを焼き物などで作り、添えるのです。死後、再生するときの準備という見方もあります。

その中に、立派な瓦葺きの屋根を持つ「豚TOILET」があります（図7）。TOILETで用を足した人間の糞を下にいる「ブタ」が食して丸々太り、それを人間が食べ、排泄し、またそれをブタが食べる。自己回転型の綿々と続く食物連鎖の非常に優れた方法です。ECOです。

7-1. 漢、明器「厠」

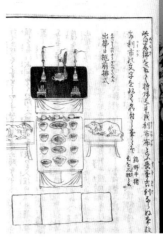

8. 豚・中川忠英『清俗紀聞』1799 年

9-1. 鄭板橋墓

7-2. 漢、明器「厠」

9-2. 鄭板橋墓の豚供物

「ブタ」は、中国の生活には切っても切れない深い関係を持つ生き物です。食用はもちろん、先祖供養の霊前に「ブタの頭」を捧げたり、あるとき、仏教の観音様の生誕記念の祭典に、「ブタの頭」がずらりと並べられているのを目撃したときは、いささかびっくりしました（図8）。

私が最初に「ブタの供物」と「豚 TOILET」に遭遇したのが 1993 年、江蘇省興化市での揚州八怪の画家の一人である鄭燮（板橋）の生誕 300 年の SYMPOSIUM でのことです。日本からは、金沢美術工芸大学の遠藤幸一教授も参加され、南京藝術学院周積寅教授に初めて会ったのも、このときです。その縁で、2 年後には私が南京藝術学院の訪問学者として、南京に 10 か月滞在することになるのです。

さて、SYMPOSIUM が終わり BUS で鄭板橋の墓前に参拝すべく移動しました。現地では、一行を迎え

るために押すな押すなの混雑ぶりです。やがて墓に到着し、墓前で軽い儀式。それも終え、祭壇に供えてある品々をゆっくり見ました。日本に似ている供物もある。米飯と箸、果物と酒。しかし、びっくり仰天したのは、MOHICAN 刈りの「ブタ」の頭部が、その口に自分の尻尾を衛えて、天空を睨んでいる姿に遭遇したときです（図9）。

文化 SHOCK です。思わず、全身の血が凍りつきました。腰が抜けました。私は、こういうのに弱いのです。勇を振って気を取り直し、そうか、ここは中国なんだと再認識。その後、郊外の施耐庵（『水滸伝』の作者）の記念館を訪ねた。ここの畑の傍らに、「日本軍侵略紀念碑」が小さく建っていたのが、歴史を思い起させた。11 月の内陸の都市は、江蘇省にあると言っても十分寒い。秋の夕暮れの水辺の美しさに堪能しながらも、一部の人々は尿意を催す。地元の人に指示されて向かった場所にあった粗末な「TOILET」の

横には「ブタ」が暮らしていた。もちろん、漢時代の「明器」ほど立派なものではない。場所は農村部である。しかし、庶民の中に営々と生き続けて来た伝統ある「豚TOILET」であった（図10）。ここでの様々な経験を基に、私は海外研修の地を中国にしたのであった。三回目のAMERICA留学の計画は、ここで終に潰えたのである。嗚呼、ブタさんのお蔭よ、どうしてくれるのよ、恨むわ、憎いブタさん。因みに、私が在職中の同僚、西洋美術史研究者の諸川春樹教授は、ブタGOODS蒐集が趣味で、彼の研究室はそれで溢れかえっていた。上海土産のブタの「顔面の干し肉」も揃っていた。「ブタ尽し」であった。しかし、彼は私の授業をとってない。

さて、授業がここまで来ると、近藤先生の今日の授業のTHEMEは、「家とは豚TOILETのこと」なのかと若干困惑気味になる。「私の家は決して、ピーカピカの豚TOILETではない」とフンガイなさる。カワイイ学生達、心配めさるな。私はドンデン返しで有名な人のだ（時には、これで顰蹙を買うこともあるが）。授業はこれからが本番なのだ。知識は深遠で高邁なのだ。

私はTOILETのことなど話しはしない。諸君もさらに力を振り絞って、奥に進まねば。いいね、学生諸君。覚悟はできてるね。起きてるね。

中国で、紀元前1500年頃に使用された、「甲骨文字」に示された「ブタ」の例を見ましょう。「牛」の「肩甲骨」とか「亀」の「甲羅」に鋭利な刃物で文字を刻みつけ、それを火に炙り、そこに生ずるヒビの入り方で、吉凶を占うのが、朝廷での重要な仕事であった。「甲骨文字」は「象形文字」ともいう。つまり、物を「象」ったものであることは、ちょっと触れましたね。

「ブタ」は「豕」で、それを「象」って文字が成立し、占いのときに用いられたのであろう。「ブタ」は「ゾウ」ではありません。皆さん、ご注目あれ。今、「象」ったという文字を使用したのですが、「カタドル」というときには、「象」が登場します。だけど「印象」ってオカシナ言葉ですね。それに日本風に返り点を付け、象をCIRCUSみたいに、逆立ちさせると「象印」。「象印マホービン」っていうのも不思議。世の中不思議だらけ。ゾ〜っとします。

10. 興化市・豚厠

私はかつて、学生達と一緒に殷の都であった河南省安陽を訪ねました。ここには数えきれないほどの亀の甲羅や牛の肩甲骨、そして「甲骨文字」が保存されています。往時、紀元前1500年頃、占いに使用したもの、また占った結果を記録保存するために刻まれたものもあります。この地は黄河の北、河南省にある。では、なぜそこに「象」が登場するのか。ずっと以前、中国や日本にも象は棲息していた。しかし、殷時代の「象」はどうだったのだろう。あるいは、はるか「南」の国から運ばれて来たのだろうか。近くに住んでいたのだろうか。とにかく、人々からは「珍重」された存在だったのであろう。文字通り、「珍しく重い」わけだから。それを「形象化」、つまり、文字として形を取ったものが「象」となる。これが「豕」だったら、「象形文字」ではなく、「豕形文字」となったろうな。そうだったら、諸川さんが喜ぶだろうな、しかし、「豕」は「重くても珍しくはなかった」のだ。ありふれていた。残念、諸川さん。御免。だけど、殷墟の博物館で「敵兵の切り取った頭を煮沸するための容器」があったのには、びっくりしたなー。敵の霊魂ENERGYを自分達の体内に取り込むためのものなんだろうなー。古代国家は不思議だなー。

とにかく、「象」は「抽象」とか、現代語でも、様々な場面で「象」が登場するのである。「森羅万象」の「象」は「神々」しい、しかし、「抽き取られた象さん」なんて、カワイソウ。ええ、ややこしい。あくまでも、「象」の呪縛から逃れられない。我々は、「漢字」を使う限り、殷時代の人々の「影」を背負い込まなければならないのだ。その歴史は3000年以上も続くのだ。言葉って不思議。

白川静は、「南」という文字は「楽器の象形」、「古く苗族が用いた楽器で、懸繋してその上面を鼓つ」、「器は底がなく、左右の頸部に鐶耳があり、そこに紐を通して上に懸けると、南の字形となる」と説明する。簡単に言えば、中国の南の方に住んでいた苗族の使用した楽器が、珍しく立派であったので、それを「象った」のが、「南」という字だとする。「象」にしても、「南」にしても、それらは殷帝国では「貴重品」の類であったのであろう。

では、「ブタ」はどうなんだろう。「ブタ」は昔から食用にしていたから、つまり人々の生活に「肉迫」していたから、「宀」と一緒になり「家」という文字が成立したという説もある。食用とTOILETに使用した豚。確かに、一般的には、かつては日本でも貴重な牛や馬は、人間と同じ屋根の下で暮らしていたわけだから、中国の「ブタ」も同様、と考える人もいる。以前は、人々と同じ屋根の下で暮らしていたので、「宀」と「豕」融合したということになる。ただし、これは誤りです。ご注意を。

この説には、大きな事実誤認がある。そもそも、殷時代での「甲骨文字」の使用は、極めて限られた特権階級による、国の将来を占う道具だったのです。当時の特権階級での理解の範囲での「家」の字の使用なのです。そうです、大きな建物を建てるとき、あるいは特別な儀式に犠牲などとして用いられた動物のひとつが「豕」だったのです。供物用ですから、マルマル太って見栄えのよいものが良い。やはり犠牲・供物に用いられた動物のひとつで、この場合、「羊」が用いられると、「大きくて太った羊」が「美」となるわけです。もちろん、「牛」や「豕」の下に「大」が付いても良かったのですが、殷時代の人の優れたDESIGN感覚で、左右対称の「美」という文字が選ばれたのでしょう。今でも美術大学の校章などには、「美」の字がよく使われます。「マルマル太った羊」です。

ところで、多摩美大は肉食系。白川静によると、多摩美の「多」について、「タは肉の省略形。肉の多い意」(『字通』平凡社)となる。つまり、「マルマル太った羊の、これまた、さらに大きな肉の塊り」となるわけだ。一瞬、学生達に衝撃が走る。とんでもなくUNIQUEな校名を持つ学校に入ってしまったと。相手は、ムササビだ？　意味不明。学生達がイラッとし、反撃に出ます。即座に学生の質問が飛び交います。「では先生、文字の『字』の意味は？　どうして宀の下に子がいるの。子は犠牲ではないでしょ」と。ムムッ。私は何でも知っているわけではない。私は即座に答えます。「自分で調べなさい」と。授業とは、積極的参加で成

り立つものなのです。いずれにせよ、どうです、奴隷を数多く使用した特権階級が、「ブタ」と同居する底辺の庶民のことなど気にも留めないはずでしょう。

そこで、もう一度白川静説を確認しましょう。彼は、「宀（べん）」とは、「殷代建築の遺構から考えられるその構造は四柱交覆のようなものでなく、切妻形式のものである。また屋棟のある建物は神事に用いる廟屋の類で、一般の居住の形式は、なお粗末なものであった。卜文にみえる宀に従うものは約七十字、宮廟宗室をはじめ、ほとんど神事に関するもので、室・家なども、『血室（犠牲を用いるへや）』『上申の家（殷の祖王、上申をまつる所）』のように用いるのが、字の原義であった」とするのです。やや難しいのですが、要するに、「宀」の使用例は、大部分が神事に関するもので、「豚TOILET」のための屋根ではなかったということだけは明らかです。

白川静は、「宀」と「イヌ」の組み合わせ例も指摘する。「牛」「羊」「ブタ」「イヌ」共に、立派な建物を建てるときに使用された「犠牲」であり、いわば地鎮祭での供物であり、犬の血は浄めにも使用されており、立派な屋根の下にはそれらの供物としての動物がいる。これらの必然的結び付きを象徴したのが、「家」という文字なのである。もちろん、「宀」の下に、牛や羊が来ても不思議ではない。あるいは、「鶏」が来ても良かったのかも知れない。もっとも、「鶏」を供物として使用するのは貧乏な庶民に限られていたかも知れず、そうすれば「宀」の下に、「鶏」が来るなど到底あり得ない話であったに違いない。とにかく「宀」の付く文字はたくさんある。これまた、それぞれ自分で調べなさい。

いろんなことを整理し、学生達に、「家」の成り立ちの主要二説を提示します。学生達にも「知性」を付けて貰わなければ。高い授業料を払っているのだから。そこで、「家」の語源の代表例を二つ。

① 諸橋轍次『大漢和辞典』（大修館書店）「家」

會意。宀と豕との合字。本義は豕小屋。豢豕が子を多く産むことから、轉じて、人の聚り居る所、即ちいへをいふ。

（【会意】二つ以上の文字、及びその意味を組み合わせることにより、新しい文字を作る方法。宀＝高い屋根に覆われた家屋の形。四方に深く屋根をたれた家。うかんむり。豕＝ぶた。豢家＝養っているぶた）

家は元来、豚小屋を表し、豚は子だくさんであり、人も集まり住むから「家」としたというが、これは問題だ。なぜなら、宀の本来の意味が全然生きていない。豚小屋に立派な屋根が必要であろうか。やはり、後で示すように、白川静の甲骨文字から読み解くのが、一番正確であろう。

形聲。宀と豭の省畫との合字、豭は又、音符。豭も豕の義。

（【形声】意味と発音を表す部分とから成る文字。豭は＝大きいぶた。発音は jia。家の発音と同じ。豕は、shi。省画＝字画を省いた文字）

豭も豕もぶたを表すが、ここでは豭の発音を用いて「家」としたとする。やはり、宀の意味がまったく無視されている。ここで、反撃が出る。漢時代の明器には、小振りではあるが立派な屋根付きの豚TOILETがあるではないかと。皆さん、ご注意を。語源学者が長年典拠としてきた『説文解字』は、後漢の許慎のもの。文字の初源は、紀元前1500年頃に出現した甲骨文字にある。殷帝国の政治や社会を背景に読み解いた白川静の説に注目すべきである。宀の意味も、そこで明らかになる。

一説に古代に於ては、犬豕の肉を常食とし、豕と褻居する。故に宀と豕とを合して人の居る所の意とする。

学生達には、この①説が一番わかりやすかったようだが、上で述べたように、ここには大きな落とし穴がある。やはり、立派な屋根を意味する「宀」の意味が欠落しているのである。確かに、日本でもかつて、庶民にとって貴重な家畜である牛や馬が、人間の住む場所の一角に小屋を造り、いわば同居していたと思われる。同じ屋根の下に住んでいたわけだが、彼等の用いる屋根はおそらく粗末なもので、決して立派な屋根で

はなかったろう。今でも、極めて立派な屋根を持つ建物は、人々の税金を駆使して建てる公共建築に多い。

殷時代でも、立派な屋根を持つ建物は皇帝権力の及ぶ範囲であったはずである。「家」の臭いがプンプンするような庶民の住居とは、自ずと意味と形式を異とするはずである。立派な屋根を持つ建物は、権力の象徴であり、宗教儀式のために用いる場所であった。つまり、権力の象徴の大きな屋根が「宀」であったのである。その建物を建てるために、その地を浄めるべく用いたのが、「犬」であり、「牛」であり、「豕」などの血であったと言うのが、白川静の見解である。

いわば、犠牲として供物にもなる諸動物が様々にあり、なぜか、地鎮祭に用いられた中の、「豕」と「宀」とが一緒になってしまったのだろう。それでは、「宀」と「人」の組み合わせは、人間が犠牲として扱われた際に使用する言葉として、あったのか、なかったのか。白川静はそこの辺りを詳しく説明しているわけではない。私の疑問は尽きない。なにしろ、紀元前1500年頃の、殷帝国で行われていた儀式や、そこで使用された文字を探ることなんだから。

さて、私の目をしっかり開かせてくれた白川静説の登場。こちらは、諸橋轍次の①説を紹介するだけでなく、直球一本やりであるが、その強さはあくまでも甲骨文字に拠って立っていることにある。

② **白川静『字統』（平凡社）「家」**

会意。宀と豭とに従う。古くは犬牲に従う字で、家の奠基（地鎮）のために犬を犠牲とした。卜文・金文の字形は、明らかに犬牲に従っている。（中略）〔魏石経〕の字も犬の形に従っており、「犬牲を埋めて奠基とする建物」の意である。その構造は、同じく犬牲を用いる塚（塚）や墜（地）と似ている。いずれも神霊を祀るところで、家も卜辞に「上甲の家」とあるように、先王の祀所を家というのが古義であった。屋は殯のための板屋、室は太室・玄室で、みな祀所をいう字である。のち家屋・家族・家系・家格・家名など、氏族の単位を家をもっていう。

（【奠基】礎石を定める。【石経】石刻の経文。古典の内容を正しく伝えるため、石に刻された。最初は後漢に儒教の経典を石に刻し、洛陽城の南の大学に建てられた。【魏石経】魏の正始240‐249中に、『書経』『春秋』『左傳』の一部が刻され、国都洛陽の大学に置かれた。古文・篆書・隷書の三体を並べたもので、『三体石経』とも呼ばれる。【冢】社。盛り土をして神を祀る場所。大きな墓。【上甲】ついたち。甲は始。『穀梁傳』「哀・元」、「六月上甲、始庀牲」。【殯】人が死んで葬る前に、死体を棺に納めたまま安置すること）

この説明で既にわかるように、「家」というのは、「貧しい庶民のブタと雑居するような貧しい暮しとは遠く離れたもの」であった。「家」という字は、元来、皇帝や豪族の生活の中で使用された行事や儀式に関連するものであった。それがやがて、我々庶民も使用するようになったのである。

諸橋轍次の『大漢和辞典』は、もちろん諸橋轍次一人の執筆ではなく、多数の人々が関わっているわけで、それぞれによって得意分野も違うことであろうし、各項目の記述の精度も違う。全体に許慎の『説文解字』による意味解釈の範疇から脱し切れていない箇所も多く見掛ける。『説文解字』の功績がそれだけ大きかったということであろう。

しかし、学問の進歩のためには、そして、特に漢字の語源を正確に辿るためには、その根源に立ち戻り、使用された状況を事細かく調べ上げ、その中に文字を置き、その位置付けを明確にする白川静の立場を基本とすべきであろう。もちろん、その解釈に、時としてそれなりの批判を加えつつである。

①説と②説、この二人の説は大いに違うが、学生達には、豚と人間の親しい関係から類推し、つまり、私が授業の冒頭で紹介する「豚TOILET」のIMAGEから離れられず、課題作品には、「豚TOILET」を制作する者が多い。「家」という文字は、元々、権力者の使用するものであったが、転用されて、回りまわって我々庶民も使用するに至ったという厳しい現実は直視したくないようだ。さもありなん。もう一度言う。庶民が住む狭いAPARTMENTの類が、日本では堂々

「邸宅」と呼ばれているわけだから。

　TOILETは、日本語では「便所」、中国語では「厠所（cì suǒ）」である。日本でも、かつては「厠（かわや）」と言っていた。「家（いえ）」に使われる「豕（ぶた）」が、本来、高級な犠牲を表すなら、確かに囲いの中に住む「圂（こん）」の「豕（ぶた）」はTOILET用の「豕」であろう。豚小屋に住む「豕」である。排泄物処理と、食用の二つの役割を持った、極めて実用性の高い普通のブタである。囲いの中で飼われているブタを示したのが、「圂（hún）」である。その囲いの傍らに「厠（かわや）」が付属するものが、「豚TOILET」である。永遠のCIRCULATIONの一部に加わるのが、我々庶民の普通のブタである。今で言えば、RECYCLE運動の一環である。でも、ブタの二酸化炭素排出量は？わかりません。各自で調べなさい。

　漢時代の「明器」にある、立派な屋根付きTOILET、しかし、これはあくまでも貴族用の高級TOILET。私も、庶民用の粗末で簡単なものを、1993年、中国江蘇省興化市の片田舎で実際に見たことは述べた。これは農民用。イヤア、感激した。何せ、それまでは早稲田大学會津八一記念博物館の漢時代の貴族豪族用の「豚TOILET」明器しか見てなかったものだから。やはり現地に行くべきだ、と痛感した。ただし、それから約30年経った現在、まだそこにあるかどうかはわからない。もう一度訪れたい。最近の中国の進歩は速い。でも、二千年も続いたものだし、農村では、結構「便利」なものとして使用しているかも知れない。私は学生に言う、「便利な場所が便所なのですよ！」と真っ赤なウソを言う。学生達が言う、「先生‼　またあ‼」。私、「スマン。だって、中国語で『便座（biàn zuò）』って『休息室』を意味し、『便坐（biàn zuò）』って、『寛（くつろ）いで坐る』という意味なんだもん。つい、連想しちまって。ちなみに中国語の『便宜（pián yi）』って、価格が安い、という意味だよ」と慌ててごまかす。てなわけで、少々知識を補充して貰います。高い授業料払ってるんだもん。もう少し悪乗り。「浴衣」（ゆかた）が、風呂上りに着用するものだったとするなら、「便衣（biàn yī）」とは何？　学生達、ムッムッ。ご心配なく、「便衣」は中国語では、「軍人・警察の制服に対する私服、平服なんだよ」という。決して

「TOILET用の衣服ではないんだよ。ご安心を」と。

　さて、「圂（こん）」に「氵（さんずい）」を付けると「溷（こん）」となり、これは諸橋轍次『大漢和辭典』によると、「みだれる。まじる。にごる。けがれる。はずかしめる。かわや。犬家などの小屋」とある。とにかく、「溷」の意味は深そうだ。困った。

　学生の質問。「先生！『困った』の『困（kùn）』には、なぜ『木』があるのですか？」。ムムッ！　私は言う、「各自で調べなさい。私の役割は、君達を水源近くまで導く仕事なんだから。後は、君達自身で掘り続けなさい」と。しかし、「雪隠（せっちん）」てなんだろう。どうして、「不浄（ふじょう）」に「御（ご）」を付けるんだろう。どうして「便所」に「御（お）」を付けるんだろう。きっと、その直截的IMAGEを緩和する役割を持つんだろうね。TOILETの芳香剤みたいなもんだ。しかし、何とも「便利」な言葉が「御」である。とにかく、各自で、調べなさい。「御」がとんでもない間違いを起こすもとになったのが、後に語る、元時代の画家「顔輝（gàn ki）」での例である。

「犬」と「狗」

　「狗」とは、中国語では、日本の「犬」を意味します。「犬」は、文語であるとします。

　「空飛ぶ犬」は「天狗（てんぐ）」でしょうか。いや、ちょっと違うようです。因みに、「狼狗（láng gǒu）」は、SHEPHERDを意味します。後からやりますが、「狗（gǒu）」は、日本語で「犬畜生（いぬちくしょう）」というように、罵りの言葉として数多く使われます。

　日本の古典芸能である「能（のう）」に「天狗」が登場します。そう、ご存じ『鞍馬天狗』です。「天翔（あまか）ける狗」、「天からやって来た狗」とは、一体何ぞや。中国での「天狗（tiān gǒu）」は、星の名、彗星です。司馬遷の『史記』「天官書（てんかんしょ）」に、「天狗、狀如大彗星、有聲、其下止地類狗、所堕及炎火、望之如火光、炎炎衝天」（天狗星（てんこうせい）は、その様、大彗星の如し、地に落ちて止まると、狗のようにみえる。堕ちるときには、火柱の如し、燃え盛り、天を衝（つ）く）とあります。正に恐ろしい彗星です。地表に大音声を伴い届き、大きな火を発するところの未確認物体。ちなみに、私の

11. 林庭珪『五百羅漢図』「観舎利光図」部分「烏天狗」（BOSTON 美術館）

明は恐ろしい。「句」の成り立ちは、「勹」と「口」で、「勹」は「人の句曲した形で屈死の象」、「口」は「ɐ」で、「祝禱の器の形で、これに祝禱を加える意であるから、字は局と同じく屈死葬を示す」とする。因みに、「局」は、「その屈肢のさらに甚だしいものである」とする。

「犬」は象形文字で、 ꝥ 。尾を巻いて吠え立てる姿を、立てて書いた。これを部首にして、「犭」としたとする説もある（『新字源』角川書店）。

いずれにせよ、「犭」は「犬」で、「狗」は「小さい犬」であることが判明した。学生の意地悪な質問。「先生！ では大きい犬はどうなんですか」。私の答え、「自分で調べなさい！」。

随分前の話、学生達と台湾旅行をしました。旅行初日、買い物に出掛けた学生達が驚いて帰って来た。「先生！ 流石中国、犬の肉を売っていましたよ」と。少しは、中国語を齧っていたのでしょうね。「熱狗」を「犬の焼肉」とでも勘違いしたのでしょうか。じっくり考えればわかったはずですが、初めての海外旅行で少々興奮していたのでしょう。「熱狗」は皆さん、おわかりですね。そう「HOT DOG」でした。店内で食べますか、持ち帰りにしますか。いやそこは、台湾。関係ないか。しかし、日本人でも、消費税の詳細はわかりにくい。観光大国を目指すのはよいが、来日した外国人が混乱するのが怖い。

故郷岐阜県中津川では、大雨の降った後地表に露出する「矢じり」を「天狗の歯」と称していました。さらに、古代の地理書とされる『山海 經』には、白い頭の山猫のような怪獣の「天狗」が登場し、凶事を避ける力があるとされます。

日本風の、人の形をして鼻が長く、空中を飛行する「天狗」の他に、日本には、「烏天狗」というのもあります。「烏天狗」に類するものは、中国にもその例があります（図11）。日本の「天狗」は「羽毛扇」を持ち、「烏天狗」も「羽」を生やしていましたね。

ところで、「狗」の元来の意味は少々不明。白川静は「句」に「小なるものの意」があり、「駒」は、小さい馬、若い馬を指すとする。しかし、白川静の説

「龍」と「蛇」

「小龍」は、中国の『漢語大詞典』には、「北方方言で十二支の中の『巳』、すなわち『蛇』」と説明してあります。

1995年4月下旬、揚州での中国全土の文物関係者のための集中講義に、南京藝術学院 周 積寅教授に随行し、参加しました。周教授と同室でしたが、思わぬ発見をしました。

BEDの下に洗面器が置いてあります。朝、起きたときに使用するものと思っていたのですが、周教授は夜寝る前に靴を脱ぎ（中国では基本的に、常時靴を履いています）、靴下を脱ぐと、洗面器に室内に置いてある魔法瓶（暖水瓶・保温瓶）の湯を注ぎ、足をチャプチャプさせるのです。その姿が、何とも可愛かった。そうです、江戸時代、旅人が旅籠に宿泊するとき、まず「足洗い」の盥でやるのと同じ行為です。しかも、中国の「足洗い」は、現在、日本で流行している「足湯」の癒し効果も持っていたのです。現在でも、洗面器が使用されている地方があるのかどうかはわかりませんが、微笑ましい光景でした。

さて、その集中講義の間、食事は全国からやって来た人達と食堂で一緒に摂ります。

ある日の晩餐のこと、SOUP（湯）の碗に何やら怪しいものが入っているではありませんか。「鰻」のぶつ切りのようにも見えますが、食べる前に一応質問しました。「これは、いったい何ですか？」

返って来た答えが、「シャオ・ロン」。はて「シャオ・ロン」とは？ 中国に着いて1か月もたっていないときでした。

一瞬、考えて思いあたりました。「シャオ・ロン」とは、「蛇」じゃないですかと言うと、「そうです」との返事。たじろぎました。私の生年は「子年」、鼠です。蛇は天敵です。しかし、何事も経験。食べました。味は淡白。

揚州は、揚子江のちょっと北にあり、北方とは言えない地域ですが、「小龍」とは「蛇」のことだったのです。日本でも、「揚州炒飯」とか「揚州飯店」とか

で馴染みのある「揚州」です。大運河（京杭運河）が傍らを通り、交通の要路として栄えました。揚州は日本との関係が深い地です。奈良の唐招提寺の開基である鑑真和尚が日本に来る前にいた寺「大明寺」があります。鑑真は、五度の失敗にもめげず、753年に日本に到着し、東大寺に戒壇院を設け、唐招提寺を建立しました。

「蛇のSOUP」は、「蛇湯」、然らば、「足湯」（脚湯）は「豚足SOUP」か、はたまた、「鶏足SOUP」か、はたまた、「人足SOUP」か。「銭湯」は「銭のSOUP」か。嗚呼、わからないことが多すぎるままに、私はあの世に旅立つのか。その前に、足をチャプチャプせねば。あの懐かしの揚州の、琺瑯の花柄洗面器（洗臉器）で。フフフ。魔法瓶から「湯」を注ぎながら。「湯」は、中国では、「熱水」「開水」です。ご心配なく、中国語の「湯」には、「洗澡塘」、つまり風呂屋・銭湯の意味もあったようです。

「蛇」と「鳥」

「蛇」は「龍」の原形、「鳥」は「鳳凰」の原形と言っても諸君は怒らないだろう。だって、我々の使用する「漢字」は、元来、「象形文字」と言って、物の形に似せて作った文字なのだから。それも、中国からやって来ているのだから。意地悪な学生は、即座に質問する。先生、「蛇」はどうして「虫」に「它」なんですか？ 確かに私もそう思う。白川静先生に聞いてみよう（今のところ、私は何でも白川先生に聞く）（「先生」は、中国では、「さん」くらいの意味。日本語での、学校の「先生」のことは、「老師」と言う。たとえ若くても。尊敬の意味を込めており、決して年齢差別ではない。HARASSMENT委員会の方々、ご承知おきを）。

白川老師は答える。

「蛇」。声符は它。它は蛇の象形。蛇は它の形声字である。它に他などの意があって、のち区別して蛇の字を用いる。

私が老師に再度質問する。「它」にはどうして「宀」が付いているのですか？　以前、「宀」とは、「高い屋根に覆われた家屋の形」というような説明を受けたと思うのですが（こういう率直な投げ掛けを、私は多摩美在職中に学生達から学んだ）。

白川老師、答える。

　「它」。象形。頭の大きな蛇の形。蛇の初文 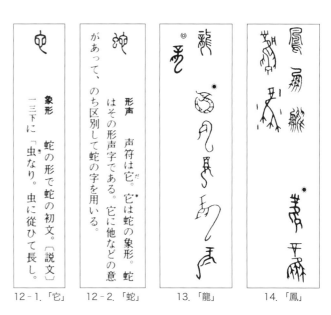（図12）。

その後にも、「它」の使用例や、付随する意味が、縷々述べられているが、私の素朴な質問「宀」と「匕」との組み合わせに対する明確な答えには、白川先生、触れられていない。

「そりゃそうだ、白川先生にもわからないことは一杯あるんだよネエ君達」とゴマカス。

次に、「龍」と「竜」はどうですか、と質問がある。白川老師、答える。

　「竜」は、象形。頭に辛字形の冠飾をつけた蛇身の獣の形（図13）（略）。この種の冠飾は鳳・虎の卜文形にもみられるもので、霊獣たることを示すものであり、四霊の観念がこれらの字形の成立した当時において、すでに胚胎するものであることが知られる。

わかりました。しかし、私達、「竜」と「龍」の文字の違いについても知りたいのですが。「龍」についてはホッタラカシである。白川老師、この点もうちょっと詳しく説明してよ。学生達から必ず質問される点だから（白川老師：私にばっかり頼らないで、自分でもう少し調べなさい。私：ハイ、わかりました。スイマセン）。

「鳳」（図14）はどうでしょう、白川老師。

　形声。声符は凡（凡）。卜辞にこの字を風の意に用いる。卜辞にみえる風は、鳳形の鳥の象形字に、ときに凡を声符としてそえている。風はその凡の下に、虫を加えた形である。風はもと鳥

形の神であったが、のち竜形の神とする観念が起こって、風の字が作られたのであろう。卜辞・金文には風の字はなく、（略）（『字統』）（傍線筆者）

「風」は「凡」の発音を借りていた。確かに、フワットするとか、フワフワとか、フット溜息とか、我々が現在使っている擬音語の原点でもあるようだ。空気がざわめく、漏れるときの音であろう。何となくわかる。傍線の部分は、私流にハッキリ言ってしまえば「凡」が「竜」と結婚して同棲した形態である。

「竜」は「天と地」を結ぶ、「上昇と下降」の「気」の流れの象徴であり、「天の意志」を地に伝え、「地の意志」を天に伝える神の役割を持ち、「鳳」は「水平」の「気」の流れを示す鳥を原形としている。風の神であろう。殷帝国の偉い人は、小高い丘に立ち、流れ行く雲とか、吹き付ける風の強弱とかその方向を基にして占いを立て、その結果を重んじて国家の行く末を案じていたのである。つまり、「縦」の「龍」と「横」の「鳳凰」とを十字架のように交差させ、「神」は、「天の意志」を張り巡らすわけだ。

■参考文献
白川静『字統』（平凡社　2007年）
白川静『漢字百話』（中央公論社　1978年）
白川静『文字遊心』（平凡社　1996年）
白川静『字通』（平凡社　2014年）

図版（右上）

象形　蛇の形で蛇の初文。〔説文〕一三下に「虫なり。虫に従ひて長し」。
12-1.「它」

形声　声符は它。它は蛇の象形。蛇はその形声字である。它に他などの意があって、のち区別して蛇の字を用いる。
12-2.「蛇」

13.「龍」

14.「鳳」

第2章

肖像画から人間をみる

『聖徳太子像』部分（法隆寺）

中国の「写真」の世界
「真を写す」とは、どういうことか

　私は小・中・高の美術の教科書で、写実主義は西洋からやって来たと教えられました。しかし、大学での日本美術史の先生は、東洋には「東洋の写実」があると言いました。その証拠に、中国では、「写真」「写生」「形似」などという言葉が古くからありました。中国において、「写真」の歴史は長いのです。

　古く漢時代より、英雄を顕彰するために肖像画は描かれて来た。六朝時代には、前出の肖像画の名手顧愷之もいた。彼の話は、その後、何度も繰り返し伝えられるようになる。今一度、その意味を考えよう。

劉義慶『世説新語』「巧藝」第二十一（5世紀、南朝宋）

　顧長康畫人、或數年不點目精、人問其故、顧曰、四體妍蚩、本無關於妙處、傳神寫照、正在阿堵中。

（顧愷之は人物を描くとき、数年間も瞳を入れないことがあった。ある人がその理由を問うと、顧愷之は答えた。姿態の美醜は、もともと絵の真髄とは関係ない。「精神を伝え、照きを写す」のが重要で、それは阿堵［ここ］、即ち眼にあるのだと）

　「伝神写照」の「神」は「精神」、「照」は「かがやき、または影像」、また、「照らす、写す」の意味になると、「照相」として現代中国語でも用いられる。即ち、「照相」は「写真、または写真を撮る」意味なのです。従って、「照片」は「PHOTOGRAPH」のこと。漢語辞典を見ると、日本語の「伝送写真」は、中国語では、「伝真照片」となっている。やや複雑ですね。仕方がないか。「照相館」は「写真館」、「照相機」は「写真機」（CAMERA）のことです。

　ところで、現代の日本の場合、町にはまだ「〇〇写真館」が残っている。SHOW WINDOW には、近所の人の「家族写真」が飾ってあり、時には「お見合い写真」らしきものも飾ってある。「家族の真の姿」の記録は素晴らしい。しかし、「お見合い写真」の場合は「化粧の下に真の姿が潜んでいるのではないか？」

と私が言う。学生達が言う、「先生！　悪乗り！」。私、「スマン。はい、これで終わり。物事の真実に迫るのが、私の授業なのだ」。トホホ。

　少々、脇道に入りましょう。旧字の「眞」の本来の意味は、白川静によると、「匕と県に従う。匕は化（化）の初文で死者、県は首の倒景、合せて顚死の人をいう」とあります。「顚死者」とは行き倒れのこと。「真とは死者、それはもはや化することのないものであるから、永遠にして真実なるものの意となる」は、やや牽強付会の感がする。もう少し魅力的な説明はないものか。今後に任せましょう。とにかくやはり、時代と文化文明の変化につれて意味呼称も変化するということだけはわかる。

　唐時代になると、物事をあるがままに捉えようとする「写実」の精神が発達したことは事実である。「写実」は、時間と空間の認識の変化で発達し、その内容と表現を異にすることがある。

　唐時代、8世紀、人々は自分の肖像画や鏡に映った自分の姿を見ては感慨に耽った。

<ruby>唐、白居易<rt>bái jū yì</rt></ruby>（772 - 846）「<ruby>自題寫眞詩<rt>zì tí xiè zhēn shī</rt></ruby>」（自ら写真に題す）

<ruby>我貌不自識、<rt>wǒ mào bù zì zhì</rt></ruby>　我が貌、自ら識らず、
<ruby>李放寫我眞、<rt>lǐ fàng xiè wǒ zhēn</rt></ruby>　李放、我が真を写す、
<ruby>静觀神與骨、<rt>jìng guàn shén yú gǔ</rt></ruby>　神と骨とを静観するに、
<ruby>合是山中人、<rt>hé shì shān zhōng rén</rt></ruby>　合に是れ、山中の人、
<ruby>蒲柳質易朽、<rt>pú liǔ zhì yì xiǔ</rt></ruby>　蒲柳の質は朽ち易く、
<ruby>麋鹿心難馴、<rt>mí lù xīn nán xùn</rt></ruby>　麋鹿の心は馴れ難し
<ruby>何事赤墀上、<rt>hé shì chì chí shàng</rt></ruby>　何事ぞ、赤墀の上、
<ruby>五年爲侍臣、<rt>wǔ nián wéi shì chén</rt></ruby>　五年、侍臣となる、
<ruby>況多剛狷性、<rt>kuàng duō gāng juàn xìng</rt></ruby>　況や、剛と狷性多し、
<ruby>難與世同塵、<rt>nán yú shì tóng chén</rt></ruby>　世と塵を同じくし難し、
<ruby>不惟非貴相、<rt>bù wéi fēi guì xiāng</rt></ruby>　惟、貴相に非ざる
<ruby>但恐生禍因、<rt>dàn kǒng shēng huò yīn</rt></ruby>　但だ恐るは、禍因を生ずること、
<ruby>宜當早罷去、<rt>yí dàng zǎo pí qù</rt></ruby>　宜しく当に早く罷すべく、
<ruby>收取雲泉身。<rt>shōu qǔ yún quán shēn</rt></ruby>　雲泉の身を収取せん。

「私の容貌は自ら知らないが、李放が、私の真を写してくれた。静かにその精神骨格を観ると、まさに山中の人である。蒲柳（体が弱い）の質だか

ら朽ちやすく、麋鹿（野生の鹿類）の心だから、馴れ難く。それなのにどうしたことか、赤墀（宮廷）の上で、五年も天子の侍臣となっていた。ましてや剛情で狷介な性であり、世間とは塵を同じくし難く、高貴な相でもない。おそらく、禍を生ずるもととなるだろう。それより、早くに辞職し、雲泉の身を全うすべきだと思うのだ」

　白居易、39歳、元和5年（810）の作。白居易は、このとき、長安で左拾遺、翰林学士の官職についていた。あるとき、李放という画家が、白居易の「真を写し出し」てくれた。つまり、「肖像画」を描いてくれた。それを見ると、彼が到底役人務めができるような部類には属していないことがわかる。早く世間との縁を絶ち切って、山の中で静かな隠遁生活を送りたいものだとする。とはいうものの、実はそれから20年後、白居易はまだ官職にあった。単なる夢であったわけである。トホホ。

<ruby>白居易<rt>bái jū yì</rt></ruby>「<ruby>感舊寫眞<rt>gǎn jiù xiè zhēn</rt></ruby>」

<ruby>李放寫我眞、<rt>lǐ fàng xiè wǒ zhēn</rt></ruby>　李放、我が真を写す、
<ruby>寫來二十載、<rt>xiè lái èr shí zài</rt></ruby>　写し来たりて二十載、
<ruby>莫問眞何如、<rt>mò wèn zhēn hé rú</rt></ruby>　問う莫れ、真は何如と、
<ruby>畫亦銷光彩、<rt>huà yì xiāo guāng cǎi</rt></ruby>　画は亦、光彩を銷し、
<ruby>朱顏與玄鬢、<rt>zhū yán yú xuán bìn</rt></ruby>　朱顔と玄鬢、
<ruby>日夜改複改、<rt>rì yè gǎi fù gǎi</rt></ruby>　日夜、改、復た改、
<ruby>無嗟貌遽非、<rt>wú jiē mào jù fēi</rt></ruby>　嗟く無かれ、貌の遽に非なるを、
<ruby>且喜身猶在。<rt>qiě xǐ shēn yóu zài</rt></ruby>　且に喜ぶべし、身の猶在るを。

「李放が私の真を写し。写してから二十年、その真はどうなったかと問うな、画もまた、光彩を消しているのだ。朱い顔と玄い鬢は、日夜、改まり、また改まる。しかし、嗟くな、貌が急に変わることを。喜ぶべし、この身がまだ在ることを」

（私は、随分、年を取った。朱い顔と黒い鬢も失われた。嘆くな、同様に、絵も古びたのだ。まあ、この身が残っているだけでも良いではないか。しかし、心の「真」は、どうなったの？　などと苛めないでくれ）

白居易の詩の「写真」は、明らかに「肖像画」ということになる。では、もう少し範囲を広げた「写真」という言葉の使用はないのか。例えば「花鳥画」の「真」を「写す」ためにはできないのか。「山水画」の「真の姿」を「写す」ためには使用できないのか。それらの場合には、どのような言葉を使用するのか。まだまだ、研究の余地あり。日暮れて、途遠し。

次は、絵画において、「形似」、つまり、「形を似せる」とは、どういう意味を持つのか。少々探ってみよう。

蘇軾（そしょく）（1036-1101）「書鄢陵王主簿所畫折枝詩」（しょえんりょうおうしゅぼしょがせっしし）

論畫以形似、	画を論ずるに、形似を以てするは、
見與兒童鄰、	見ること、児童と隣す、
賦詩必此詩、	詩を賦するに、此の詩を必とするは、
定非知詩人、	定めて、詩を知る人には非ず、
詩畫本一律、	詩と画は、本と律を一にす、
天工與清新、	天工と清新、
邊鸞雀寫生、	辺鸞の雀、生を写し、
趙昌花傳神、	趙昌の花、神を伝う、
何如此兩幅、	何ぞ如かん、此の両幅、
疎淡含精匀、	疎淡、精匀を含む、
誰言一點紅、	誰ぞ言う、一点の紅、
解寄無邊春。	解く、無辺の春を寄す。

「絵を論ずるのに、形が似ているかを第一にするのは、子供と同じ見方。詩を作るのに、題目にとらわれるのは、詩を理解しているとは言えない。詩と絵とはもともと同じやり方、巧みな技と清らかな崇高さとである。辺鸞の雀の生き写し、趙昌の花の神髄を伝えること、君の二枚の絵も、及ぶまい、そのさっぱりしながら、巧みに整った様には、誰かが言う、一点の紅も、良く、無辺の春に寄すと」

［語注］鄢陵＝河南省鄢陵県。王主簿＝不明。折枝＝折り取った一枝。邊鸞＝8世紀末、唐の画家。趙昌＝10世紀、北宋の画家。何如＝不如。しかず。疎淡＝さっぱり。精匀＝細かく行き渡る。解＝何かをする能力があることを表す助動詞。寄＝託すること。無邊＝無限。

蘇軾（そしょく）は、「形似（けいじ）」「写生（しゃせい）」「伝神（でんしん）」という言葉を使っている。「形似」は単に「形が似ている」だけ、それでは子供の理解に止（とどま）る。必要なのは「写生」、つまり、「生気を導き出し、生き生きと描くこと」である。そして、「伝神」は、描く対象の持っている「神髄、あるいは精神を抽出して描くこと」、これらが必要であると説く。間違いのないことだ。

我々日本人は、幼少期・児童期、美術の時間で、先生によくこう言われた。「さあ、お絵描きの時間よ、外に写生に行きましょう、よく見て描くのですよ」と。

困った、困った。子供は一瞬にして対象を把握し、自分の感性と表現法で絵を仕上げる。

形の正確さとか、光と影の問題とか、質感とか、そもそも西洋写実における自然描写の六つの要素（空間性、身体性、材質性、描形、解剖性、対象色）、また、美術形式の諸要素（筆触、線、表面、量、色彩、構図）など知りもしない。先生もまったく教えてくれなかった。ただ、「よく見て」と言うのみ。「見る」ことの奥に何を発見するのか。「見ない」でも描けることは、一杯あるのに。小中高の先生は何も教えてくれなかった。そもそも絵画とは何なのかということさえ教えてくれなかった。幼稚園・保育園のお絵描きの延長であった。年齢の発達情況に応じて絵の表現が変わっていき、その裏には少年期から青春期にかけての独特の迷いや激情が隠されているはずだが、先生はそれらには一切無関心であった。せいぜい「良く描けましたね」と言うくらい。本当に途方に暮れました。授業で美術教育をやるならば、もう少し科学的に綿密な手法で学生達を自己発見の方向に導くべきだ。画板を持って外に出なくても、部屋の片隅で自分の世界を表現することも絵画活動の重要な一部です。

東洋絵画の伝統には「影」がない、ということを知ったのは、大学に入って小杉一雄教授の授業を取ってからだ。私自身絵が好きで、中学時代は東西の名画にあこがれ、様々な絵を模写した。しかし、振り返って見るに、そのほとんどが「影のない絵」であった。北斎やGOGHとかCÉZANNEとかMODIGLIANIなど、未来派とか構成主義にも興味を持った。私は、

20歳半ばまで「影のない世界」で育ったのだ。「影の
ない男」だった。だから、REMBRANDT の理解は
随分遅かった。

「逸品芸術家」と「水墨画」

　唐時代には、「山水の変」があったり、「酔っ払い芸
術家」が目立った行動をとった。オカシナ時代であっ
た。唐の都 長安（現・西安）は、当時有数の国際都市
であり、様々な価値観が渦巻き、様々な表現が生まれ、
人々は一種の混乱と興奮の中で、それを享受していた。
　唐時代の美術評論家、朱景玄が、9世紀、『唐朝
名畫録』で当時の画家達の品等付けを行った。上か
ら「神品」「能品」「妙品」の、従来からある3段階
で行った。しかし、「どうも、それらの範疇に納まり
切れない、変な芸術がある」、「どうも、新しい趣向
のもので、3段階の中に入り切れない類いのものだ」、
「ええい、面倒だ。番外にもうひとつの RANK を設
けよう」として、でき上がったのが、「逸品」である。
「逸」は「逸脱」の意味であるが、のちに価値の転換
が起こると、「秀逸」の「逸」になり代わる。
　草書は、六朝時代、王羲之によって、流麗華美な
書風が成立したが、唐時代の芸術家達は、それをもっ
と大胆に推し進め、「狂草」という GENRE を確立
した。張旭と懐素である（図15）。「かすれ」や「滲
み」を多用した。彼等の芸術革命は、もちろん画家達
を強く刺激し、早速その効果を絵画にも取り入れられ
た。むしろ、同時進行と言って良いかも知れない。絵
画の線は、古典的な「優美で均一な線」でなくとも良
い、「ガサツで強い線」でも良いとした。あるときは、
対象の輪郭線を外して描いた、いわゆる「没骨法」で
ある。さらに、「水っぽい墨で、一気呵成に仕上げる」
ところの、「水墨画」も成立したのである（図16）。
　その結果、この時代以降、「鮮やかな色彩の絵画」
と、色そのものを否定する「水墨画」それぞれが、互
いに競い合うことになる。画面に共存することにもな
る。

15-1. 張旭「残千字文」

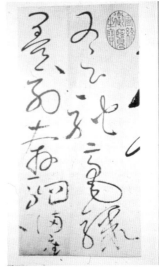

15-2. 懐素「自叙帖」

16. 伝石恪『二祖調心図』（東京国立博物館）

李白「草書歌行」

shào nián shàng rén hào huái sù
少年上人號懷素、　　少年の上人、号は懐素、

cǎo shū tiān xià chēng dú bù
草書天下稱獨步、　　草書、天下、独歩と称す、

mò chí fēi chū běi míng yú
墨池飛出北溟魚、　　墨池、飛出す、北溟の魚、

bǐ fēng shā jìn zhōng shān tù
筆峰殺盡中山兔、　　筆峰、殺し尽す、中山の兔、

bā yuè jiǔ yuè tiān qì liáng
八月九月天氣涼、　　八月九月、天気は涼し、

jiǔ tú cí kè mǎn gāo táng
酒徒詞客滿高堂、　　酒徒と詞客、高堂に満つ、

jiān má sù juàn pái shuòxiāng
牋麻素絹排數箱、　　牋麻と素絹、数箱に排し、

xuān zhōu shí yàn mò sè guāng
宣州石硯墨色光、　　宣州の石硯、墨色光る、

wú shī zuì hòu yǐ shéngchuáng
吾師醉後倚繩牀、　　吾が師、酔後、縄牀に倚り、

xū yú sào jìn shuòqiānzhāng
須臾掃盡數千張、　　須臾にして、掃い尽す、数千張、

piāofēngzhòu yǔ jīng sà sà
飄風驟雨驚颯颯、　　飄風と驟雨、驚き颯颯たり、

luò huā fēi xuě hé máng máng
落花飛雪何茫茫、　　落花と飛雪、何ぞ茫茫たり、

qǐ lái xiàng bì bù tíng shǒu
起來向壁不停手、　　起ち來たり、壁に向かい手を
　　　　　　　　　　　停めず、

yì xíngshuò zì dà rú dòu
一行數字大如斗、　　一行数字、大なること斗の如し、

huǎnghuǎng rú wénshén guǐ jīng
怳怳如聞神鬼驚、　　怳怳として、神鬼の驚くを
　　　　　　　　　　　聞くが如し、

shí shí zhǐ xiànlóng shé zǒu
時時只見龍蛇走、　　時時、只だ見る、龍蛇の走るを、

zuǒ pán yòu cù rú jīng diàn
左盤右蹙如驚電、　　左盤右蹙、驚電の如し、

zhuàngtóng chǔ tān xiānggōngzhàn
狀同楚漢相攻戰、　状は同じ、楚漢の相い攻戦
　　　　　　　　　　するに、

hú nán qī jùn fán jǐ jiā
湖南七郡凡幾家、　　湖南の七郡、凡そ幾家、

jiā jiā píngzhàngshū tí biàn
家家屏障書題徧、　　家家の屏障、書題は徧ねし、

wáng yì shàoxiǎng bó yīng
王逸少 張伯英、　　王逸少、張伯英、

gǔ lái jǐ xǔ làng dé míng
古來幾許浪得名、　　古来幾許か浪りに名を得るや、

zhāngtián lǎo sǐ bù zú shuò
張顚老死不足數、　　張顚、老死し、数うるに足らず、

wǒ shī cǐ yì bù shī gǔ
我師此義不師古、　　我が師、此の義、古を師とせず、

gǔ lái wàn shì guì tiān shēng
古來萬事貴天生、　　古来、万事、天生を貴ぶ、

hé bì yào gōngxùn dà niánghún tuō wǔ
何必要公孫大娘渾脱舞。　何ぞ必要とせんや、
　　　　　　　　　　　公孫大娘の渾脱の舞を。

「少年の上人、号は懐素。草書は天下に独歩する
という。墨池から北溟の魚を飛び出させ、筆峰は
中山の兔を殺し尽す。八月九月の天気涼しき頃、
懐素の家には、酒徒詞客が集まる。牋麻素絹は、
数箱に置かれ、宣州の石硯に墨色が光る。吾が
師懐素は、酔後に縄牀に倚りかかり、あっとい
う間に数千枚を書いてしまう。飄風と驟雨が、

驚き颯颯とし、落花と飛雪は茫茫とする如し。立
ち上がり、壁に向かい、手を停めず、一行数字を
書くが、大きさは斗の如し。怳怳として鬼神が
驚き騒ぐのを聞き、時には、龍蛇の走るのを見
るが如し。左に盤り、右に蹙まり、驚電の如
く、その状は楚漢の軍が攻戦するが如し。湖南七
郡の家家には、屏障に書いたものが溢れる。王羲
之とか張芝も、昔から浪りに有名ではある。張
旭もいたが、年を取って死んでしまった。所詮、
彼も、数えるに足らない存在。わが師、懐素は
古を師とせず、全て天生貴んだ。なぜ、公孫
大娘の渾脱舞を必要とするというのか」

　何とも激しい場面である。大袈裟と言えば大袈裟で
ある。懐素の一面を語るには適切であるが、懐素芸術
の繊細な部分が見えてこない。一種の広告塔の気味が
ある。やはり後世、蘇軾も、この詩は、唐末五代の
禅月大師の法に倣ったものの、それには及ばない作品
であり、李白の作ではないと注釈を付けた。私もそれ
に同意する。つまり贋作であると。理由は、全体に言
葉に含蓄がなく、粗野で荒々しい。なおかつ、叙述が
単純でいわゆる詩情がないと私は思うのである。それ
はともかく、懐素や張旭の位置を知るためには便利
であるから、敢えて掲げてみた。

　さて、「墨」は「玄」である。「太玄」や「玄牝」を
好む中国の人々は、この時点で思想的に先祖回帰した
のかも知れない。色を否定した「水墨画」は、その代
表ともなり得る。因みに、楊貴妃を愛した「玄宗帝」
は、熱心な道教信者で、愛する楊貴妃を息子から奪い
取るため、一時期、彼等を引き離し、楊貴妃を女道士
に仕立て、ホトボリが覚めるのを待ったという話があ
る。やはり、「玄」なのである。しかし、「玄宗」は
「色」を好んだ。これ如何に。

「富貴体」と「野逸体」

　唐時代、7・8世紀に、酔っ払い芸術家達によって厳密な輪郭線が否定されたものの、やはり伝統的な「線」に対する郷愁は強く残っています。「線」を使用しても犯罪ではないわけで、それでは一層「線」を強調し、その内側を豊かな色彩で埋め尽くし、豪華な雰囲気の絵画を作り上げようと発奮したのが、五代十国、蜀（四川）に生れた黄筌です。10世紀頃の人で、蜀滅亡後は北宋の都汴京（開封）に出て活躍しました。息子達もその画風を継承し、「黄氏体」と呼ばれ、後に、「富貴体」とも呼ばれます。それは、「鉤勒塡彩」という「輪郭線と鮮やかな色彩」を重んずる技法を用いたものです。日本の「大和絵」に共通するものがあります。

　一方、「非線」（この場合、輪郭線を排除する意味）派も、黙ってはいません。同時代、南唐の画家徐煕は、「水墨画風」を中心に、大胆で躍動感溢れる画風を確立しました。こちらは、「野逸体」と呼ばれました。東京国立博物館の徐渭『花卉図巻』は、16世紀、明時代の作品ですが、見てください。葉に輪郭線がありません、墨は濃淡ムラムラがあり、画面に溶け込んで行くのがわかります（図17）。

　無限の広がりを感じます。「輪郭線」で境界を決めるのではなく、それを外すことによって、様々な物象の融合を図るのが「水墨画」であり、「没骨法」（この場合、「骨」は輪郭線を意味します）なのです。徐渭と日本の俵屋宗達はほぼ同時期の画家ですが、場所は違えど似たような仕事をしています。芸術家同士の、豊かな感性の交感が成せる業なのでしょうか。

　ただし、俵屋宗達は、京都という伝統のある都市で育ちました。背景には装飾的な大和絵や、色彩豊かな仏像があります。宗達はそれらを取り入れ、鮮やかな色彩も使用し、ついでに「線」を発展向上させ、太くて柔らかいものに仕上げました。例の『蓮池水禽図』

17.　徐渭『花卉図巻』部分（東京国立博物館）

18.　俵屋宗達『蓮池水禽図』（京都国立博物館）

19. 俵屋宗達『風神雷神図』（京都国立博物館）

20. 雪舟『慧可断臂図』（愛知・斉年寺）

（図18）とか、『風神雷神図』（図19）に見られるものです。太い線とムラムラの空間、ムラムラの雲が共存します。ついでに言っときますが、俵屋宗達より100年以上も前の、室町時代の雪舟の描いた『慧可断臂図』（図20）には、早くもこの骨太の輪郭線が登場しています。

　本来、雪舟は「線」の作家であるというのが、私の見解です。国宝『破墨山水図』は、極めて貧弱な空間表現の「水墨画」であるという私の意見を巡って、かつて、後輩と激論した事があります。日本的事情を考えれば致し方がないというものの、中国的観点からすれば、堅苦しさを感ずるしかない、つまり広がる空間が狭くて窮屈なのです。

服装の話

　服装の話をしましょう。所詮、重要なのは、外見ではなく中身なのですから、というのがこの授業の主旨。

『論語』「子罕」

子曰、衣敝縕袍、與衣狐貉者立、而不恥者、其由也與、不忮不求、何用不臧、子路終身誦之、子曰、是道也、何足以臧。

「孔子が言った。粗末な破れ綿入れを着て、狐や

貉などの立派な衣服（即ち、贅沢な高級服）を着た人の中に立っても、毅然としていて、決して恥じることのない者、それは子路だろう。妬んで人を害することなく、貪ることもしない、これは、大変結構なことであると、『詩経』にもあると。子路はこの言葉が気に入り、終始口ずさんでいた。孔子は言った。しかし、このままの『道』だけを守っても不足である。君は、『道』に対してもっと積極的になり、さらに遠くを目指すべきだと」

大学教員生活の後半は、中国服を着用して授業をすることも多かった。そして、ときには、和服で。中国服だと単なる変人扱いであるが、和服、つまり着物だと相手が混乱するようだ。特に同僚の教員達の反応がオカシイ。幾つもの和服を着てみたが、「唐桟」を着用すると、同僚は「何、その寝巻」などとおっしゃる。

別の同僚は、もう少し質の良い着物を着ている私を見ても、やはり「何、それ」である。「脱亜入欧を目指した諸君には、日本の着物は、陳腐な風習の残り火のように思えるのだろう」と、思わず言い返した。ついでに、「何、その西洋服」と言ってやった。相手は絶句した。こちらは、正にLAST SAMURAIの心境である。

日本の文化を知らないとは、恐るべきことだ。「江戸時代、唐桟は庶民の着物で、年中着用していたところの、今で言えば、JEANSに相当する衣類だ」と、そのつど説明するのも煩わしい。それから、私は着るのを止めた。JEANSなら問題ないのにである。しかしこのJEANSも、大学が定めたDRESS CODEで教職員に関してはその着用が問題になったようだ。大学の品位を汚すという理由である。NECKTIEも着用の必要条件となった。一層のこと、教員用と学生用の制服を定めて品位を保ったら如何かと思った。私も20代後半、父を亡くしたとき、喪主としてMORNINGを着用したことがある。しかし、普段着なら何を着ていても良いではないか。今はその自由を享受できる時代なのだから。全体主義の圧政下ではないのだから。問題は外見ではなく、中身なのだから。

一昔前、多摩美にフンドシ（褌）一つで通学する学生がいた。私も、彼を大学構内で見かけたことがある。思わず声を掛け、数語言葉を交わしたが内容は忘れた。他愛のないことだったのだろう。とにかく、彼はこれで電車の中でも吉祥寺にも出没したようだ。流石にその筋から「公序良俗」に抵触すると注意を受けたようだが。いやはや。人生難しい。夏の海辺は、その種の人達で溢れかえっているというのに。そこでは、「公序風俗」として認められているのだろうか。とにかく、場所が特定限定されればよいのだろうか。いずれにせよ、確かに電車の中にBIKINI姿のオネーサンが乗り込んできたらびっくりするだろうな。

『樹下美人図』

今のご時世、「美人図」と呼ばれる図画での、「美人」という言葉の使い方が適切であるかどうかはわかりません。GENDER論が盛んな現代、まさか「〇〇人図」などとは言えません。そう、「女性図」くらいで良いのかも知れません。授業中に、AKBを、「明るい〇〇」とか、「明るい××」とかとは、決して申しません。ご法度です。やはり、「明るい美人」でしょうか。

「羽」の甲骨文字は、「〔甲骨文字〕」。白川静『字統』では、「羽を飾りに用いることが多いのは、ただ美飾のためでなく、呪的な意味のあるものとされた」としています。

さて、正倉院からは「羽根付き」の「美女」が登場します。皆さん、小林幸子さんではありません。よろしく。およそ、7・8世紀頃、唐の時代のお話です。正倉院、『樹下美人図』については、大学院での恩師、小杉一雄教授から「羽毛の付いたSHAWLを羽織った女性は、仙人志向の表れである」と教えられ、納得した。いやあ、ここで早速「羽織」が出てくるとは思わなかった。「羽織」は不思議なことに、日本語なのです。そう、「羽織袴」の「羽織」なんです。中国語ではないのです。

さて、唐時代、楊貴妃を手に入れた玄宗帝も熱心な

21-1. 『樹下美人図』（正倉院）

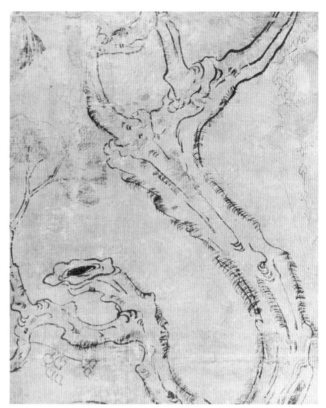

21-2. 『樹下美人図』部分（正倉院）

道教信者であり、不老長寿の薬など服用していたに違いない。肉厚で丸っこい肩を持つ美女たちは、艶やかに豊満さを強調し、それは、「牡丹の花」にもたとえられた。顔の化粧も頬紅をたっぷりと付け、緑や青の顔料を、顔の要所要所に点じ（まるでPALLETのよう）、いわば人工美の極致を目指す。TRACK野郎の

DUMP CARなどと、宣う勿れ。宮廷文化の華である。黒髪もたわわに結い上げて盛り上げる。貧乏人の私は、さぞや、時間とお金がかかったことだろうと溜め息が出る。一方、当時の庶民は、どうであったろう。その姿を再現することは難しい。現存する唐時代の墓壁画で目にするのは、王侯貴族や、せいぜいその召使くらいであるが、皆、高級そうな衣服を身に着けている。

　この正倉院『樹下美人図』（図21）も、当時の唐時代の最新FASHIONを身に纏い、それを描いた画家も、最新流行の技法を駆使して描き上げたのである。立派な体躯、衣服の線はたっぷりとした墨で肉太に描かれている。六朝時代には細身の女性が好まれ、表す線も細かったのとは対照的である。現代は、太・中・細（L・M・S）の三種混合である。良かった。個性重視で良かった。もっとも、一方で流行というものがあり、電車に乗ると、まったく同じ髪型と同じ化粧で見分けがつかない。話し方も一様だ。内容も一様だ。お金は、樋口一葉の登場となった。

　その美人の背景にある樹木の描き方も、六朝時代の文様的存在から離れ、実物に即したやり方で木の洞やそれに付着した苔や寄生植物まで克明に描かれている。

一種の「写実」が芽生え始めた証拠である。「洞」の表現は、昔のベッタリ派からは嫌われるが、とにかく最新の表現技法であった。幹や枝の線には強弱があり、それはそれなりに力と躍動感に満ちている。以前のおっとりした優美な線とはまったく大違いである。六朝時代には、顧愷之の「春蚕吐絲」（春になり、蚕が糸

22. 韋洞墓壁画「婦人」　　　　23. 「仏頭」（興福寺）

24. 『日光月光菩薩像』（東大寺）

を吐き、その糸が、やさしい春風に乗り、柔らかな曲線を描いて流れて行く）といわれる優美な線が好まれた。

ところが、唐時代になると、SILK ROAD を通って西方の力強く豊かな線描法も入り、都の長安では文化が爛熟し、破格な表現方法も力を誇示し始め、絵画世界も豊かになった。この時代、唐時代の絵画は、「太目」の線（ムキムキ線）と「細目」の線（SLIM 線）の両方の魅力を認識し、その双方を同一画面で併存させ闘わせることにも、興味を覚えていたのである。

国際都市長安、そこを中心に発達した文化は、東アジアに瞬く間に広がっていった。日本からも遣唐使が赴き、最新の技術・文化を持ち帰った。

さて、唐時代の墓壁画に見られる女性の顔（図22）は豊頬、二重頤、首には三重線（釈迦も同様）、目は切れ長、顔は四角、まるで、興福寺宝物館の仏頭のようでもあり（図23）、東大寺三月堂の『日光月光菩薩像』のようでもある（図24）。いずれも、当時の人物の理想的な典型の反映である。

当時、長安の町中の高級酒場では、金持ちが椅子に座って瑠璃杯の葡萄酒を飲む。もちろん、注いでくれるのは、金髪碧眼の PERSIA の女性。昼日中から酒に酔い、ベロンベロンになっているのは、有名な李白である。皇帝のお召しがあっても、衣冠装束を整えもせず謁見し、「私は、酒中の仙人」とほざく。CHAOS と言えば CHAOS。爛熟と言えば爛熟、お蔭で、政治も乱れた。

正倉院の『樹下美人図』の起源は、中央 ASIA であるという説がある。確かに樹木の下に動物が配されている例を見る。TURBAN 風の被り物で、鳥の毛、つまり「羽」の付いた SHAWL（肩掛け）を纏う。これは一体なぜだろうと、学生達に問う。学生達、きれいな羽毛を身に纏い、より美しく見せるためと言う。それもあろうが、李白が「仙人」を目指したと仮定するならば、こちらは、小杉一雄教授が言うように、「羽衣」（羽衣は日本語で、ハゴロモと言いますね）を纏った「女性仙人」願望を表すのかも知れない。「羽化登仙」という言葉がある。「羽化」は、「さなぎ」が「成虫」になって羽が生えることを意味すると同時に、「仙人」

25. 『樹下美人図』部分（羽衣）

になることも意味する。あるいは、日本にもある「羽衣伝説」のように、「空飛ぶ天女」を目指したものかも知れない。ただし、仏教で扱われる「飛行美女」は長い帯のようなものを靡（なび）かせて飛ぶ。やはり、「仙女」と「天女」とは、それぞれ道教と仏教で、住む世界が違うのでしょうかね。ちなみに、「羽士（うし）」は「道士（どうし）」を意味します。いずれにせよ、「空中飛行」は人類の夢である。世界中に「空中飛行」伝説はあるはずです。そう言えば、「森永 CARAMEL」にもいましたっけ。あれは、ENGEL でしたっけ。チャンチャン（図25）。

BADMINTON は中国語で「羽毛球（yú máo qiú）」という。「羽毛扇（もうせん）」は、「ジュリアナ」か諸葛孔明（しょかつこうめい）か。そう言えば、「奈良時代」の前は「飛鳥時代」でしたね。「飛ぶ鳥美人（あすかとり）」に中国・朝鮮の二系統があれば、「飛鳥仏像（あすかぶつぞう）」にも、様々な系統があったのでしょうね。ちなみに、「飛鼠（fēi shǔ）」は「蝙蝠（こうもり）」、あるいは、多摩美の競争相手の「ムササビ」のことを言います。

『聖徳太子像』

今でも礼服（儀式のときに着用する衣服）といえば西洋服であることが多い。聖徳太子（574‐622）の頃は、中国服が礼服の基本となっていたであろう。もちろん、西洋服などまだない。和服が発達するのは、もっと後だろう。となると、やはり中国服であろう。当時、ほとんどの文化は中国から輸入された。それらは直輸入か朝鮮半島経由のものであった。私の若い頃は、聖徳太子といえば1万円札であった。日本史の教科書にもその聖徳太子像が掲載されていた。その逸話と共に、大変馴染みの深い人物が、聖徳太子である（図26）。

大学院に入り、仏教美術を少し齧（かじ）り、後に中国絵画史研究に転じ、美術館務めをしばらくし、やがて、多摩美で教えることになった。授業では、中国と日本との美術の関係を中心に講義を進めた。そこで聖徳太子像の登場である。学生達には、聖徳太子に似た人達が唐時代の墓壁画に一杯登場すると紹介する。もちろん、これらの墓壁画は、8世紀初頭の唐時代の FASHION で身を固めている（図27）。

26. 『聖徳太子像』（法隆寺）

27-1. 唐・「李重潤墓」（706年）

27-2. 唐・「永泰公主墓」（706年）

聖徳太子や小野妹子は、唐の前の隋と関係があったから、「隋時代のFASHIONを見せろ」と意地の悪い学生が言う。大差なかったろう。私は、「その資料は少ないし、聖徳太子の像は、冠や鬚、装束など、唐時代のそれに類似性を持つから、彼のFASHIONは、とにかく当時、大陸での流行に適っていたと見てよいだろう」と答える。中国の例に倣った衣冠制度は、主に男性を対象に用いられた。FASHIONもそれに従ったと言ってよい。聖徳太子像がそれを証明するのだ。では、女性の場合は。日本の女性はと言えば、都大路を楊貴妃のようなGLAMOURな女性が、胸元を開け、華やかなSHAWLをなびかせながら都を闊歩していたのかどうか。化粧法は一部取り入れていたようだが。女性はやはり、当時一方で影響力の強かった、朝鮮半島の女性のFASHIONも、一つの理想としたに違いない。その証拠が「高松塚古墳」に見られる女性像である。本当に、女性の場合、どうなっていたんだろう。ムニャムニャ。竹下通りを想起する。

28. 高松塚古墳「西壁女子群像」

高松塚古墳「西壁女子群像」

「飛鳥美人」とされたものは、「朝鮮系美人」の象徴？

正倉院『樹下美人図』の美人が当時の中国での美人の基準に適っていたものとすれば、同時期に存在した『高松塚古墳「西壁女子群像」』（図28）は、朝鮮半島を代表する美人の基準を示すものだろう。美人かどうかは別として、両者を比べてみよう。

何しろ、その佇まいから、着ている衣服とか、髪型とかすべてにわたって、その様相を異とするからだ。飛鳥時代の仏像とされるものにも、様々なSTYLEの違いが象徴されており、とりわけ私の大学院の恩師は、その時代、当時の中国北方系の仏像様式と南方系様式が混在、つまり同時に存在していたことを強調された。私も、それに同意する。

今でも仏教用語は「呉音」（昔の中国の南方の言語）を使用している。当然、その地の様式の仏像が持ち込まれていて当然という説には蓋然性がある。もちろん、北方系仏像を持ち込んだ人々は、北方の言葉を使用し

ていただろう。「呉音」を基に現在の上海語が成立したかと思われるが、今でも北京語とは大きな違いがある。日本の飛鳥時代、そこに朝鮮語が加わったとすると、人々はCOMMUNICATIONをどのように図ったのか、余程優秀な通訳か言語達者がいたのか。法隆寺を建立するのに関係した技術者のLEADERもほとんどが朝鮮系の人々で、そこで飛び交う言語も朝鮮語であったろうという説に、私は納得する。

次に、2007年4月7日『朝日新聞』「中学校の歴史」に掲載された記事を紹介する。

1980年代半ばに福沢諭吉と代わるまで、四半世紀にわたって1万円札を飾った聖徳太子の肖像画は、生存中のものではない。衣服や冠は半世紀以上も後の時代のもの。本人に似ているのかどうかもわからない。東京書籍の中学歴史教科書の説明文は、「聖徳太子と伝えられる」と断定を避けている。また、この肖像画を載せていない教科書もある。

朝日新聞って、意外と「NATIONAL」なのね。つまり、「INTERNATIONAL」じゃないのね。知らなかった。思い切って断定しなさいよ、朝日新聞！

　「高松塚古墳」とか「キトラ古墳」とかに関しては狂ったように熱中して取り上げるわりに、その問題を同時代の広い世界の中に位置付けては考えない。すべて、日本中心。そうか、第二次大戦中の新聞報道も、そうだったのね。国粋主義一直線だったのね。とにかく、飛鳥時代のことなんだから、憎い欧州にまで目配りする必要はないのだから、せいぜい中国大陸か朝鮮半島に気配りするだけででいいのよ。それもできないとはこれ如何に。チャンチャン。

　その記事では、見出しに、「美人の祖先型古墳から出る」とある。朝日新聞も意外とミーハーなのね。これ失礼でしょう、女性に。そもそも描かれた女性が美人かどうかは問題ではない。そんなことはどうでもよい。当時の文化状況を知る重要な歴史的資料の発見なのである。「MISS UNIVERSE」の発表ではないのだから。そんな卑近な表現はお止めなさい。まるで自覚がない。現代の世の中で、「美人・美女」とか大げさに騒ぎ立てるのは、芸能雑誌はともかく、全国紙でやるべきことではない。マア、仕方がないか。最近の全国紙といえども、「年を取らないためのSUPPLEMENT」とか、「シミ・シワを取るための美顔CREAMの宣伝」ばかりを、過剰なまでに載せているのだから。紙面の大部分が広告。シカシ、今や数少ない新聞愛読者にとっては嫌なもんである。TV‐COMMERCIALと同じく、新聞を繰る毎に、全面広告がシャシャリ出てくるのは、嫌なもんである。我々は報道NEWSを読むために新聞代を払っているのである。マア、戦争中にも、堂々と化粧品の広告を載せていたくらいだから、そもそも、新聞なんてこんなものか。平和時の今としては、なおさら歯止め（入歯安定剤ではない）が利かないくらいに、広告が増殖しても仕方がないのか。所詮、これが日本の文化水準なのだから。でも、これだけSUPPLEMENTの宣伝ばかりというのは、もはや紙媒体の新聞なぞ読む者は、老人ばかりということなんでしょうね。若い人には必要がない存在となって

しまったのか。

　そして、次のように続く（傍線筆者、以下同様）。

　極彩色には目を見張らされる。でも美女だったとは……顔はどこまでも大きく、目はどこまでも細く。古墳時代、それが異性を振り返らせる美形の条件だった。

　「どこまでも大きい顔」と「どこまでも細い目」なんて表現、今だったら差別表現と言われてしまいそう。心配してしまう。こういうところだけは、頑張るのね。しかし、何で敢えて「古墳時代」なんて言うのだろう。見て来たような嘘を言い。後の記事では、「7世紀」なんて言っているのに。マ、少し位のズレは、いいか。私も、ショッチュウやっている。

　次の部分が面白い。

　さて、壁画の女子群像のカラー写真が初めて公開されたとき、人骨標本が散らばった研究室で新聞の特報に見入っていた自然人類学者は、こうひとりごちていた。
　「北東アジアの渡来系の美人か……人類学的にみても正確な写生だな、これは」

　朝日新聞、なぜハッキリ「高句麗の女性」と言わないのか。「北東アジアの渡来系」が、朝鮮人で悪いのか。渡来系って、外来系という意味ですよね。東京の井の頭公園では、外来種撲滅運動が行われ、市民も大勢参加したようだが、私は釈然としないものがあった。命を大事にするってことがわかっていないと。お米の元の稲も外来種、我々の先祖も外来種が多い。外来種の魚類を撲滅する池の周りを散歩する人々が連れて歩いている犬は、ほとんどが外来種。人間って、何て不合理なんだろう。そのうち、「外来犬撲滅運動」もやりかねない。犬が迷惑するだろう。ワンワン。キャンキャン。

　高松塚四美人（7世紀？）。先祖は朝鮮半島からの渡来人と思われる宮廷仕女。同じ渡来系の絵師

のモデルに。

「朝鮮半島からの渡来人」って、「朝鮮人」のことだよね。まさか「朝鮮半島経由で日本に渡って来た中国人」ではないですよね。「同じ渡来系の絵師」というのも同様、中国人ではないですよね。どうしてハッキリ「朝鮮人の女性」とか「朝鮮人の画家」と言えないのだろう。「朝鮮人」で悪いのか。我々戦後派は、今まで国籍や人種や性や職業によって差別構造を作らないという理想のもとに、現在まで育ってきたと思う。日本人は、大体が渡来人の末裔でしょう。「朝日新聞」ごときが、なぜそこまで口籠るのか。正体見たり朝日新聞。でも、朝鮮の人が見たら、「朝日新聞」は「朝鮮日本新聞」の略と誤解されるかもしれませんしね。ついでに、「中日新聞」は、「中国日本新聞」か。「美しき国、日本」は「美国」（中国語ではAMERICAのことを「美国」と言います）か。「日米安全保障条約」は、「日美安全保障条約」となるのです。「美しい米」、何となくありそうです。「外米は外国の米」ならば、「日米は日本の米」か。

とかく、言葉はややこしい。くれぐれも、誤解のないように、心掛けねば。蛇足ですが、学校のHARASSMENTについての講習会で、教員は、学生や助手達に向かって、「ちゃん」を付けて呼んではいけないと説明を受けました。「君」なら良い、「呼び捨て」なら良いということでしょうか。形式一辺倒ではいずれ破綻をきたすだろう。

さて、美術史の授業ですので、その記事を、少々美術史的に見てみましょう。

> 高松塚古墳「西壁女子群像」。国宝。7世紀末〜8世紀初。漆喰地着色。文部省所管。髪はうなじで白い紐を巻きつけて束ねられ、裳の裾はフリルで飾られている。場面については葬送や朝賀の儀式など、さまざまに解釈されたが定説はない。

流石、以前の文部省、「女子群像」としている。「美人群像」とか「明るい美人（AKB）四人組」などの商業主義の新聞調は、「国宝」を扱うときには、名称として使わないようである。とにかく、宮廷貴族に仕える女性で、それが白い紐で髪を束ねている。衣服の裾には、FRILLも付いているとする。ついでに付け加えておくと、首元はきつく締められ、帯もかなり下の方にゆるく巻かれている。失礼だが、随分胴長に見える。東洋の人は胴長が多いよねと、私が付け加える。女子学生達が、即座に反応する。「スイマセンねー、私達、もともと胴長なんですよ」と、仏頂面で、頬をふくらませて言う。私は言う、「胴長でも胴短でも構いませんよ、所詮、同じ同、イヤ、胴なんだから、中身は同じなんだから、それに、それはそれで、結構可愛いよ」と、あわてて弁解。咄嗟に学生達は言う、「先生、オヤジGAG！」。スマン。

飛鳥の地を築いた人達が、朝鮮半島からやって来た技術者や文化人を中心とする人達であったとするならば、その墓に故郷で馴染んだ女性像を描くことは何の不思議もないことである。同様に、『樹下美人図』の作者も日本に渡来した中国人画家で、材料に制作地日

29.「李賢墓」（706年）

本にいた山鳥の羽を現地調達で作品に使用したとして
も、まったく不思議ではない。『樹下美人図』の作者
の名は、明らかではないが、唐の都長安で、数多くの墓
壁画を手掛けた、大変優秀な画家群の流れを汲む者で
あった可能性が高い。これは、唐の都長安近辺の墓壁
画を見ればわかる（図29）。

　とにかく、私が言いたいのは、この時代、「中国大
陸系の美人」と「朝鮮半島系の美人」が、飛鳥・奈良
の地でその美を競い合っていたということである。ハ
テ、日本人はどうなった。わからん。とにかく、日本
にも、まさに、文化の混淆する国際都市が存在したの
であった。唐の長安より、小振りであったが、一角の
INTERNATIONAL CITY があったことは確かである。
外国人排斥運動はもっと後のことである。

中国の胡旋舞と日本の盆踊り

　クルクル回る「胡旋舞」の躍動感を芸術表現に取
り入れた芸術家がいます。「踊り」が人を惑わせると
いうのは、万国共通、歴史の常。そもそも、舞踊の
「舞」とは、「舞の初形である無には、その両袖に羽毿
（羽飾り）のような呪飾をつけており、おそらく羽舞を
行ったもので、それが古文の字形に残されているの
であろう」（白川静『字統』）とする。これは、中国での
「舞踊」の意味。しかし、各国には各国の舞踊があり、
敷衍してその芸術一般にも、その国の身体性が大いに
関係していると思われる（図30）。

　中国の芸術は流動的、日本の芸術は静止的。トメの
必要な盆踊り、トメのきかないウチのカミさん。ウチ
のカミさんは米国人（美国人）。トメの必要な「盆踊り」
で手が流れてしまうのです。もちろん、これは、個々
の人種に備わった身体性の初期的発露。訓練すればそ
れなりに。彼女、蕎麦を啜るのも大変だった。しかし、
居直って日本の土着的な農民の動き、即ち「田植えの
ときの摺り足」に、立脚して築き上げたのが、土方
巽の「暗黒舞踏」。大野一雄もそれに加わり、新しい
日本の舞踏ができ上がったのです。

　日本では、夏になると「盆踊り」がある。これには、

30. 「李晦墓」（689年）（舞女図）

大体「止め」が伴う。足の捌きも摺り足だ。基本は
「二歩前進、一歩後退」と聞いたことがある。たまに
は、「春駒」のように、ピョンピョン跳ね上がるもの
もあるが、珍しい。この、一旦静止し「止める」動作
に十分力を込め、つまり、「力を溜め」て次の動作に
移るとき、一気に放出させるというのが、「大駱駝艦」
を主宰する麿赤兒の「鋳態」理論だ。「緊張と断続」、
その二つが求められ、そこから新たに次の動き「爆発」
が展開されると言うのだ。まるで DIESEL ENGINE。
動きを一度「鋳型」に填め込み、圧縮し、爆発させ、
そこから新たな動きに移る。この理論を聞いたときに
は、私も思わず刮目させられた。いよいよ、日本の舞
踏論が確立したのかと。快哉の叫び。

　昔、ALVIN AILEY の GROUP の舞踊を見たが、白
人の動きは繊細でキャシャ、少々病的、黒人の動きは
力強く弾力的、とにかく腕がしなる、曲線を見事に描
く。日本人の腕の動きは、割り箸が振り回されるよう

に直線的、だけどここは日本、東京文化会館での上演では、日本人の踊りに拍手が一番多かった。依怙贔屓の極みである。ALVIN AILEY を観に行ったら、人種に関係なく、そこで行われるすべてを総合的に観て、まとめて感動の拍手を贈るべきだと思った。2019 年の TELEVISION COMMERCIAL に登場する踊りの振り付けも、ギクシャクの「PINOCCHIO 踊り」。「骸骨踊り」と言っても良い。若い女の子が「骸骨踊り」をやるという不思議な光景。日本人の身体性に適ったやり方であろう。退行現象とは言わないが、そら恐ろしい。

「胡旋舞」

中国、唐時代には、中央アジアから伝わった、PERSIA踊りの系統でしょうか、クルクル回る「胡旋舞」という踊りが流行します。「トメ」どころではない、「トマ」らないのだ。永遠に回り続けるコマの如く動き回る。現在の中国の踊りにも、その要素は色濃く残っています。とにかく、連続して回転する動きの速いもので、運動量の多い、激しい踊りです。中国では、私もその踊りに魅せられました。「胡旋舞」は、唐時代に西方から伝わり、長安の都を中心に、一気に中国全土に広がりました。

白居易（772 - 846）「胡旋女」

胡旋女、　胡旋の女、
胡旋女、　胡旋の女、
心應絃、　心は絃に応じ、
手應鼓、　手は鼓に応ず、
絃鼓一聲雙袖擧、　絃鼓一声、双袖挙がり、
廻雪飄颻轉蓬舞、　廻雪飄颻として、転蓬のごとく舞う、
左旋右轉不知疲、　左旋右転し、疲れを知らず、
千匝萬周無已時、　千匝万周、已む時無し、
人間物類無可比、　人間の物類、比す可き無く、
奔車輪緩旋風遲、　奔車の輪も緩やかに、旋風も遅し、
曲終再拜謝天子、　曲終り、再拝し、天子に謝す、
天子爲之微啓齒、　天子、之が為、微に歯を啓く、
胡旋女、　胡旋の女、
出康居、　康居より出づ、
徒勞東來萬里餘、　徒に労す、東に来たる万里の余、
中原自有胡旋者、　中原、自ずから胡旋の者有り、
鬪妙爭能爾不如、　妙を闘い、能を争い、爾も如かず、
天寶季年時欲變、　天宝の季年、時は変ぜんと欲し、
臣妾人人學圓轉、　臣妾人人、円転を学ぶ、
中有太眞外祿山、　中に太真有り、外には禄山、
二人最道能胡旋、　二人、最も道う、胡旋を能くすと、
梨花園中册作妃、　梨花園中、冊して妃と作し、
金鷄障下養爲兒、　金鶏障下、養いて児と為す、
祿山胡旋迷君眼、　禄山、胡旋し、君の眼を迷わし、
兵過黃河疑未反、　兵は黄河を過ぎるも、未だ反せずと疑う、
貴妃胡旋惑君心、　貴妃、胡旋し君心を惑わし、
死棄馬嵬念更深、　死して馬嵬に棄つるも、念は更に深し、
從茲地軸天維轉、　茲れ従り、地軸と天維は転じ、
五十年來制不禁、　五十年来、制すも禁ぜず、
胡旋女、　胡旋の女、
莫空舞、　空しく舞う莫れ、
數唱此歌悟明主。　数ば此の歌を唱い、明主を悟らせ。

「胡旋の女、心は絃の音に応じ、手は鼓の音に応ず、絃と鼓と共に両袖を挙げ舞う、雪の飄り舞うごとく、蓬が風に飛ぶごとく、左に右にくるくる回り、疲れを知らず、止まらない、まるで人間に非ずがごとく、走る車輪や旋風も敵わない、一曲舞い終われば、天子のお褒め、胡旋の女は、西域康居の生まれ、東にはるばるやって来た、しかし、そのとき、中国にも胡旋舞をやる者が、妙技を争っていた、天宝の時には、時代の変化の中、臣や妾も、くるくる回りを学んでいた、特に楊貴妃と安禄山の二人は胡旋舞が旨い、玄宗帝は楊貴

妃を梨花園で貴妃とし、安禄山を金鶏障（きんけいしょう）の下で貴妃の養子とした、安禄山は胡旋して玄宗帝の眼を迷わし、帝は、反乱兵が黄河を渡っても、信じない、楊貴妃も胡旋で惑わし、馬嵬（ばかい）で楊貴妃を失っても、思いを募らせた、それ以来、天地変転して五十年、未だ胡旋は禁じても絶えない、胡旋女、いたずらに舞うのはおよしなさい、私のこの歌を歌い、君主を悟らせなさい」

［語注］胡旋＝中央亜細亜、SOGDIANA の動きの速い踊り。廻雪＝風に吹かれる雪。飄颻＝翻るさま。轉蓬＝飛蓬。秋風に吹き飛ばされる蓬。千匝萬周＝旋回するさま。物類＝現象。奔車＝突っ走る車。旋風＝つむじ風。啓齒＝笑う。馬嵬＝長安の西郊馬嵬駅。ここで玄宗帝は蜀（四川省）に落ち延びる時、楊貴妃を縊り殺した。地軸天維轉＝天地の情勢が変わること。

　詩人が時代相を見事に述べる手法は、下手な歴史書よりももっと面白く、文明批評も絡んで大変妙味のあるものとなる。私は絵画史研究が専門だが、余生を中国の詩人達の眼を借りて、歴史相や絵画史観を学びたいと思う。

　私は詩については明るくないが、今、この詩をじっくり読むと、冒頭からある種の熱気を感じ、読み進めるに従って心拍数は次第に上がり、まるで眼前にこの踊りが展開されているような錯覚に襲われる。流石白居易である。情況描写はうまい。康居からやって来た「胡旋舞」は、宮廷でも流行を見、玄宗帝もそれを好み、楊貴妃も安禄山も、「胡旋舞」を良く舞ったという。EUROPE 宮廷に於ける BALLET のような存在であったのかもしれない。白居易のこの詩には、要するに、円転するのは、ただ踊りばかりでなく、皇帝の臣下も世相の一部も節操なく、空しくくるくる回るという批判の意味も込められている。歴史の内部を、外から俯瞰的に見る鋭い詩人の眼が働いているのだ。

　「胡旋舞」とか、「剣器舞（けんきぶ）」などの動きの速い踊りを見て、発想を得たのが張旭（ちょうきょく）であり、その流動性と激しい表現に触発され、「狂草」とも呼ばれた力強い草書を工夫したと言われる。

　「踊り」に触発され、新しい芸術ができ上がったとするが、互いの相関関係を強調したものだ。

杜甫「觀公孫大娘弟子舞劍器行、并序」

大暦二年十月十九日、夔州別駕元持宅、見臨潁李十二娘舞劍器、（略）、昔者吳人張旭善草書、書帖數、嘗於鄴縣、見公孫大娘舞西河劍器、自此草書長進、豪蕩感激、即公孫可知矣。

「大暦二年（767年）、夔州（河北省）の別駕（州の役人）の元持の宅において、臨潁（河南省）の李十二娘が剣器を舞うのを見た（略）。昔、呉（江蘇省）の人、張旭は草書が旨く、しばしば帖に書いていた。かつて鄴県（河南省）において公孫大娘が西河（黄河の西）の剣器を舞うのを見て、これより彼の草書は進歩し、豪蕩（力強く、意気盛ん）感激（感情が激しく動く）たるを得た。公孫大娘も素晴らしい」

　「剣器舞」も、唐時代に流行した西域系の舞の名前。男装の女性が踊り、勇壮活発なものであったらしい。しかし、実際剣を持って踊ったかは不明であるとも言う。人物画や仏画で有名な呉道子もその動きに触発され、力強くて張りのある描線を用いたという。

　六朝時代には王羲之がいて、流麗でやさしい草書を完成させていた。絵画の方では、顧愷之の人物描法が、「春蚕吐絲」（春一番に、蚕が吐く糸が、風に乗ってやさしくたゆとう）と言われたような、これまた細くて均一な線を用いて、当時の人々を魅了していた。時代の好みが変わったのであろう。唐時代では、力強さと速さと変化する姿が好まれるようになったのだ。杜甫「飲中八仙歌」を見てみよう。

杜甫「飲中八仙歌」

知章騎馬似乘船、	知章の騎馬は、乘船に似る、
眼花落井水底眠、	眼は花にして井に落ち、水底に眠る、
汝陽三斗始朝天、	汝陽は三斗、始めて天に朝す、
道逢麴車口流涎、	道に麴車に逢い、口は涎を流す、
恨不移封向酒泉、	恨むは、封を移すに、酒泉に向かわざること、

左相日興費萬錢、
佐相は日興に万銭を費やし、

飲如長鯨吸百川、
飲むは、長鯨の百川を吸うが如し、

銜杯樂聖稱避賢、
杯を銜み、聖を楽しみ、賢を避くと称す、

宗之蕭灑美少年、
宗之、蕭灑の美少年、

舉觴白眼望青天、
觴を挙げ、白眼にて青天を望む、

皎如玉樹臨風前、
皎として玉樹の風前に臨むが如し、

蘇晉長齋繡佛前、
蘇晋は長斎す、繡仏の前、

醉中往往愛逃禪、
酔中、往往、逃禅を愛す、

李白一斗詩百篇、
李白一斗、詩百篇、

長安市上酒家眠、
長安市城、酒家の眠、

天子呼來不上船、
天子、呼び来たるも、船に上らず、

自稱臣是酒中仙、
自ら称す、臣は是れ酒中の仙と、

張旭三杯草聖傳、
張旭は三杯、草聖と伝う、

脱帽露頂王公前、
脱帽露頭す、王公の前、

揮毫落紙如雲烟、
揮毫し紙に落とせば、雲煙の如し、

焦遂五斗方卓然、
焦遂五斗、方に卓然、

高談雄辯驚四筵。
高談雄弁、四筵を驚かす。

「賀知章が酔って馬に乗る様子は、舟に乗っているかのよう。目がちらついて井戸の中に落ちても、水の底で眠ってしまう。舒陽王の李璡は三斗の酒を飲んでから朝廷に出る。道で麹車に出会うと口からよだれを流す。領地を酒泉に移してもらえないのを恨んでいる左丞相の李適之は、日々の酒のために万銭を使い、大きな鯨が百もの川の水を吸い込むよう、杯をくわえて聖なる清酒は歓迎し、賢なる濁酒は避けるという。崔宗之はあか抜けた美少年。さかずきを持ち白い目で青天を望む。その輝きは玉の樹が風に吹かれるよう。蘇晋は刺繍の仏像の前でいつも精進する。酒に酔い、しばしば禅の世界に逃げ込む。李白は一斗の酒で詩を百篇つくる。長安の街の酒屋で眠ってばかり。皇帝のお呼びにも、酔って舟にも上がれない。自分で臣は酒の中の仙人と称した。張旭は三杯飲んで草聖と伝えられ、王公貴族の前でも帽子を脱ぎ、頭をむき出し、筆をふるって紙に落とせば、雲や煙のよう。焦遂は五斗で意気高く、とうとうと議論をし、周りの人を驚かす」

[語注] 知章＝賀知章。朝天＝朝廷に出仕する。麹車＝麹車。酒泉＝地名。甘粛省酒泉県。酒の湧く泉があるという。左相＝左丞相李適之。李林甫に排斥され、毒を飲んで自殺。賢＝濁酒。聖＝清酒。宗之＝崔宗之。李白の友人。皎＝白く輝く。玉樹＝美しい樹。蘇晋＝文章に長じ、太子庶子となった。長斎＝長芋の意味。逃禅＝禅に逃げ込む。張旭＝草書の名手。脱帽露頭＝帽子を被らず頭をむき出しにする。焦遂＝不詳。卓然＝意気が高い。四筵＝一座。満座。

真面目な杜甫が、行儀の悪い酔っ払い達を取り上げた。各人各様の特長を持つ優れた人々であると認識している。私の授業では中国人の留学生に、前のSTAGEに立ってこの詩を読んでもらった。中国の詩では「韻を踏む」という約束があるが、複雑な仕組みはさて置いて、日本語でも、句の最後の文字を「音」で読んでみると大体わかるでしょう。そうです。中国の詩は、「韻」（音の響き）をとても大切にし、なおかつ、文字数をきっちりと決め、見た目の美しさを保っているのです。「平仄」というのもあるのですが、専門家にお聞きなさい。

さて、詩のTITLEは「酒飲みの八人の仙人」。「八」という数で我々の関心をひき、続いて「三」「万」「百」「一」「三」「五」「四」と数字がまるで乱数表のように立ち現れる。これだけでも我々の頭は、酔っぱらったようにクラクラする。杜甫のMAGICである。読む方は「酒に酔って舟に乗るのか、舟に乗って酔ったのかわからない感覚」に追い込まれる。いや見事、杜甫さん。杜甫は色の感覚に対しても鋭いものを持っていますが、ここでは触れません。いずれ。

ついでに、「揮毫落紙如雲烟」の部分ですが、「字が雲や霞のように浮かび上がる」と説明しているものもあります。つまり、次から次へと「モクモク」と出現するという意味でしょうか。それもありましょう。し

かし、私は美大生に、「線」の問題をいつも説いていますので、絵画の方面にもその認識と表現方法は取り入れられ、それ以降、雲や煙や霞の「輪郭線」は止め、「暈かし」や「滲み」や「擦れ」を用いて表すようになったことを説明しますので。

「狂った草書」を、ここでは古代から続く輪郭重視の「線」から解放され、自由自在に墨が飛び回る「没骨法」の意味において捉えます。この時代、酔っ払い芸術家達は、雲や煙や霞には、そもそも「輪郭線」なぞ存在しないことに改めて気付き、それを直接墨で表現したのです。

10世紀、五代十国の荊浩は『筆法記』で「水暈墨章」という言葉を使っています。つまり、「水っぽく、ぼかした墨で描いた章」ということです。うまい表現です。「暈」は、「ぼかし」「目がくらむ。船などに酔う」の他に、「太陽や月の周囲にぼんやりと現れる光の輪。かさ」も意味します。確かにそれらの月の「暈」には、「輪郭線」はないですね。

張旭や懐素などの一連の「狂草」的要素を絵画に取り入れた結果を、その後、荊浩が「水暈墨章」としてまとめ、そこに注目し、「暈かし」や「滲み」や「擦れ」の美を強調したのが現代の矢代幸雄です。彼は、それを染織品や茶器などの分野に敷衍し、日本の工芸の特徴に及びます。唐時代では、草書の世界が大きく変わり、「狂草」などとも言われた張旭や懐素などが登場しました。そういう筆による変化を、絵画に当て嵌めて論じたのが、島田修二郎の「逸品画風について」です。これにより、当時、書と絵が同調し、表現世界の一大改革が行われたことがあります。皆さんは、まだ若いから、お酒を飲むなどという習慣は、わからないと思いますが、梁楷や横山大観などには、酒に酔ってから描いたというEPISODEもあります。

『舊唐書』巻一百九十中、「列傳」第一百四十中「文苑」中

賀知章、（略）、知章晩年尤加縱誕、無復規檢、自號四明狂客、又稱秘書外監、邀遊里巷、醉後屬詞、動成卷軸、文不加點、咸有可觀、又善草隸書、好事者供其牋翰、每紙不過數十字、共傳寶之、時有呉郡張旭、亦與知章相善、旭善草書、而好酒、每醉後呼狂走、索筆揮灑、變化無窮、若有神助、時人號爲張顚。

「賀知章、（略）、知章は、晩年、さらに縱誕となり、規檢を無視した、自ら四明狂客と号し、また、秘書外監と称す。遊里の巷を訪れ、醉後に詞を属し、卷軸を成し、文字句を直すこともなかったが、皆、観るべきところがあった。また、草隸の書を善くし。好事者は、其の牋翰を供えた。每紙、数十字に過ぎなかったが、共に伝えて之を宝とした。時に呉郡の張旭が居り、亦、知章と相い善かった。張旭は草書を善くし、酒を好んだ。いつも、醉後に叫びながら狂走し、筆を索めて揮灑した。それは変化無窮で、神の助けが有る若しであった。時の人、号して張顚とした」

［語注］縱誕＝ほしいまま。規檢＝のり。法度。秘書外監＝秘書少監は、秘書省の次官。賀知章は、外れてしまった秘書官として自嘲した。卷軸＝巻物。書物。揮灑＝筆をふるい墨を注ぐ。

どうです。張旭の草書は変化窮まりなく、神様が助けたとしか思えないなどと言っているのです。『舊唐書』は、五代・後晋の劉昫らが編修し、開運2年（945）に完成したものです。張旭や賀知章の活躍した8世紀の時代から、200年経ってはいますが、この部分の信憑性は、当時生きた杜甫の「飲中八仙歌」によって確かめられるのです。

杜甫「殿中楊監、見示張旭草書圖」
（殿中楊監より、張旭の草書図を示さる）

斯人已云亡、　斯人、已に云に亡し、

草聖祕難得、　草聖、秘して得難し、

及茲煩見示、　茲に示さるを煩わし、

滿目一悽惻、　満目、一に悽惻たり、

悲風生微綃、　悲風、微綃に生じ、

萬里起古色、　万里、古色起こる、

鏘鏘鳴玉動、　鏘鏘として鳴玉動き、

落落群松直、　落落として群松直し、

連山蟠其間、　連山、其の間に蟠り、

溟漲與筆力、　溟漲、筆力を与う、

有練實先書、　練 有れば、実に先ず書し、

臨池眞盡墨、　池に臨んで、真に尽く墨にす、

俊拔爲之主、　俊抜、之が主と為し、

暮年思轉極、　暮年、思いは転た極まる、

未知張王後、　未だ知らず、張王の後、

誰竝百代則、　誰か百代の則を並べるを、

嗚呼東呉精、　嗚呼、東呉の精、

逸氣感清識、　逸気、清識を感ぜしむ、

楊公拂篋笥、　楊公、篋笥を払い、

舒卷忘寢食、　舒巻、寝食を忘る、

念昔揮毫端、　昔、毫端を揮うを念う、

不獨觀酒德。　独り、酒徳を観るのみならず。

「張旭はすでに亡く、その草聖の作品は深く秘せられ、見るのも得難くなった。やっと、その手を煩わせ見せて貰う。目には涙が溢れ、悲しみが薄絹に満ち、周りには古色を感ずる。鏘鏘と鳴玉が動き、落落と群松が直立する如し。連山はその間にわだかまり、大海は筆力を与える如し。練絹があれば書き、池に臨めば、墨を尽くした。高く抜きん出たが、晩年には、書に対する思いがさらに極まった。張芝と王羲之の後に、誰が百代の則として並び立つというのか。東呉の張旭の精なる逸気は、見識ある人達を感動させた。楊公は、篋笥を開けては、巻物を広げ、寝食を忘れ、昔、筆を揮ったさまを念う、ただ酒徳を偲ぶだけではない」

[語注] 悽惻＝悲しく痛ましい気持。微綃＝薄絹。落落＝卓越したさま。溟漲＝大海。張王＝張芝と王羲之。清識＝澄んだ鑑識眼。

「逸」は、本来「辵」と「兔」で、「逃げる」や「逃れる」の意。「それる」「はずれる」から、「すぐれる」「ぬきんでる」、その他のたくさんの意味でも使用され、その範囲は広い。杜甫の使用は、「秀逸で、世俗から脱している」と両方の意味を兼ねている。しかし、酒を飲み、酔っぱらえば上手な作品ができるというものではない。世間の常識から解き放たれ、自己の内面世界を正直に表現するとき、個人の持つ資質が発露されるというものだ。もちろん、ACTION PAINTING の JACKSON POLLOCK も、その例であるが、彼の場合、ある種の薬物を使ったこともあるようだ。中国では、既に8世紀にこの種の芸術が登場しているのだ。それが、当時流行った「舞踊」と関係があったことも、興味深い。

『新唐書』巻二百二「列傳第一百二十七」「文藝中」

文宗時、詔以李白詩・裴旻劍舞・張旭草書爲三絶。張旭、蘇州呉人、嗜酒、毎大醉、呼叫狂走、乃下筆、或以頭濡墨而書、既醒自視、以爲神、不可復得也、世呼張顚（略）。張旭自言、始見公主檐夫爭道、又聞鼓吹、而得筆法意、觀倡公孫舞劍器、得其神。

「文宗（826‐840 在位）の時、詔して、李白の詩と、裴旻の剣舞と、張旭の草書を「三絶」（三つの優れた芸術）とした。張旭は、蘇州の人で、酒を好み、大酔すると、叫びながら狂ったように走りつつ、筆を下し、或は、頭に墨を付けて書いた。酔いから醒めると、その作品を見て、まさに神そのものだとした。それは、二度とできるものではなく、世間では張顚（おかしな張さん）と呼んだ（略）自ら言うに、お姫様と担ぎ人夫が道を争い、互いに囃し立て鼓吹するのを聞き、筆法の意を得、倡妓の公孫大娘が剣器を舞うのを見て、その神髄を得たと」

『新唐書』、北宋、歐陽修・宋祁らの編著。嘉祐5年（1060）に成立。裴旻や公孫大娘は剣舞を善くし、それを見て筆の動きを示唆されたという。身体性の発露に目覚めたと言ってもよい。新しい芸術の出現であった。

しかし、歴史とはオカシナものである。

胡旋舞の流行った唐王朝が潰れ、次の五代になると、ある皇帝が、宮廷で女性に踊りをさせるときに、チョイとその足を布でグルグル巻きに固く締め（まるで西洋の TOE SHOSES です）、動きを不自由にして舞わせた

ところ、その姿が可愛くて、一挙に宮廷を中心にそのやり方が流行ったと言います。私は、信じませんが、たぶん、この頃から女性の自由を奪う「纏足」の習慣が始まったのでしょう。中国では、それから1000年の間纏足が用いられ、女性を苦しめてきたのです。もちろん、楊貴妃は纏足を免れました。御心配なく。

日本の BUTOH

　唐時代文化からの脱却を図った平安時代に、花開いたのが「大和絵」というものです。輪郭線を整え、物体をその中に閉じ込め、様々な鮮やかな色彩を駆使して精一杯化粧をし、華美な世界を表現する。『源氏物語』絵巻がその典型ですが、その流れが後の「琳派」や「浮世絵」、現代の「宝塚歌劇」、日本の ANIMATION や「漫画」の世界に繋がっているのです。私にとってはすべて、「トメ」重視のように思えてならないのです。「日本舞踊」もそうでしたね。

　BUTOH は、「舞踏」のことですが、何も私、羅馬字が好きだからそうしているわけではなく、現在それは国際的に通用する言葉となったのです。「OMOTENASHI（?）」は単なる商売語。BUTOH はれっきとした芸術語となったのです。元来、土方巽（1928-1986）らの「暗黒舞踏」から端を発した言葉である。土方巽は日本人の身体的性に農耕民族の土着的要素としての「摺り足」があることを強調し、それを舞踏に取り入れた。確かに、日本人は「摺り足」文化である。「舞踏」の意味を探ろう。

　　白川静『字統』「舞踏」には、次のように載る。
　　　踏むという行為には、それ自身呪的な意味がある。
　　　舞踏には本来呪法としてのあしぶみ、即ち反閇的
　　　な意味があったものと思われる。

　我が意を得たり。私が BUTOH を好きなのは、そこに呪法と「反閇」があったからである。
　「反閇」とは、「禹歩」のことで、「継ぎ足」である。日本では、「能」の「翁」や「三番叟」の呪術的な足

遣いや、「道成寺」の乱拍子に典型的にみられる。安倍清明も秘法として用い、邪気を反覆閉塞して正気を迎えたとする。それに比べて、西洋の CLASSIC BALLET は、素早く上昇し、見事に着地します。上昇と下降を重んじます。躍動的です。足離れの良いことこの上ない。男性も、女性を高く持ち上げなければならない。機体が軽くて速い方が良いのは JET 機。日本の BUTOH は、「摺り足」で横移動。ゆっくりゆっくり。土方巽は、「摺り足」は、農民の田植えの身体性が根本にあると言います。これ、固有の身体性とでも言いましょうか。とにかく、水田の泥の中での移動は、緩慢な動作で、必然的に「摺り足」「横ズレ」移動となります。時には、泥に足を取られて、泥の中にうつ伏せにもなりましょう。顔面泥だらけ。ご苦労さん。その身体性を持ち合わせて、日本の芸能は発展したということを強調しました。そう言えば、「能」も「摺り足」、「茶の湯」での畳の上の移動も、横にズレ、前後にズレ、「ズレズレ文化」の象徴です。つまり、「スリ足」は上品な所作の一部にも組み入れられました。日本の土着性の強調です。力強いドタバタ歩きは、むくつけき無作法な、幾分知識教養に欠ける武士階級に多かったのでしょう。日本の若い女性が、現在でも HIGH HEELS を履き、それを摺り足のように移動させるのも、日本人固有の身体性にちなむものでしょう。非難の対象とはなりません。だから、「ズルズル」も「ズレズレ」も「ツルツル」も、お茶漬けの宣伝ですさまじい音を立ててかっ込むのも、すべて日本人の身体性によるもの。COOL STRUTTIN'（図31）のようにはいかなくても、これまた致し方がない。諦めるしかない。生活形式がそもそも違うのだから。大体、大野一雄さんは、床に仰向けに寝転がり、足を上に向けてバタバタさせることが多い。これが、EUROPE 人の目には大変不思議な行動と映るのは、やはり DNA の違いでしょうか。欧米人の BUTOH 家と話をしたことがないから何とも言えないのだが。

　しかし、それはともかく、日本人で、欧米で活躍している BUTOH 家達は、概して鋭敏な感覚の持ち主が多いようだ。これは絶対保証します。岩名雅記もそ

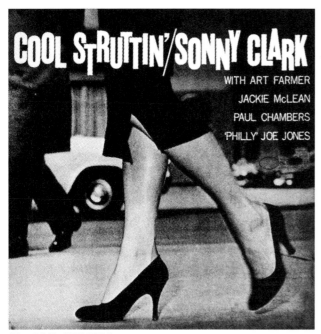

31. COOL STRUTTIN'

の一人。FRANCE 南 NORMANDY に居を構える岩名雅記が制作監督した映画『朱霊たち』は、「静謐さと騒擾(そうじょう)」、「温(おん)と冷(れい)」、その他諸々の対立要素がまことにうまく混淆育成され、我々の心の中に蠢(うごめ)く不安や、幾分かの希望を映像として視覚化してくれたものだった。素晴らしかった。特に、劇中に登場するヒズメ役の澤宏(さわひろし)さんの踊りに強く心を打たれた。澤宏さんとは、その後も、高円寺の彼の行き付けの飲み屋で度々会い、様々な話に花を咲かせた。取分け、二人共 CHEKHOV と JANACEK を好むという共通点を持っていたのが幸いした。今はどうしているだろうか。澤宏さんとは、映画館の STAGE で私と対談も行ったのだが、失敗した。理由は述べない。その後、ネアン役の長岡ゆりさん共々、多摩美の授業で BUTOH を踊って貰った。授業の内容に関連させ、顔輝(がんき)『鉄拐仙人図(てっかいせんにんず)』をTHEME に。題して「鉄拐仙人の孤独」とした。初めて BUTOH に接する者もいて、学生達に人気があった。

現代日本を代表する BUTOH だが、美大生達の中でも比較的認知度が低く、その生きた姿に接する機会は意外と少ない。表現者養成のために、現在の美術大学の基礎教育に身体表現としての BUTOH を取り入れるべきだと、私、変人教師は思うのだが。SPORTSで他国や相手 TEAM に勝つことだけが人類の目的ではない(多摩美には舞踊専攻があるが、全学生がその意義を共有する SYSTEM はない。音楽関係の科目は幾つか設置されているにもかかわらずである)。私が、一頃注目した「大駱駝艦」の舞踏は、それら東西の諸要素を昇華させ、肉体の美しさや荒々しさを強調し、見事な舞台芸術を作り上げています。若い踊り手を次から次へと出演させる麿赤児(顔に似合わず、心が優しい)さんは、日本の現代 BUTOH で傑出した存在です。そこの出身の弟子達も、次々と国際舞台で活躍しています。

奥山ばらばさんや阿目虎南(あもくこなん)さんなどは、礼儀正しい芸術家です。

大野一雄さんとは直接話したことはなかったが、舞踏の公演は観ました。晩年は中川幸夫さんとの COLLABORATION が多かった。なぜだろう。大野さん、中川さん、互いに相通ずる事柄は、「無私の彼方に生ずるところの、強烈で静寂な虚無の世界、その裏腹にあるところの、生命に対する愛おしさと執着(いと)」であろうと思う。宇宙との戯れでもあろう。私も、70歳を過ぎたら舞踏の世界に足を踏み入れ、宇宙と戯れ、自己に沈潜しようと思っていたのだが、現実は違ってしまった。日々、ママチャリで公園散歩と買い物に終始しており、途中、職務質問に遭うというのが関の山。トホホ。トニカク金がない。如何せん。嗚呼。

「科挙(かきょ)・宦官(かんがん)・纏足(てんそく)」

宦官(huànguān)は〇〇が痛い。纏足(chán zú)は足が痛い。科挙(kē jù)は頭が痛い。いわば「三痛」です。でも、懐(ふところ)に一番痛いのは、科挙試験だったでしょう。恵まれた家庭に生まれた男子は幼少期から受験勉強を始めます。家庭教師も付いていたようです。科挙(かきょ)は、何段階もの試験を経て、最後に進士となり、高級官僚になるための切符を手に入れます。宦官(かんがん)は、受験勉強など根っから嫌いな男達が、手早く権力に近付くため、男性のナニを切り取って、その代わりに内廷(ないてい)(大奥)に入る切符を手に入れる方法です。纏足(てんそく)は、女性が三歳頃から足の成長を止めてしまい、極小足に仕立て、ヨチヨチ歩きにする方法です。なぜこうしたのか、私にはわからない。しかし、私の毎年の授業の BEST THREE に必ず入るのは、

学生の７割方を占める女子学生の関心を集めるからでしょうか。トホホ。

　纏足の歴史は、他の二つに較べてそんなに古くはない。10世紀頃からとも言われています。包帯でぐるぐる巻きにして、足の成長を止める。必然的に足の甲の骨は、盛り上がり、縮こまる。まるで豚足のようになります（図32）。別に、ブタさんの足が醜いなどと言うつもりは、毛頭ありません。差別では決してありません。女性の行動を制限し、家に閉じ込め、男達の勝手な欲望が生ぜしめた奇習です（女子学生達の感想文には、現代の HIGH HEELS にも通ずるところがあるとの指摘が数多くあります。私は、纏足も HIGH HEELS もやったことがないので、わかりませんが）。この三つの奇習、清朝が終わる20世紀初頭まで続きました。科挙試験の残滓は、現代でも東 ASIA には見掛けられるようですが。ちなみに、唐時代のご婦人方は纏足の悪習から免れていた。流行するのは、少し後の時代だったのです。

　日本には、「纏足」と「宦官」の風習は入って来なかった。女子学生達は、他人事ながら安堵の溜息をもらしています。ハーッ。

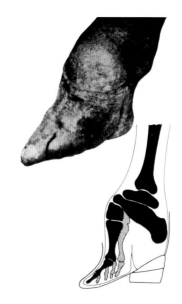

32.　纏足（岡本龍三『纏足物語』より）

■参考文献
　劉 義慶『世説新語』
　　＊この本は面白い。あまりの面白さに、かつて私は、眉唾物の、いい加減な内容と思っていたのだが、諧謔冗談の裏に真実あり、史実にもかなり忠実な部分があると知り、それ以来、大 FAN である。江戸時代にも和刻されたものが、広く読まれた。
　近藤秀實「肖像画家―精神の真実」（『多摩美術大学研究紀要』15号　2001年）
　『唐李重潤墓壁畫』（文物出版社　1974年）
　『唐李賢墓壁畫』（文物出版社　1974年）
　『韓國美術全集4、壁畫』（同和出版公社　1974年）
　『中日美術関連性研究―正倉院蔵鳥毛立女屏風新解』（中国文史出版社　2013年）
　『日本の朝鮮文化』（中央公論社　1982年）
　『古代日本と朝鮮』（中央公論社　1982年）
　『日本の中の朝鮮文化』（講談社　1983年）
　大野一雄『舞踏譜』（思潮社　1992年）
　大野一雄『稽古の言葉』（フィルムアート社　1997年）
　大野一雄『魂の糧』（フィルムアート社　1999年）
　『天人戯楽―大野一雄の世界』（青弓社　1993年）
　『大野一雄と身体言語』（思潮社　現代詩手帖　1992年）
　『大野一雄舞踏譜』（思潮社　1992年）
　『舞踏大全』（青土社　ユリイカ　1983年）
　原田広美『舞踏大全』（現代書館　2004年）
　矢代幸雄『水墨画』（岩波新書　1969年）
　島田修二郎「逸品画風について」（美術研究161号　1951年）
　岡本隆三『纏足物語』（東方書店　1986年）
　Dorothy Ko『Every Step a Lotus：Shoses for Bound Feet』（Bata Shoe Museum　2001年）
　上記の翻訳『纏足の靴―小さな足の文化史』（小野和子・小野慶子訳　平凡社　2005年）
　駱崇騏『中国歴代鞋履―研究与鑒賞』（東華大学出版社　2007年）
　宮崎市定『科挙』（中央公論社　1963年）
　三田村泰助『宦官』（中央公論社　1963年）
　高洪興『纏足の歴史』（原書房　鈴木博訳　2009年）

纏足の靴

第3章

中国の遠近法

郭熙『早春図』部分（台北・故宮博物院）

中国の遠近法──三遠法

　絵画の「遠近法」というと、中学の美術の教科書の絵を思い出します。遠くに続く道の脇に植えられた樹木が、奥に向かってだんだん小さくなって行くのです。それなりに、とにかく、心が躍りました。印象は鮮明です。これが「西洋の遠近法」か、「線遠近法」の基礎かと。岐阜県中津川市の片田舎でそれを知って心が躍った中学生は、この私です。やがて「空気遠近法」を知りました。しかし、これは少々難しい。小学校以来、遠くに霞む山々も身近にあるように、はっきり描いてしまう癖が身に付いてしまっていたからです。写生の時間、外に出て、恵那山を描くときもそうでした。そりゃそうです。中学時代は、葛飾北斎・安藤広重の浮世絵版画や、GOGH ばかりを模写して楽しんでいたわけですから。これには、日本人の DNA が作用していたのでしょうか。

　大学で美術史を学ぶとき、先生から言われました。「日本の浮世絵の透視図法の使用は、以前中国で一旦消化された透視図法を、いわゆる蘇州版画等を通して知っていたから手早く学ぶことができたのだ」と。そのときは、驚きましたが、現在、私はその説に同意しません。直接に HOLLAND 等から持ち込まれた作品を通して、日本人画家が学び取ったものでしょう。

　さて、中国で「遠近法」はどのように絵画で用いられ、どのように発展変化してきたのでしょう。最初に、漢時代の「画磚」（一種の TILE）の表現を見てみましょう（図33）。そうです。紀元前 1500 年くらいに、既に完成度の高い青銅器製造に較べて、絵画の方は、微々たる歩みを始めたばかりです。三次元の世界を二次元で表現することがいかに難しいかは、皆さんも身を以て感じていることでしょう。山々の重なりの前に労働する人物が描かれています。これが大きい。主要な対象を大きく描き、背景を小さく描くことは幼児もよくやります。これも実は、絵画の特権でもあるわけですが、これは後の時代にも引き継がれます。

　六朝時代、顧愷之の『洛神賦図巻』です。やはり、

33. 漢、画塼図

34. 顧愷之『洛神賦図』（5 世紀）

35. 琵琶捍撥『騎象奏樂図』（8 世紀）（正倉院）

登場人物に焦点を当てて、大きく描かれています（図34）。唐時代には、「山水の変」と言って大きく山水画の表現が変わる時期を迎えます。近くは大きく描き、遠くに行くに従って小さく描くという自然摂理に沿った表現方法です。幸い、日本にはその好例があります。正倉院にある『騎象奏樂図』です。装飾品で身を飾った白象の上に、PERSIA 人数人が楽器を奏でてドンチャン騒ぎ（こういう風習が、当時あったのかも知れませんが）（図35）。これが、「近大」。中景の表現はこの画家の腕の見せどころ。向って右は、立ち上がりと共に景色を失い、花火のような樹木が枝を広げる。さらに奥に進むと、左に描かれた浸食の激しい山塊の縮小版が現れ、一番奥に平べったい青色を付された山並みが続き、終り。一番奥の山の左には、平行線が何本も引かれた茜雲の間から太陽の光が放射線状に広がる。夕陽か、朝陽か。私は夕陽説を取る。なぜならば夕陽に向かって、手前から奥に向かって、鳥の一行が蛇行しながら帰路を急いでいるではないか。後出の南宋、馬麟『夕陽山水図』も、まったく同じ詩趣である。近景

から遠景に向かっての中央部分は、むしろ空白部分で、一筋の川が奥から手前に流れて来る。その大きな蛇行線の上に、鳥の一行が乗っかっているわけだが、向かう方向は川の流れとはまったく逆の方向の組み合わせとなっている。それぞれが、「遠」（アチラ）と「近」（コチラ）の要素を、明確に提示しているのです。

　さて、目に付くのは向かって左の、近景から遠景を

繋ぐ、雨風に浸食された「荒れた肌」を持つ山塊です。緑色のなだらかな山並みとは大きく違う詩情を醸し出しています。一番遠くにある緑色の山並みは、前代の古典様式です。「荒れ肌」様式は、正に革新的表現なのです。これが正に、「山水の変」なのです。前代の線描（輪郭線）を重要視する絵画から、その線描を否定する絵画行動が始まった証が、「荒れ肌」様式なのです。モッチリ、ネットリ肌ではありません。そして、唐時代に確立した、一つの遠近法は、五代を経て、次の北宋で、見事に確立します。その典型的な絵画を描いたのが、北宋時代の郭熙です。

郭熙の「三遠法」

郭熙『早春図』（台北・国立故宮博物院）（図36）

絹本淡彩水墨。108.1 × 158.3cm。

郭熙は、字を淳夫と言い、河陽温県（河南省）の人です。画院の画家となり、北宋の都、汴京の翰林院（名儒・学士が天子の詔勅を作成する場所）やその他の宮中の壁や障屛に様々な山水画を描きました。我々日本人からすると、画面の暗い、いささか暗鬱な不思議な光景の山水画が、経済的にも繁栄した北宋の宮廷の好みであったというのは、少し理解に苦しみます。しかしそこには、大自然の雄大な営みがDYNAMICに表現されているのです。宮廷関係といえば、普通ならば派手に成金的趣味に走るのが権力者の好みでしょう。しかし郭熙の絵は、金色や艶やかな色彩を一切排除した、墨色の世界なのです。これが当時の都市絵画の代表であったとすれば、我々はこの絵を通して北宋時代の精神的世界を探ってみる必要があると思います。絵画も思想伝達のひとつの手段となり得るわけですから。

同時代の蘇軾（東玻）の郭熙の絵に寄せた詩を見てみましょう。

蘇軾（1036-1101）「郭熙畫秋山平遠」

玉堂畫掩春日閑、　玉堂、昼掩い、春日閑なり、

中有郭熙畫春山、　中に郭熙の春山を画く有り、

鳴鳩乳燕初睡起、　鳴鳩、乳燕、初めて睡起し、

36.　郭熙『早春図』（1072年）（台北・故宮博物院）

白波青嶂非人間、　白い波と青い嶂は、人間に非ず、

離離短幅開平遠、　離離たる短幅、平遠を開き、

漠漠疎林寄秋晩、　漠漠たる疎林、秋晩に寄す、

恰似江南送客時、　恰も似る、江南送客の時に、

中流回頭望雲巘、　中流に回頭し、雲巘を望む、

伊川佚老鬢如霜、　伊川佚老、鬢は霜の如し、

卧看秋山思洛陽、　卧して秋山を看、洛陽を思う、

爲君紙尾作行草、　君の為、紙尾に行草を作せば、

炯如嵩洛浮秋光、　炯らかに嵩洛の秋光を浮かぶ如し、

我從公遊如一日、　我れ公に従いて遊び、一日の如し

不覺青山映黄髮、　覚えず、青山に黄髪の映るを、

爲畫龍門八節灘、　為に龍門八節灘を画き、

待向伊川買泉石。　伊川に待向し、泉石を買う。

「翰林院の昼、春の日は静か、中には郭熙の描い

た春山がある、鳴鳩と乳燕も目覚め、白い波と青い峰は、世の塵から外れ、離離たる短幅には平遠が開き、漠漠たる疎林は晩秋に寄る、江南の送客に似て、中流にて振り返り、雲巘を望む、程頤も鬢は霜の如し、伏して秋山を見、洛陽を思う、君の為、紙の最後に行草を書けば、嵩山や洛陽に秋の光りが浮かび上がるがごとし、私は貴公に従い遊び、一日の如し、知らないうちに、青い山に黄色の髪が映えるようになる、龍門八節灘を画き為して、伊川を待ち受け、泉石を買う」

[語注] 玉堂＝翰林院。鳴鳩＝斑鳩の異名。乳燕＝燕の雛。子持ちの燕。離離＝雲が長く続くさま。また、飛ぶさま。草木花実の繁茂しているさま。漠漠＝寂しいさま。連なっているさま。遠く遥かなさま。薄暗いさま。草木の茂っているさま。雲巘＝雲の掛かった高い峰。伊川＝地名。河南省嵩県及び伊陽県の地。北宋、程頤（1033‐1107）の号。程頤は、師の周敦頤、兄の程顥と共に宋学の基礎を作り、朱熹に大きな影響を与えた。程頤は、直言が多く、王安石の新法に反対し、一方、蘇軾の一門と対立したとされる。炯＝光。明るい。明らか。嵩洛＝河南省の嵩山と洛陽。八節灘＝不明。泉石＝山石泉水。転じて、山水の景色。泉石膏肓は、山水を愛する癖習が深いこと。煙霞の痼疾。官に仕えざるの意などに用いる。

同じように絵を詠っても、唐の杜甫と北宋の蘇軾では、扱う対象、つまり絵画そのものと対峙する姿勢が明らかに違います。杜甫は一旦絵画に身を預け没頭し、そこで得た感覚を文字に置き換えて丁寧に説明します。つまり、絵画の言語化です。一方蘇軾は、絵画はあくまでも自分の人事に関する事柄の誘発剤。絵をきっかけに自己を語るのである。絵はそっちのけになるきらいがあります。従って、蘇軾の絵に関する詩は絶えず現実の蘇軾近辺の事情に引き戻され、我々は純粋に言語の美の世界に陶酔することができなくなります。私が蘇軾の題画詩に強く惹かれない所以は、その辺りにあると思うのです。

しかし、それはさて置いて、ここで蘇軾の詩を取り上げるのは、その題に「秋山平遠」と記してあるからです。画家郭熙と同時代人で、当時の郭熙の存在の重要さを語りつつ、その風景山水画に「平遠」という言葉を冠したのはさすが蘇軾である。同時代人の歴史

的証言として珍重すべきものです。

郭熙の画論を、息子の郭思がまとめたのが『林泉高致集』です。

その中に、山水画の描法として「三遠法」が述べられています（学生達は、「三猿法」と誤解します）。「高遠・深遠・平遠」の三つですが、「遠」とある様に、「遠」に対する関心とその表現方法が示され、私の強調する所の「東洋の遠近法」がそこで、はっきり謳われている。画家の視点を様々な立ち位置に置き、そこから見る情景を画面に定着させるわけだ。「高遠」は「仰視」、「深遠」は「俯瞰視」、「平遠」は「水平視」である。学生には、「山上さん、山中さん、山下さん」と例えて示しますが、果たしてこれが妥当かどうか。この図で言えば、「高遠」は、画面上方から圧し掛かってくるような主山、画家の位置は山の下に在って、山を仰ぎ見る場所にある。威圧感がある。「深遠」は、画面の下の方に描かれている大きな双松が目立つ、高い所から谷底をを覗き込んだときの感じ。滑落恐怖感がある。「平遠」は、画面の向って左中程に描かれる砂漠の彼方から、チョロチョロと音を立てて静かに流れ来る川の水平線が象徴する。安定感（図37）。郭熙は「二元論」を展開します。これが自然の中の水平線であるとすると、人工の水平線は、双松を対称軸に向かって右にある楼閣の建造物に施された水平線（図38）。これには淡彩の朱が施されているのです。そして、その下には、垂直に流れ落ちる急峻な瀧が連続して落ち、下の水面になだれ落ちます。左のチョロチョロと右のゴーゴー（図39）。郭熙は、画面の左右に、この対称軸を頻繁に用います。その楼閣の右に、双松のMINIATURE版があります。そして、それを対称軸に、右には、緩やかな曲線の屋根を持つ粗末な四阿風の建物が、FREE HAND風に描かれています。楼閣で厳しい修行に疲れた人々が、一時の憩いを迎える場所のようにも見えます。楼閣は、この時代にも流行った「界画」（きちっとした、定規で引いたような線で描く絵。船舶や豪華な建造物を描くのに用いられた）で描かれています。ここで修行を終えた人々は、さらに山奥に分け入り、仙人になるのでしょうか（図40）（しかし、瀧と川

37. 郭煕『早春図』（自然平遠）

38. 郭煕『早春図』（人工平遠）

40. 郭煕『早春図』（楼閣と四阿）

39. 郭煕『早春図』（瀧）

41. 郭煕『早春図』（水辺の人物）

のなんと美しいことか。瀧は、周りを濃墨で固め、白く浮かび上がらせ、艶然と、まるで水晶のような輝きを放っています）。泉ではなく、川面には、やはり、左右に、ちょうど同じ頃、岸辺に着いた庶民の姿が描かれています。大きな自然の懐に包まれた、小さな世界を象徴する庶民の暮しのささやかな楽しみも窺えます。左の小舟からは、地面に解き放たれて自由に走り回る黒犬の姿も見えます（実物は黒い蟻くらいの大きさです）。これも、大きな

双松が対称軸となっています（図41）。

　遠景の聖なる山、人影は見えません。ただし、ぼんやりと小さな楼閣が描き込まれているのが印象的です。仙人修行達成後の緩みを再度鍛える場所なのでしょうか。油断大敵。火の用心。

　画家自身も示しているように、この図は『早春図』ですから、時を「春分の日」に設定しますとこうなります。つまりこの日、冬季は水中に潜んでいた龍（潜

龍）が、冬眠から目覚め、一気に、上空目がけて立ち昇る（昇龍）様子を描いていることになります。

冷たく滞った水面（陰）を、早春の太陽（陽）が照らし出し、水は水蒸気となり、霞となり、山々の間をぬって、上空に届きます。このクネクネと立ち昇る姿を「龍」とします（図42）。わかりますね。「冬眠」と「クネクネ」、つまり「龍」は「蛇」や「いもり」などを原形としているのです。

「陽の気」からENERGYを貰った、冷たく凍った水面から発生する「水蒸気」は、山々の間をくぐり抜け、やがて上空に達します。そこにはたくさんの軽くて暖かい「陽の気」が漂っています。その中心にあるのが、「太陽」（非常に大きい陽）です。水面（陰）から立ち昇った新参者の「気」の代表である「龍」が、そこに顔を出し、合体します。まあ、「陰と陽が合体した」ようなものです。こうして、目に見えなかった「陽の気」達は、「陰」からやって来た「龍」さんと結婚し、「雲」さんが生まれたわけです。「雲」の成り立

ちに関しては、尊敬する白川静さんの説に懇切丁寧に書いてあります（図43）。

雲からは雨が落ちて来ます。山頂に届いた雨は、集まって「瀧」となり、また水面に達します。上に行くときは「龍」、下に来るときは「瀧」。納得ですね。要するに、「龍」とは、「天と地」、「聖と俗」との間を行ったり来たりする重要な役割を持った「神」なのです。「神」とは、天の意志を地表に届ける役割を持つのです。たまに機嫌を損ねると、「龍巻」になりますよ。

今、画家の視点の三つの立場を確認したのですが、実は「空気遠近法」的表現もあるのですよ。ちょうど画面の中心点の位置に、柵もない、道なき道を、荷を背負って行く人の周辺、さらに「気」が立ち昇る樹々の間、ところどころに樹枝の先端が、霧に隠れてボンヤリしたような部分、これらは「空気」の濃淡で表される部分です（図44）。私が好きな、英国のWILLIAM TURNER、日本の菱田春草らの「朦朧体」に通ずる部分です。

42. 郭熙『早春図』（霞）

雲（甲骨文字）

形声　声符は云。云は雲の初文。のち雨を加えて雲となった。〔説文〕一二下に「山川の気なり。雨に

象形　雲の形で、その古文。雲気のたなびく下に、竜が尾を巻いている姿がみえる形。雲の字となり、もとの形の云は「云ふ」「云に」のように別の義に用いる。

43. 「雲」（甲骨文字）（白川静『字統』より）

44-1. 郭熙『早春図』（空気遠近法）

44-2. 郭熙『早春図』（空気遠近法）

画面は、下から「俗界」、中程は空白と凝集の並列する「修行の場」、上は「聖なる空間」の三つに分かれます。大きく、「天」と「地」、「聖」と「俗」というふうに分けてもいいでしょう。その中間に楼閣（修行の場）があります。これはその「聖なる地」に行くための、準備の場所でもあります。とにかくこれらの要素が、混然一体となって、画面を構成しているのです。「希望と現実」「理想と努力」これもひとつ。しかし、大きな自然の懐に包まれて、慎ましやかな生活を営む庶民は、それはそれで、十分に生活を謳歌しています。例の、水辺の黒犬の活気溢れる喜びの姿がそれを象徴しています。

宇宙の一角に存在する地球での、春まだ浅い水辺の風景ですが、すべてが「陽の気」に誘われて上昇し始めるのです。それを、指示するのが、手前の双松です（図45）。大きな VECTOR 記号です。DOUBLE ENGINE で力強く上方に向かって我々の視線を誘導します。この矢印は姿を小さく変えながら、山の上の方ま

で視線誘導し、最後は山頂に鉛筆^{pencil} LOCKET のような針葉樹の乱立で上方に向かいます。水中から立ち昇った「龍」の行く先を示しているのです（図46）。

樹々は葉を落し、樹々の枝の先端は、「蟹の爪」のように尖って、一種不気味な風景ですが、その裏では「早春」の「陽気な春」の蠢動が始まっているわけです（図47）。

日本の大和絵の「カワイイ」「キレイ」からは程遠い世界の表現ですが、当時の北宋の人々は、この画風を好んだのです。お蔭で、この種の絵画は、当時の日中貿易の中でほとんど輸入されなかったのです。悲劇というか、喜劇というか。嗚呼、歴史は難しい。

「GORILLA」と「肉饅」の共存

GORILLA は「大猩々」。「肉饅」は、日本語で「肉饅頭」の略。中国語では、「肉包子^{ròu bāo zi}」。

あるとき、多摩美の学生を相手に困ったことが起こ

45. 郭煕『早春図』（双松）

46. 郭煕『早春図』（山頂樹木）

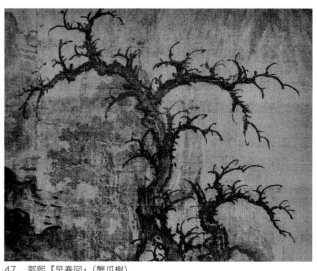

47. 郭煕『早春図』（蟹爪樹）

りました。

　世界有数の山水画である郭熙の『早春図』の実物大の掛軸複製を前に、学生がこう言うのです。「先生！GORILLAがいます！」と。確かにいました。人間の顔にも近いのですが、郭熙の筆癖で、岩などの物象を一旦左に突き出し、さらに下辺を右に戻すと、確かにGORILLAの顔を表出することになります。しかも、何頭もいる。さあ大変（図48）。

　ここは、八王子市鑓水にある多摩美、近くに多摩動物公園はあるが、まさかこの絵の中にまでGORILLAが登場するとは。次は、「肉饅」の登場である。これは、私の発想。飯田橋「五十番」の「肉饅」は、昔から私の好物ではあるが、まさか郭熙の絵画に乗り移ったとは。「桃とか××」にも見える（図49）。ついに私は「気が狂った」のか。いやそうではない。郭熙の絵画が何か「オカシナもの」を誘発するのだ。

　このような授業の中で、突然、SALVADOR Y DOMENECH DALIが登場します。2016年のことです（図50）。某新聞に「子供・女への壮大なる記念碑」（1929年）が紹介されたのです。色々な解釈がされていましたが、私には直ちに、郭熙『早春図』を連想させられるものでした。私は、元来、SALVADOR Y DOMENECH DALIが好きで、とりわけその宝飾品には強く魅せられていました。絵画作品では、『記憶の固執─柔らかい時計』など、青春期に見たとき、「あっ、これだ。私の、空間の捩れと時間の捩れとを表現してくれた素晴らしい作品だ」と胸をドキドキさせたものです。しかし、高校時代、その感覚を共有し、語り合える友達はいなく、私の生活は一人寂しく「宇宙の闇」にドンドン引きずり込まれて行ったのです。後は、空中分解するしかないという不安の中での、受験勉強はまことに味気なく、これまたそこから遠く離れていったのです。「宇宙空間」をさ迷う私、まるでSF映画のようでした。しかし、誰も助けてくれないのです。「現実空間」を外からの圧力で一律に規定し、枠内に収めようとする受験勉強、私は強くそれに反発したのですが、これまた理解者はいない。孤独でした。ただただ、無為に時間を過ごした3年間でした。嗚呼。

48.　郭熙『早春図』（GORILLA）

49.　郭熙『早春図』（肉饅）

50.　SALVADOR Y DOMENECH DALI『子供・女への壮大なる記念碑』

「青い春」は、運動で汗を流せば頭上に「青い空」が展開し問題が解決するというわけでもなく、「空の青」の彼方に潜む「黒い暗闇の宇宙空間の深遠さ」にも惹かれ、独り彷徨うのも「青い春」の怖いところです。ところで、「青春」は中国語でも「青春」ですね。そうか、郭熙は『早春図』を描き、君達は『青春図』を描かねばならないということなのね。チャンチャン。

次に、その『早春図』の持つ思想や世界観に移ります。北宋時代の哲学を背景に描かれたのだから、それをそのまま学生達に述べても難しい。

しかし、郭熙の絵は、北宋の首都汴京の翰林院の内部にたくさん掛けられていたとなると、やはりその時代の哲学の主流を示す役割を代表しているとしか考えられません。

ところで、鳥山明の『DRAGON BALL』は、私の好きな漫画である。これは私の授業でも使える。「カメカメハ」は一種の「気功術」で、「陰と陽」を使用した。私の場合の「紙飛ばし」である。『STAR WARS』のYODAが使用する「念力」中心の「FORCE」（映画の字幕では、「理力」とする）とは違う。『DRAGON BALL』の「神龍」とその「玉」は、中野BROADWAY CENTERで買い求めたものを使用する。つまり、画中の霞の上を、「神龍」GOODSが這い上がっていくわけだ（自分自身、こういう授業を行っていると、軽い自責の念に囚われることがある。かつてのあの、理想に満ちた紅顔の近藤秀實少年はどこに行ってしまったのだろう。こんなはずじゃなかったと、その明らかな乖離を覚え、一瞬立ち止まる。しかし、その戸惑いは笑顔の裏に潜めて、講義を続ける。○○はつらいよ）。

翻って、講義に詰めかけた何百人の若き純真な学生達の目と対峙すると、ままよ、自分の身の可愛さより目の前の学生達に、世界の名画を絶対印象深く鮮明に記憶させるためには、なりふり構わず頑張らなければと気を取り戻す。正に、窮地に追い込まれた母親が、我が身を捨てて乳飲み子を救うという、劇的SCENEであると意識をすり替える。気の持ちようである。授業は真剣勝負とも言うが、私の場合自己との格闘である。こんな格闘を30年もやってきたが、心地良い疲労を伴う一種の自己鍛練でもあった。何が言いたいかというと、つまり、芸術関係の授業（私の場合、美術史）とは、教科書通りに教えるのではなく、自己の研究成果をわかり易く正確に伝えることが必要なのだ。大学教員は研究も大事な使命なのだ。そして美術史の場合、あくまでも作品に立脚しなければならない。そのための文献資料の活用だ。作品が語る内容を音声に換え、自分の肉体を通して純化させ、丁寧に作品と向かい合うべきなのだ。似非ACADEMISMの虚飾に満ちた、通り一辺上辺だけのありきたりの説明など、豊かな感性を持つ美大の学生には必要ない。

これが、美大在職中に勝ち得た成果である。やはり、授業は受け手も選ばれるし、教え手も選ばれるという相関の上に成り立つものであることを実感した。やってて良かった。真剣勝負とは、こういうものだ。

ある中国文学者は、郭熙『早春図』をFREUD理論で解こうとした。例のLIBIDOまで持ち出していた。しかし、我々はむしろ、中国の文化の中で、絵画を味わう方が納得が行く。

白居易「溪中早春」

南山雪未盡、　南山、雪、未だ尽きず、
陰嶺留殘白、　陰嶺、残白を留む、
西澗氷已消、　西澗、氷、已に消え、
春溜含新碧、　春溜、新碧を含む、
東風來幾日、　東風、来ること幾日ぞ、
蟄動萌草坼、　蟄、動き、萌草、坼く、
潛知陽和功、　潛に知る、陽和の功、
一日不虚擲、　一日、虚しく擲たざるを、
愛此天氣暖、　此の天気の暖かきを愛し、
來拂溪邊石、　来って溪辺の石を払う、
一坐欲忘歸、　一坐、帰るを忘れんと欲し、
暮禽聲嘖嘖、　暮禽の声、嘖嘖たり、
蓬蒿隔桑棗、　蓬蒿、桑棗を隔て、
隱映煙火夕、　隠映す煙火の夕、
歸來問夜湌、　帰来、夜湌を問うに、
家人烹薺麥。　家人、薺麦を烹る。

「終南山の雪消えず、峰の陰には残雪がある。西

の谷では氷は消え、水溜まりには新緑が映る、春風もそろそろ吹き、虫達も動き始め、萌草も芽を出す、陽春がその功を一日も無駄にしないことがわかる、天気が暖かいので、溪辺の石を払って坐れば、帰るのも忘れ、暮に鳥が鳴く、蓬と桑と棗が一緒になって夕靄に映る、帰って家人に夕飯を問うと、薺と麦が煮てあった」

[語注] 南山＝終南山。殘白＝残雪。春溜＝春の水溜まり。東風＝春風。蟄動＝春になり虫が動き始める。陽和＝陽春。噴噴＝鳥の声。蓬蒿＝よもぎ。桑棗＝桑と棗。夜湌＝夕食。薺麥＝なずなと麦。

　大した詩ではないと思うが、自分の身辺を仔細に語るのも詩人の常套手段。発表の自由はあるわけだから率直に受け止めよう。しかし、本当に白居易の作品であろうかと私は思う。包含する内容があまりにも貧しいからだ。ただ、耳に心地よいことは確かだ。

　詩人（有声画家）は難しい。画家（無声詩人）郭煕は「大自然と小自然」、「聖と俗」との相関関係を一種の風景画として表出し、対立と融合との宇宙感を描いたのに対し、白居易は、早春の風景を和やかに叙述し、その中を景色に見惚れて散策する自分を見ている。気分はBEETHOVEN「田園」の風景そのもの。郭煕と白居易では、その視野に映るものがまったく違う。郭煕は道なき道を荷を背負い登って行く労働者、水辺に小舟をやっと到着させ、犬を外に出す船頭を細々と描く。大自然の懐の中で、営々と続けられる庶民の生活を見事に俯瞰している。白居易は、ただ春の景に誘われ、家に帰るのが若干遅くなったが、家人が食事を作って待ってくれていた、という他愛のないもの。詩の中に、自分の姿を描き込むのが「有声画家」の常。白居易を非難するのではない。「無声詩」の達人は、ときに「有声画」よりも饒舌かつ厳格な世界の枠組みを表現することがある、と言いたいだけだ。時代の差なのか、個性の差なのか。とにかく、人間は面白い。

范寛『溪山行旅図』（台北・故宮博物院）（図51）

　絹本淡彩。206.3 × 103.3㎝。
　范寛、字は中立。本名は范中正であったが、性格温厚のため、范寛と呼ばれるようになったという。陝西省華原の人。10世紀後半から11世紀初頭にかけて活躍。

　范寛の絵は、「高遠法」の代表作として知られ、画面一杯に描かれた山塊が、観る者に圧し掛かってくるように思える。画面下部には、驢馬に荷を背負わせた旅人が歩いて行く。上の方には、樹間から楼閣が顔を覗かせる。この楼閣の屋根が、この図で現れるVECTORであり、それに呼応して、左右に針葉樹のVECTOR状の先端を配置する。上昇を示すわけだ。しかし、このVECTORに誘導されて、視線を上に向けると、横たわる霞により、一旦、遮られ、我々はためらう。そこで、我々のENERGYは「溜め」に入り、力が充満し、やがて爆発的に上方の主山に向かって駆け上がる。そのまま、主山を突き抜け、天に浮かぶ「陽の気」と合体できればよいのだが、范寛は意地悪である。山頂に、SESAME STREETに登場するBERTの頭のように、密集した低木を敷き詰め、上に行くことを拒否しているわけだ。我々の視線は、行き場を失い、しばらく山頂付近でグルグル回り、出口を探る。范寛、見事だ。我々の視線をあっちやこっちに移動させ、その分、画面に執着させる時間を稼ぐわけだ。やがて諦めて、我々は、画面向って右の瀧となって、地表に落下し、水面に戻る。郭煕の『早春図』と同じように、「気が循環する」場面を山水の形をとって表現しているのだ。これは一種の哲学、世界観の表出である。楼閣に施されたVECTORと瀧のVECTORが真っ向からぶつかるはずが、間に霞があり、それが緩衝地帯となり、激しい火花の応酬ごっこを避ける。流石、「寛かな范さん」である。揉め事を嫌う。だが、范寛、おだやかだけではない、謎かけを好むのだ。旅人の一行が進む方向には、道がない。手前の岩で遮られてはいるが、そこから左に顔を覗かせているのは、水面である。道は、岩陰で陥没してしまったのか。人々は、そこへ落ち込んでしまったのか。正に、TRICK絵画である。最後に、范寛の頓智を今一つ。右下に「范寛」のSIGNが、「隠し落款」として入っています。さあ、どこにあるか、皆さん、探しましょう。ハイ、そこで

51. 范寛『溪山行旅図』（台北・故宮博物院）

授業です。この二玄社の複製は、世界中の美術史系のある大学の必需品となっております。1999年、私が北京の中央美術学院に訪問学者として滞在したときにも、中国画専攻の学生達は、この複製を見て実物大模写しておりました。実物大複製二幅を前に最後の質問をします。「君達、どちらの作品が好みかな」と。答えは約半々ですが、要は、「運動と変化」を求めるか、「静止と安定」を求めるかの、人生観、世界観、宇宙観の好みでもあるわけです。ROLLING STONES を、私は好きです。皆さんは？

ちょいと大袈裟なことを言ってしまったかな。絵画表現で言えば、絵画制作時の「対象物の輪郭線を外して描くか、輪郭線を強調して描くかの違いだよ」と、美大生向けの説明で終えることにする。郭熙『早春図』の樹木は、ときには黒い塊であり、范寛『溪山行旅図』の樹木の葉っぱは太い輪郭線で縁取られており、まるで GOGH だ。見よ、この葉っぱ一枚一枚の大きさを、旅人の頭上の彼方に垂れ下がる葉の大きさは、彼等の頭の大きさよりデカいんだから。ポキポキした岩の線も、お

52. 范寛『溪山行旅図』（隠し落款）

菓子の「鬼あられ」のようで、固くてもおいしいんだろうね。それに比べて、郭熙『早春図』は、見えない龍が立ち昇っ

す。よく見つけました。学生達、ニンマリ（図52）。

郭熙『早春図』と范寛『溪山行旅図』は、二玄社の実物大複製掛軸を STAGE の上の BAR に吊るして鑑賞します。一通り説明した後、学生達を STAGE に上がらせ、間近に顔をくっ付けるようにして見てもらいます。美術館では経験できない。複製ならではの

たり、力強い馬が嘶（いなな）き立ち上がったりと、昔から表現されており、ムキムキの「筋肉 MAN」であるわけだ。

最後に、「平遠（へいえん）」の人。李成（りせい）です。

伝李成『喬松平遠図』(三重、澄懐堂文庫美術館)(図53)

絹本水墨。205.6 × 126.3cm。

李成（919‐967）、字は咸熙。原籍は陝西省長安。山東省青州益都の人。

　手前に、大きな双松が岩間から直立します。周りは寒々とした冬景色。葉も落ち、斜めに大きく引かれた土坡の太い線、郭熙のそれと共通します。その向こうは、一切遮蔽物のない、広々とした平原が続きます。例の正倉院『騎象奏楽図』の系列にあります。遠くのなだらかな山並みに到る中間中央に、小さな樹木がポツンと生え、近景と遠景との中継点を示します。

　その周辺には、自然風景に見られる水平線が何本も引かれています。双松の直立垂直と、彼方の水平との対比、斜めの土坡が舞台効果を高めます。この斜めの線を手で覆い隠して見てください。緊張感が薄れます。彼方から地面を這って手前に達した水が、最終地点として溜まったのが画面下部、一番手前の水面です。

　ここでは、「気の循環」なるものの表現は、希薄ですが、なぜか郭熙の好んだ「肉饅」が現れています。二人共「肉饅」愛好者だったのでしょうか。とにかく二人が好んだ「寒い林」と「蟹の爪」は、後世まで、李郭派の「寒林蟹爪」として、一つの伝統になりました。

　以上、おわかりのように、郭熙は、当時の「高遠」の名手范寛と、「平遠」の名手李成を学び、加えて、「深遠」を用い綜合し、「三遠法」の使用として『早春図』にまとめ上げたのでした。「仰ぎ視る」高遠は、巨大な塊が圧し掛かってくるような圧迫感、「なだらかにはるか向こうまで続く」平遠は、人々をまだ見ぬ地に誘い込む、「断崖絶壁のテッペンから、真下に広がる深い谷間を覗き込む」深遠は、一種の滑落感を伴う不安感を催します。自由自在に、画家の視点の立ち位置を変える「三遠法」、正に中国独自の遠近法です。JET COASTER のような快感を覚えるのが、中国の「三遠法」。皆さん、決して「三猿の法」ではないのですよ。くれぐれも宜しく。

53. 伝李成『喬松平遠図』(澄懐堂文庫美術館)

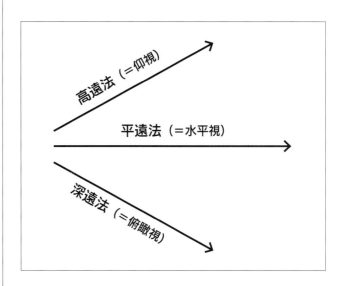

■参考文献
近藤秀實「中国における"気"の表現—気の変化相—雲気門から風雨山水図」(『宗教美術研究』2 号　多摩美術大学宗教美術研究会　1995 年)
出石誠彦『支那神話伝説の研究』(中央公論社　1943 年)
白川静『中国の神話』(中央公論社　1975 年)
黒田源次『氣の研究』(東京美術　1977 年)
小野沢精一等編『気の思想』(東京大学出版会　1978 年)

第4章

中国の詩と絵画

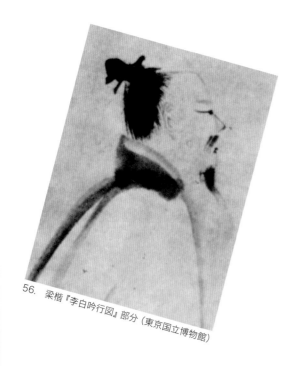

56. 梁楷『李白吟行図』部分 (東京国立博物館)

馬麟『夕陽山水図』(根津美術館) (図54)
^{mǎ lín　　xī yáng shān shuǐ　tú}

絹本墨画淡彩。51.5 × 27.0㎝。

　詩と書と絵が相関関係にあることは、何度も述べました。中国の場合、絵画作品の上に、自ら、あるいは、他の人が詩を書き付けることがあります。画家は、自分の描いた絵の上に、さらに文字で詩を書き、それを補う。補うと言ったら失礼、COLLABORATION を図る。その絵を見て感じたことを、詩や文章で書き付けることもあります。「題賛」や「題画詩」といったものです。東洋独特の表現方法と言って良いかと思います。

　中国では、物の形を「象り」、文字を作りました。紀元前 1500 年の頃です。最初は、「甲骨文」、次は

54. 馬麟『夕陽山水図』(根津美術館)

「金石文」、次は「篆書」「隷書」と、時代によって様々な形が現れ、発展して行きます。我々が「漢字」と呼ぶものは、やはり漢時代に形を整えたものなのでしょうか。漢時代には既に「草書」的書風も現れたようですが、やはり完成された美として成立したのが、「書聖」王羲之の時代でしょう。

古代から、思想や哲学は文字で書き留められましたが、意外と絵画の発展は遅かった。甲骨文字が出現したときには、立体芸術では様々な青銅器が作られ、中には、迫真性のある動物作品も作られています。

学生達には、いつも同意を求めます。

「諸君、君達も経験していると思うが、三次元の世界を二次元の世界に置き換えて表現するって、思ったより難しいものだね」と。文字による人間の心の内部の表現を豊かにするため、文字はその数をドンドン増やし、文章や詩も素晴らしい勢いでその魅力を増した。

一方絵画は、英雄や皇帝の肖像や建築の装飾効果に用いられ、到底心の表現にまで達することはなかった。ただ、死者を埋葬するために使用された棺や副葬品に描かれた、当時の宗教観・死生観・宇宙観を表現する場面、ここでは無名の画家達が思う存分に感性を解放し、無限の宇宙を飛び回る。ときには、異獣・怪獣・霊獣・仙人に姿を変え、疾走する「気」の流れに乗って、あたかも、SURFERのように駆け巡る。漢時代にこのようなSPEED表現が、既にあったこと自体が不思議だが、これも目には見えない「気」の視覚表現なのである。ここの「雲気」には、輪郭線がないことにもご注目。「変化」「SPEED」は「輪郭線」で囲い込むと窒息する。

前置きが長くなった。私の言いたいのは、13世紀、南宋時代の画院画家、馬麟の『夕陽山水図』（根津美術館）のことであった。この作品は、私が若いときからずっと好きな作品で、多摩美の学生達にも評判が良い。

場面は、夕霞に煙る山間を、沈みゆく太陽を背景に、残照の下、数羽の燕が群れ遊ぶといったものだが、これには、南宋の、理宗の二句が添えられている。

山含秋色近、　山は、秋の色を含んで間近に、

燕渡夕陽遅。　　燕は、夕陽に向かってゆっくりと。

これだけでも十分に画意は伝わるが、さらに、陶淵明の「飲酒二十首」を付け加えると、その深みは増す。

陶潜「飲酒二十首」「其五」

結廬在人境、　廬を結びて人境に在り、
而無車馬喧、　而かも車馬の喧しきなし、
問君何能爾、　君に問う、何ぞ能く爾るやと、
心遠地自偏、　心遠ければ地も自のずから偏なり、
采菊東籬下、　菊を采る、東籬の下、
悠然見南山、　悠然として南山を見る、
山氣日夕佳、　山気、日夕に佳く、
飛鳥相與還、　飛鳥、相い与に還る、
此中有眞意、　此の中に真意有り、
欲辨已忘言。　弁ぜんと欲して已に言を忘る。

「庵を人里に、構えたが、車馬のざわめきは聞こえてこない。人が尋ねる、なぜそうであるのかと私は云う。心が遠くにあれば、その場所も遠くに移ると、東の垣根で菊を摘み、悠然として、南山を見る。山の気配は夕暮れが最高、飛ぶ鳥が一緒に帰って行く、こんな中に真実がある、と思ったのだが、言い表す言葉を忘れてしまった」

［語注］結廬＝庵を構える。人境＝世俗の人の住む場所。車馬＝官吏専用の馬車。心遠＝世俗から離れる心。偏＝辺鄙。東籬＝家の東の垣。南山＝廬山。

最後の二句が心憎い。真実を見付けたのだが、その瞬間忘れてしまったという。閃きの喪失というのは、我々の日常によくある。それまでの叙述で、フンフンと我々をうなずき同意させておきながら、最後の二句で、ポンと、何もない、とりとめのない空間に我々を放り込む。確かに、陶淵明がある種の真実を知ったとて、それをさらに綿綿と語り続けたとすれば、詩としての余韻が失われるだろう。それは、哲学書で語るべきことなのだ。だけど、陶淵明が投げ掛けた「真意」って一体何だろう。陶淵明、ズルイ。

「世俗の場所でも、気の持ちようにより、さわやか

な隠遁生活の気分が味わえる」、という大変便利な言葉。現代でも都市生活者はこのような心境にあこがれるが、陶淵明が酒を飲んで色々想いを巡らしたという二十首、「希望と失望」、「理想と現実」、そしてその狭間にある作者は、細々と二十もの詩でそれを示してくれた。闇と光も当然あろう。先に掲げた詩は、「悠然」という語句が象徴するように、自然との親和性によって生ずる穏やかな気分。現状肯定、満足している気分。

しかし、今一度、その前に載る詩を見よう。

「飲酒二十首」「其四」
<small>yǐn jiǔ èr shí shǒu</small>

栖栖失羣鳥、　栖栖たる失群の鳥、
<small>xī xī shī qún niǎo</small>　<small>せいせい　しつぐん</small>

日暮猶獨飛、　日暮れて猶お独り飛ぶ、
<small>rì mù yóu dú fēi</small>　<small>な</small>

徘徊無定止、　徘徊して定止なく、
<small>pái huái wú dìng zhǐ</small>　<small>はいかい　ていし</small>

夜夜聲轉悲、　夜夜、声は転た悲しむ、
<small>yè yè shēngzhuǎn bēi</small>　<small>よよ　うた</small>

厲響思清遠、　厲響、清遠を思い、
<small>lì xiǎng sī qīngyuàn</small>　<small>れいきょう　せいえん</small>

去來何依依、　去来、何ぞ依依たる、
<small>qù lái hé yī yī</small>　<small>きょらい　なん　いい</small>

因值孤生松、　孤生の松に値えるに因り、
<small>yīn zhí gū shēngsōng</small>　<small>こせい　あ</small>

斂翮遙來歸、　翮を斂めて遙かに来り帰る、
<small>liǎn hé yáo lái kuì</small>　<small>つばさ　おさ　はる　きた</small>

勁風無榮木、　勁風に栄木なきも、
<small>jìng fēng wú róng mù</small>　<small>けいふう　えいぼく</small>

此蔭獨不衰、　此の蔭は独り衰えず、
<small>cǐ yīn dú bù shuāi</small>　<small>こ　かげ　ひと　おとろ</small>

託身既得所、　身を託するに既に所を得たり、
<small>tuō shēn jì dé suǒ</small>　<small>たく　すで　ところ</small>

千載不相違。　千載、相い違わざれ。
<small>qiàn zài bù xiāngwéi</small>　<small>せんざい　あ　たが</small>

「落ち着かない、群れから離れた一匹の鳥、日が暮れて、独り飛んでいる、ふらふらとして留まる所なく、夜毎に嘆き悲しんでいる、鋭く叫んで、遥か清らかな地を思い、行きつ戻りつ、何か定まらない、一本の松に遇い、そこに翼をおさめて身を寄せる、強い風に栄える木とてないが、この木蔭だけは衰えていない、身を託す場所を見付けたのだ、千年の間も仲違いすることなかれ」

［語注］栖栖＝ものに追われるようにせかせかと。失羣鳥＝群れから離れた鳥。定止＝定まった居場所。轉＝いよいよ。益々。厲響＝激しく鋭い鳴き声。清遠＝清らかではるかな境地。去來＝去りつ戻りつ。依依＝何かを慕うさま。斂翮＝翼をすぼめて。歸＝帰依の帰。たよる。榮木＝花の咲いている木。相違＝仲違い。

陶淵明の詩は、声に出して聞くととても柔らかで、耳に心地よい。心がやさしかったのだろうか。

ここに登場する鳥は、取りも直さず陶淵明のことである。暗闇に見付けた一筋の光とは、いったいなんであったのだろう。陶淵明MYSTERYは続く。研究者も大変だ。つまり、森羅万象すべてが感情移入により、その情景が単なる自然風景の描写ではなくなるということだ。わかり易く言えば、個人のお好みの調味料を振りかけることにより、料理本体が姿を変えるということだ。人の数だけ違った風景があるということだ。こじ付けと言うなかれ。中国の芸術そのものも、複雑な調味料が仕込まれている。その味を、二重・三重と重層的に楽しめるものだ。ここでは、文学と絵画の結合が図られた。画面の上に詩や文章が書き付けられていた。調味料の痕跡が明らかにされていて、視覚的にも楽しめる。馬麟の『夕陽山水図』がその例である。この場合には、ことさらそれが安易になる（陶潜を陶淵明として表記してしまったが、御免）。

VECTORの話

梁楷「李白吟行図」（東京国立博物館）（図55）
<small>liáng kǎi　lǐ bái yín háng tú</small>

縦80.9cm、横30.3cmの紙に描かれたこの人物画が、なぜ、大きく感じられるかを、観者の視線誘導から語るのがこの講義である。

梁楷は南宋中期、13世紀初頭に活躍した画院画家です。全国から選りすぐりの画家達が集まる宮廷の作画機関である画院で、皇帝から金帯を賜るほどの人物であったが、酒を飲み、自由奔放に振る舞ったという。「梁風子」（オカシナ梁さん）とも呼ばれていたそうだ。この絵は唐時代の詩人李白が、夜に詩を吟じながら散歩している様ともされています。

画面は空白が多く、人物も下三分の二に閉じ込められています。だが梁楷は、我々の視線を、「VECTOR」を使用し、画面の外まで誘導し、大きく感じさせるのだ。絵画におけるVECTORは視線誘導の役割を持つ。李白の額の三角形、鼻の三角形、衣服の裾の三角形、靴の三角形、すべて「力の作用する方向」を示

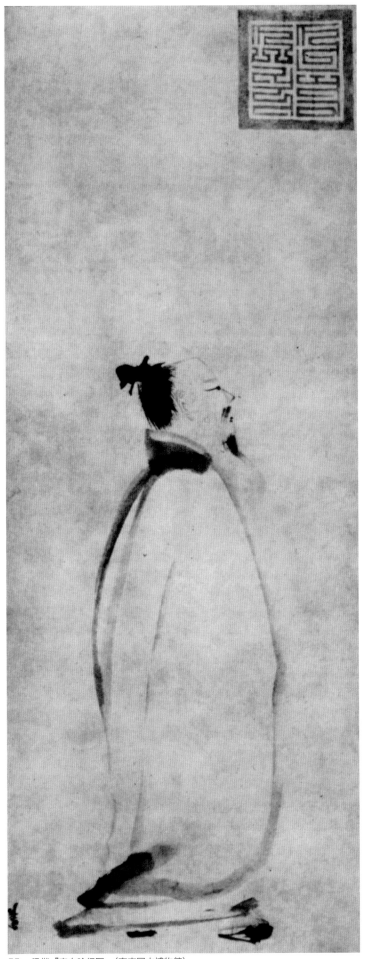

55. 梁楷『李白吟行図』（東京国立博物館）

す「VECTOR」効果が使用されていることに気付くだろう（図56：第4章冒頭）。

　額の三角形は上方に我々の視線を誘導し、鼻と引目は合体して完全な矢印VECTOR記号となり、おそらく画面の外、天空高く掛かる月の方向を目指す。まず、我々の視線を真上に向かって右上方に導き、一旦動きをそちらに向かわせながら、今度は反対に、裾の肉厚の矢印二つと靴の濃い墨で描かれた矢印を使用し、反対方向の左に強く引っ張るのだ。緊張感が生ずる。頭部と衣服の裾の動く方向は、正反対。

　では、その間を繋ぐ身体はと言うと、皺数本のみ。衣服の線は極力省かれている。この描き方を「減筆体」と言う。さらに、広がりを見せる仕掛けは、胸元から腹部にかけての衣服の線の表現である。線をきっちりとした輪郭線として使用するのではなく、わざとぼかして外部の空間に溶け込むようにしている。「外隈」とも言う。内側に閉じ込めるのではなく、外に拡散させる効果を狙ったものだ。そして、頤の線を外したのも心憎い。

　我々の視線は、李白の顔を舐めた後、頤鬚のぼかしを見ながら移動する。すると、首の線がないではないか。我々は、境界線、アチラとコチラを区分けする線から解き放たれ、そのまま李白の顔の内部に侵入し、ぐるぐると一巡し、再び首の部分から外に出る。梁楷が我々の視線を自由自在に動かす仕掛けは濃密で巧妙だ。視線の移動した運動量が、この絵を大きく感じさせることになる。そして、視線の移動が途切れないのも秘訣の一つでした。体も周りに溶け込むし、「となりのトトロ」にも似ていると言う。

　墨の濃淡をうまく利用し、最初に描いた淡墨の部分に後から濃墨を加える方法は、独自の立体表現であり、その重ね塗りの方法は日本の琳派の「たらし込み」に共通するものである。ただし、梁楷は、13世紀初頭の人、俵屋宗達は、17世紀初頭の人です。ここでも「水墨画」とい

57. 梁楷『六祖截竹図』（東京国立博物館）

58. 梁楷『出山釈迦図』（個人蔵）

うものが意識されています。「水っぽさ」と「没骨法」
です。

　頭髪の黒と目玉の黒と靴の黒に一番濃い墨を載せ、
ぼんやりとした画面を旨く引き締めているのです。梁
楷の頭の中には、立体に対する執着が、そもそもない。
空気が媒介する音と光の自然の中で思索と行動を試み
る我々のようなチッポケな普通の人間と違って、梁楷
は、悠久の自然、つまりは広大な宇宙の存在に、若干

の爪痕を立てんとする人間、画家としての営みに、自
ら愛おしさを感じているのでしょう。宇宙に対してイ
タズラをしています。その一つが、「気」と「物体」
との融合なのでしょう。その結果が、この絵なのです。

梁楷『六祖截竹図』（東京国立博物館）（図57）
梁楷『出山釈迦図』（個人蔵）（図58）

『源氏物語絵巻』

このVECTOR記号の使用は、梁楷よりもやや先んじて日本の『源氏物語絵巻』（12世紀）にも見られます。これを指摘すると、日本の学生達は一瞬安堵します。中国絵画のENERGYに、いささか圧倒されていた学生達が、「日本優位」に立ったと感ずるからです。大した時間的差違はないのですが。

このVECTOR記号の使用に関しては、2009年に私が南京の東南大学客員教授に就任した際の特別講義でも行ったのですが、あまり聴衆の反応は良くありませんでした。その後、中国の雑誌でも一部を発表しましたが、美術専門誌でなかったので、その反応はわからずじまい。

ただ、多摩美の学生は非常に強い関心を持ってくれました。その結果は、数多くの課題作品として表れています。早稲田大学でも何度か講義したのですが、こちらもダメ。やはり、造形の現場にいる者にとっては有益な内容でも、一般学生には理解不可能な、画家の秘密なんでしょうね。嗚呼。

以前、某CULTURE CENTERで、『源氏物語絵巻』の講義をやったとき、何十人かの受講者の中に、一人、怒り狂った人がいた。文学の『源氏物語』の内容に重心を置いてやってくださいと。文学ではない、私は『絵巻』に沿って『源氏物語』を読み解くと、講義の指針を予め示しておいたのに。そもそも、その人は絵画にまったく関心のない人だったのだろう。

美術大学の学生は、その点「絵巻」の魅力を丁寧に説明すれば十分納得してくれるのでうれしい（羹に懲りて膾を吹く。私は、その後、一般向けの啓蒙教育は極力避けている）。

授業では、大HALLのSTAGEの真ん中に、畳一枚を斜めに、角度がつくように置き、畳の上に丸い卓袱台を置きます。これで、準備完了。学生達は上からこれを眺めますので、構図の把握は一目瞭然。STAGEの縁の水平線、畳の縁の斜線、卓袱台の円。これで揃いです。しかし、CÉZANNE絵画や「構成主義」絵画の説明ではないのです。もちろん、小津安二郎監督の『東京物語』のSETの再現ではないのです。これから始める大和絵の代表作品『源氏物語絵巻』の舞台装置なのです。キッチリとした幾何学的な構図の中に、不定形な人間の肉体を置けば、舞台は揺らぎ、空間が有機的になるのです。「皆さん、ぜひ『東京物語』を御覧ください」と学生達に薦める。

予め言っておきますが、これと対比させるには、有名な『鳥獣人物戯画』が宜しい。

CONCEPTから技法まで、根底から違っているのです。私は、『鳥獣人物戯画』は中国風の画法を見事

59. 『源氏物語絵巻』「鈴虫II」紙本着色。21.8 × 48.2cm。（五島美術館）

に取り入れ、日本独自の諧謔精神を盛り込んだ作品で、「大和絵」ではないと主張するのですが、以前行われた「大和絵展」では堂々と展示されていました。かつて、その担当者に私の疑義を伝えたのですが、答えはムニャムニャ。

さて、「大和絵」の本流『源氏物語絵巻』です。「鈴虫II」（図59）（五島美術館）、「柏木II」（図60）（徳川黎明会）、「柏木III」（徳川黎明会）、「横笛」（徳川黎明会）。歴史の教科書には、その三つの特色として、「作り絵」「吹抜屋台」「引目鉤鼻」が挙げられます。以下、私が説明しましょう。

1.「作り絵」

輪郭線を施し、その間を色彩で埋め、再度輪郭線を修正し綺麗に仕上げる。端的に言えば、我々も幼児期に親しんだ「塗り絵」の少々手の込んだもの。色も平面的処理。ムラムラは避ける。わかるでしょう学生諸君。後の発展形が日本を代表する浮世絵です。それが、GOGH 芸術にも反映されていますよね。

2.「吹抜屋台」（これ、中国語でどう表現するのでしょうかね）

家屋の屋根や天井を取り払い、室内を上から覗き込み、室内で行われていることをつぶさに描く。これは、革新的なやり方です。このようなやり方の先行例は、他にあるとも指摘されてはいるのですが。先程の、多摩美でのHALLの舞台装置がそれです。階段状になった席から、舞台を見下ろすやり方です。いい場所を大学は作ってくれたものです。感謝。

ところで、『源氏物語絵巻』の作者は、不明ですが、天才的画家でした。作者不明という点が、ますます興味を惹きます。俵屋宗達『風神雷神図』にも、伊藤若冲『鳥獣花木図屏風』にも、作者の落款、つまりSIGN は入っていない。にもかかわらず、我々はそれらを高く評価する。作品の評価は、神の手に委ねられるのではなく、広く一般大衆の汚れなき視点にさらされてから、歴史が判断するものなのです。絵そのものが、それを真筆であることを主張しているのです。

この画家は、梁と柱だけは残し、それらを使用し、水平線や斜線構図の基本を作り、そこに畳の縁、縁側の板、長押、硯、几帳、屏風、簾、文机、琵琶、欄干、傘、笛、膳、器、虫籠、燭台などの人工物を適宜配して画面の緊張感を高めます。幾何学的構成です。ここに、作者の造形的「源氏物語観」が示されます。いわば「無機質な空間」の中で、華やかな宮廷生活を営む人々の内側に潜む「葛藤や悲哀」、「叫びと哄笑」、その他ささやかな喜びを表現しようとしたのが、作者の心意気です。正に、「無機」と「有機」とのぶつかり合いの相乗効果です。画家や写真家がよく使う手法です。

しかし、この画家の基本は、「斜線構図」です。当時の貴族たちの「不安要因を示す構図」です。滑り落ち、転がり落ちる斜線の連続。「水平線構図」の安定感ではなく、滑り落ちるような「不安定感」が基調なのです。これが通奏底音です。ただ、それとは裏腹に、使用された色彩は豊か、描かれる室内は豪華、人々はそれだけで圧倒されてしまいます。「大和絵は素晴らしい」「十二単衣は素晴らしい」「女性の長い黒髪は素晴らしい」「光源氏は素晴らしい」と驚嘆の声を上げます。素晴らしいの連発です。特に中年女性に多い。憧れなんでしょうね。しかし、それはあくまでも表面上の形質です。我々はその深奥に潜む感情に機敏に反応して源氏物語文学に還元し、総合的に理解をしなければならない。作者は、その梁や柱の力強い存在を巧く利用して、ささやかな感情の動きを強調するのです。そこで現れたのが、次の「引目鉤鼻」です。

3.「引目鉤鼻」（『新日漢辞典』（遼寧人民出版社 1992年）には、「直線眼晴鉤形鼻子的臉譜」とある）

尖がって、まるで三角形の鼻。点目から引き伸ばされる直線的な眦。凡庸な研究者は、これは「高貴な方々を象徴する」やり方で、身分の低い者にはそれがない、などと説明します。違うのです。作者は、目・鼻・口を記号化し、その動きで複雑な感情の揺れを我々に示すのです。まるで、能面を着けた役者の所作です。

60. 『源氏物語絵巻』「柏木Ⅱ」紙本着色。21.9 × 48.4cm。（徳川黎明会）

　「柏木Ⅱ」は、光源氏の妻の女三宮と不義の契りを結んだ（つまり、浮気をした）柏木が、その子薫の出産に直面し、さらに女三宮の出家を知り、心を痛め床に臥す場面である（なんと弱弱しいことか。どうせなら、もっと堂々としていれば良いのに）。それを、従兄弟にあたる親友の夕霧が、見舞う場面である（図60）。男二人の語り合い。傍には、女房達が、聞くこともなく、耳を欹てている。二本の柱に囲まれた水平な敷居の奥には、柏木が、枕を立てて顔を載せて居る。嗚呼、もう駄目だと、がっくりした表情。

　さて、ご注目！　目は「引目」、鼻は「鉤鼻」である。これをくっ付ければ、「矢印」「↓」「VECTOR記号」である。向かう方向は真っ逆さまに下。どん底行き。意地悪く、それを強調・補強するのが、柱の垂直線。ついでに屏風の縁も挙げておこう。真下に向かう「↓」をさらに強調するのが、「立てた枕」の拡大された「↓」の線。作者の勢いは止まらない。ついでに折られた屏風の一部に、巨大な「↓」を登場させ、もはや柏木の逃げる場所はない、覚悟せよと引導を渡す（図61）。

　目を他に転ずれば、画面の一番下には、畳の縁、部屋の上方に巻き上げられた簾、屏風の上部の水平線が目立つ。何事もないかのように、それらは、安定感

61. 「柏木Ⅱ」（部分）

を示している。だが、作者は、それに食い込むかのように、真下に向かって「矢印」を放つ。強い「矢印」を真っ向から受け止め、その力の大きさに耐えるのが、「敷居」の役割である。巨大な矢印の集積を、沈着にずっしりと受け止めるのが、「敷居」である。「敷居」さん、ご苦労さん。柏木、どうにか持ち堪えたか。フラフラになりながらも、思わずもフッと一息。この掛け合いは、壮大な、EUROPE の交響楽を聴く思いである。

　この種の表現方法は、牧谿の『観音猿鶴図』の猿の顔面の「↓」鼻ときつく結んだ一文字の口と同様である。国は違えど、時代は違えど、狭い絵画空間で自己

62. 『源氏物語絵巻』「柏木Ⅲ」紙本着色。21.9 × 48.4cm。（徳川黎明会）

の意図するところを、十全に表現しようと、画家が最後に行きついた場所が「VECTOR 記号」であったということである。そして、これは、人類全体の遺産となる。

　場面変わって、次は、「柏木Ⅲ」である（図62）。生まれてしまったものは仕方がない。不義の結果生まれたものの、我が子として迎えなければならない、光源氏の心中は如何ばかりか。薫、生後50日の祝いの場面である。流石、宮中での祝い事。豪華絢爛である。調度品も一流品ばかりである。金持ちが羨ましい。青畳に几帳、鮮やかな十二単衣（その端っこが、御簾から顔を覗かせているが、室内の人物との関係性がわからない。これが、一層、場面を不安困惑に導く）、朱塗りの膳には御馳走が準備されているようだ（当時の庶民の生活行事は如何に）。向って右には大きく抉り取られたような三角形の地面がある。もったいない隙間のようでもあるが、この虚無的空間が、またしても不安感を生み、この場面を底支えする。三角形は、置き方によって安定感や不安定感、様々な効果を示すことは、皆さんもご承知ですね。

　懐に抱き抱えた薫との対面。ドキドキ、ハラハラ。光源氏は、真っ直ぐ下を向き、不義の子薫と目を合わせようとする。緊張が漂う。女房達も知らんふりしつつ、興味深々。さて、ご注目あれ。光源氏の見下ろす

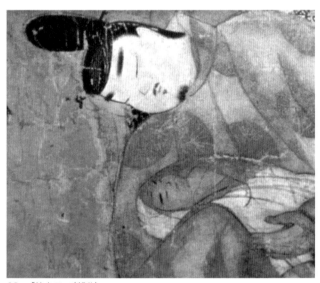

63. 「柏木Ⅲ」（部分）

「VECTOR」「↓」は、薫が下から見上げる「VECTOR」「↑」とは、ぶつかり合うことなく、微妙にすれ違ってしまっているではないか（図63）。

　途中で視線がぶつかり、互いに意思疎通を図る手段は見事に失われてしまっている。所詮この父子、血の繋がりはない。不義の子なのである。薫の幼少ながら持っている本能が、そのような所作を取らせたのか。わからない。私は、まだ不義の子供を持ったことがないのだから。大体、不義云々ということ自体が私は嫌いである。私は、不義という言葉を不用意に使ってしまったことは不注意であった。反省。「不道徳」ならよいか。

64. 『源氏物語絵巻』「横笛」（山水図）（徳川黎明会）

最後に。「大和絵」の代表選手ではあったが、『源氏物語絵巻』には、中国的絵画表現が数箇所に現れている、「横笛」の場面である（図64）。

作者不明の『源氏物語絵巻』であるが、この作者は、つまり、和漢両方の絵画芸術に通じていたということである。他所に見られる大和絵風山水画の場面と比較すると面白い。庭に描かれた秋草の繊細な線も、和と漢の対比から生まれた、柔らかで装飾的意匠の強い日本的美的感覚の象徴であった。

VECTOR とムラムラの絵画

牧谿『観音猿鶴図』[三幅対]（大徳寺）（図65）

絹本墨画淡彩。観音、171.9 × 98.4㎝。

猿、173.3 × 99.4㎝。鶴、173.1 × 99.3㎝。

観音図、款記「蜀僧法常謹製」、印章「牧谿」（朱文方印）。鑑蔵印「道有」（朱文方印）。

猿・鶴図、印章「牧谿」（白文方印）、鑑蔵印「天山」（朱文方印）。

観音と猿と鶴の三幅対です。「道有」「天山」二つの鑑蔵印は、足利義満の所蔵印です。

65. 牧谿『観音猿鶴図』[三幅対]（大徳寺）

66. 同、「猿図」（部分）

牧谿は、南宋末元初、13世紀後半の禅僧です。法名は法常、牧谿は号です。蜀（四川省）の出身ですが、南宋の首都臨安（杭州）に出て活躍しました。

この三幅には、様々な「VECTOR記号」が配置されています。それと「三角形」も重要な役割を果たしています。静かに瞑想する「観音」の安定した三角形構図、「樹上の猿」の周辺に登場するたくさんの三角形。これは、正立倒立とさまざまで、不安感を示します。「母子猿」が佇む樹木には、かろうじて水平線が保たれ、その上に「母子猿」は避難した。とにかく、一時の安定は保証された。しかし、それを反転させ下方に向けると、その頂点は下から突き上げる三角形の頂点と、ただ一点で接触し、支えられている。実は、極めて危険不安定な状況です。「母子猿」の緊張し見開いた「丸目」を強調補強するのは、その顔の丸、さらに、枝で囲まれた虚しい空間です。一応、円を成します。風は吹きすさび、下に垂れ下がった葉の固まりも、千切れてボロボロ。

牧谿は仏教僧でありながら、本当に優れた芸術家でした。二匹の猿を登場させることによって、人間界の様々な心象風景に置き換え、人々の心を強烈に引き寄せるのです。「不安と安定」の二要素を、絵画で見事に表現したのです。これだけは国宝に指定した方々の慧眼に感服します。

特に、「母子猿」の顔の表情（図66）に使用されたVECTOR記号は、「↓」で鼻を示し、気分は真っ逆さまに下へ、驚きの眼は「丸目」で表されています。しかし、「↓」も、横一文字にキッと引かれた口の線で、落下が止められます。その口の線を力強く補強するのが、母子猿が留まっている枯れ枝の水平線です。

「VECTOR」は力の向く方向を示す矢印。「→」で示されます。現実生活では、「信号機の矢印」、PET BOTTLEのLABELを剥がすときの矢印、学生諸君の中には「オス・メス」の「♂」と言う者もいます。

「観音」の脇に置いてある瓶に挿した柳の小枝、「鶴」の大きく開けた嘴と足の指、落ちた竹の葉の重なり、すべてがVECTOR効果を持ち、画面の視線誘導と緊張感の創出を行います。学生達に伝えることはまだあります。牧谿がVECTOR記号を使用するのみではなく、無限記号∞を使用して、我々の視線をMÖBIUS構造の上に導くことです。観音の衣文線のゆるやかな繰り返し、『羅漢図』（静嘉堂文庫美術館）（図67）の羅漢

67. 牧谿『羅漢図』（静嘉堂文庫美術館）

ることは山ほどあるのですが、紙上では無理。やはり、画面を見ながら逐一説明しないと無理。これ以上はまたの機会に。そのような、VECTOR記号使用は、何も、南宋・元時代に始まったわけではありません。画家達は限られた空間の中で、大きさや広がりを示すために数多くの使用例を残してくれました。色々な絵で見つけてみましょう。発表を楽しみにしています。

この絵には、もう少し注目すべき点があります。明確な矢印記号と相反する、不明瞭、曖昧模糊（あいまいもこ）とした空間表現です。中国絵画の空間には、「気の濃淡」によるムラムラが、墨の濃淡で表現されることが多いのです。牧谿もそれを行いました。これは、日本人好みの「まっさら空間の余白」とは違います。中国人画家牧谿の作品をじっくり見ると、それが理解できます。大和絵の全盛期を過ぎた頃に遅れてやって来た、本来日本では受け入れられない牧谿の作品です。何が、人々を魅了したのでしょうか。とにかく、当時の牧谿の存在意義は極めて大きかったのです。

日本、室町時代、将軍達の取り巻きによって、高い評価を受けた牧谿の作品も、中国では、同時代の一部の画論家から、「麤悪無古法、誠非雅玩（cū è wú gǔ fǎ　chéng fēi yǎ wán）」、つまり、「麤（粗）（そ）悪（あく）で古法（こほう）がなく、優美さに欠ける」という、牧谿芸術に対する否定的評価を蒙りました。この場合の「古法」とは、前に述べた「均一で優美な線」を重視することです。それを使用しない牧谿の作品は、つまり、「粗悪品」で、ELEGANTのカケラもないというのです。それを言った人は極めて保守的な評論家で、「唐時代の逸品芸術の流れを汲む水墨画など、決して認めないわよ」という立場の人だったんでしょうね。嗚呼。

室町時代というのは、日中貿易によって、様々な中国の文物が日本に齎（もたら）された時期でもありました。足利将軍家とその取り巻きは、そのような中国渡来の「唐物」を重宝し、そのCOLLECTIONを誇示しました。京都・金閣寺・銀閣寺でも、それらを展示したはずでしょう。「唐物」には、それまでの日本の美学の範疇を超える作品もありました。要するに、最初は、理解不可能の品々です。中でも「化け物」山水と

の膝元のMÖBIUS ∞記号。我々は、その小気味よい反復の曲線を辿るうちに、膝元にいる「大蛇」には気付かなくなってしまうのです。ボーッとしてしまうのです。本当は、大蛇が大きな口を開け、羅漢の顔を睨みつけているのです。羅漢は恐怖のあまり、凍りついてしまったのか、はたまた悟りの境地に達しているのか、その表情を変えずに、相変わらず坐禅を組んでいます。牧谿、なかなか冗談精神WIT精神に溢れた人です。とにかく、牧谿の仕掛けはスゴイ。まだまだ語

68. 玉澗『廬山図』（個人蔵）

呼ばれてしまった、玉澗の『廬山図』（図68）がその典型です。「輪郭線」を外し、筆捌きはボサボサ、まるで、何が描いてあるかわからないような、奇妙奇天烈な山水画。激しく踊り狂い、周りに拡散するその山塊は、それまで見慣れて来た「大和絵」の小さく可愛らしい、色もきれいな山水画とは、一線を画している。最初、これを見た人が、思わず「化け物」だと叫んでしまった気持ちは、よーくわかります。

それまで馴染んできた物とは違う物と遭遇したとき、若干の違和感を覚えるのは、人々の常です。

凡庸な評論家は、周りの人々の気配と、雇い主の気分に沿って、ありきたりの状況説明で、お茶を濁すのが常です。保守的な観点から、差し障りのない言動をチラつかせ、世の波を乗り切ろうという小心者が多いのです。当時、牧谿を否定的に論じた中国人評論家もその類でしょう。ところが、当時の日本の鑑賞家の一部は、最初は驚きはしたものの、その魅力を一旦理解した後は、積極的にその牧谿芸術を評価し始めました。マア、COFFEE や COLA の味を知ってしまった類でしょうか。

学生達には、『観音猿鶴図』『羅漢図』の背景の「墨」の濃淡によるムラムラ、ここには、中国哲学の根本にある「気」が存在する、と説明します。我々の周りにも存在する「空気」にも濃淡があり、つまり密度の濃さの違いがあり、その違いにより、風が生じ雨が降る。「天の気」の良し悪しで「気候」が変化する。つまり、この森羅万象の世界は、「気」の循環によって成り立っているという中国哲学を視覚化したものが、中国山水画の姿であり、牧谿の絵画の背景のムラムラもその一端を示したものなのです。

「先生、質問！」と声が掛かる。「先生、牧谿は本来仏教僧なのでしょう。それを中国哲学で語るなんて、少しオカシイじゃないですか」と。そこで、私は答える。「しかし、気を中心とする豊かな哲学の存在する中国、その 1500 年後に仏教が渡来し、SANSKRIT 経典を漢訳するときには、既に中国哲学と仏教の観念は融合し始めていたんだよ」と。「外国の思想哲学宗教芸術を、その国の言語体系・芸術体系に置き換えるということは、そもそもが異文化との融合の始まりなんだよ」と。「ただし、とんでもない結果を導き出すこともある。西洋渡来の PHOTOGRAPH を日本語に翻訳するとき、若干オッチョコチョイをしてし

まった。現代でもよくあることだが、重層的な多文化理解が必要なのに、ウワッチョロ浅薄な速成翻訳家は、自己の狭い世界の中で翻訳を行ってしまう。日本語は中国の漢字を使用して成り立った歴史もあるのだから、漢字本来の意味も理解して翻訳しなければならないのに、チョットした AIR POCKET に陥ってしまった例が、「写真」であったね。繰り返すが、「写真」は中国絵画の歴史の中では「肖像画」を意味し、唐時代から頻繁に使われて来たものでしたね。日本の翻訳家は、「本物のような姿を再現する」という意味で、つい軽々しく PHOTOGRAPH を「写真」としてしまったのだろう。中国での本来の使われ方では、「真」は「外面ではなく、内面に潜む真」なのである。WASHINGTON "NATIONAL PORTRAIT GALLERY" とはこれ如何に。「写真美術館」なのでしょうか、「肖像美術館」なのでしょうか。エエ、紛らわしい。因みに、現代中国では、PHOTOGRAPH は「照片（zàopiàn）」である。つまり、簡単に、「写し取る」というような意味だけが残り、「真」の意味は微妙に捨象されてしまっている。芸術性と記録性の違いであろうか。

■参考文献

『佛日庵公物目録（ぶつじつあんくもつもくろく）』（鎌倉・円覚寺の塔頭に伝わる財産目録）

『御物御畫目録（ごもつごがもくろく）』（足利義満以来、将軍家に伝わった絵画の目録）

『君臺觀左右帳記（くんだいかんそうちょうき）』（室町時代の唐物の鑑定と座敷飾の指導書）

金原省吾『牧谿』（アトリエ社、東洋美術文庫第三巻　1939年）

谷信一『室町時代美術史論』（東京堂　1942年）

武者小路実篤『牧谿と梁楷』（座右實刊行会　1946年）

徐建融『法常禅画芸術』（上海人民美術出版社　1989年）

展覧会図録『牧谿』（五島美術館　1996年）

『芸術新潮』（新潮社　1997年）

第5章

「陰と陽」「右と左」「魂と魄」

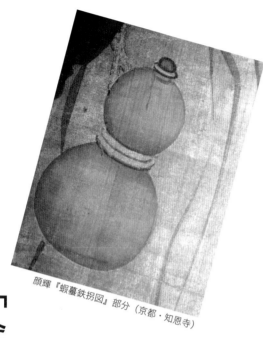

顔輝『蝦蟇鉄拐図』部分（京都・知恩寺）

尾形光琳『紅白梅図屏風』（MOA 美術館）（図 69）

紙本着色。二曲一双。各 156.6 × 172.0㎝。

屏風の折り目を境に、二つに折り曲げれば、二曲、四つになれば、四曲と言い、対であれば、向かって左を左隻、右を右隻と言います。対の屏風は合わせて一雙、あるいは一双と数えます。

尾形光琳『紅白梅図屏風』は、二曲一双です。

向って左が老いた白梅、右が若い紅梅です。白梅は根元を一部見せるだけで、左上から太めの枝を下に向かって落とします。人生の下降期に入るのです。「嗚呼、私も年を取った、落ちる一方だ。もうダメだ」という言葉が聞えてくるようです。私みたい。これが一曲目。次の二曲目に入ると、折り目を境にその白梅の先端の枝が最後の力を振り絞って上昇します。「でも、今一度、頑張ろう。宜しく」と。これまた、私みたい。一曲目の主だった白梅の枝は、ポキポキ折れるような硬質の直線ですが、二曲目の枝は、伸びやかな曲線が上向きに描かれていることに気付くでしょう。若い力、「陽の気」を吹き込まれたのです。私、そのチャンスはない。全体は、老いた白梅が主題ですので「陰」なのですが、「陰」の中にも「陽」があることを示しているのです。これは必然。なお、一曲目の水流の部分が小さく、二曲目の水流が大きく取られ、その緩やかで豊満な流れの線が、上昇する白梅の小枝と共に、美しい弧を描いていることにもご注目あれ。後でその秘密を明かします。

次に右隻です。一曲目は、水流を大きく取り上方に柔らかい紅梅の枝を一部覗かせます。二曲目は、堂々たる若さを強調する紅梅の太い幹がどっしりと構えます。枝もすべてが上昇です。正に、「陽の塊」、ENERGY が充満しています。若さの象徴です。学生諸君です。ここで皆さん、おわかりでしょう。白梅は「陰」、紅梅は「陽」であると。

次に、尾形光琳の仕掛けを見ましょう。

屏風は、室内に立てるときには ZIGZAG 状にしますね。一直線に開いたら屏風は立ちません。ところが、美術全集などに掲載される屏風の絵は、すべて開いてあります。これを私は学生達に、「鯵の開き状態」

69. 尾形光琳『紅白梅図』（MOA 美術館）

であると言っています。「開き状態」は、本来の鰺の姿を留めてはいない。「諸君は屏風の図版を見るときには、頭の中で、もう一度、再構成しなければいけないよ。少なくとも、私のこの授業を取った者だけは」と注意を喚起します。尾形光琳は、DESIGNER 感覚を非常に強く持った画家でした。工芸感覚といってもよい。見せ方をいつも考えながら、制作していました。そこで、以下、そのことについて触れます。

　屏風 ZIGZAG 論は、恩師佐々木剛三教授の発想です。佐々木教授には、いつも反発と親愛の両方を感じながら接していましたが、その感覚の新しさには、いつも舌を巻いていました。亡くなったときには、慟哭しました。早稲田大学退職後の佐々木教授宅に、2000 年、南京藝術学院周積寅教授をお連れしたときには、門の外で STICK を携え迎えてくださいました。等持院境内にあるその家の床の間には、羅振玉の書が掛けてありました。とても素敵な時間が過ごせました。

　さて、ZIGZAG 屏風を日本の家屋内で観るときには、まず正面から、そして、向かって右からと左からと、三方から観られる可能性があります。要するに襖の配置がそのようにできているからです。正面から観たときには、折れ曲がった部分により、手前と奥とが感じられ、若干の深奥が感じられます。右方向か

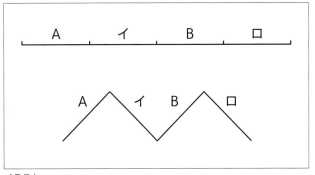

イラスト

ら屏風に接したときには、死角が生じ、(A) と (B) とが、連続して、一枚の絵になります。(イ) と (ロ) の部分は、死角になって見えません。続いて左方向からです。(イ) と (ロ) とが連続して一枚の絵になり、(A) と (B) は死角に入り、見えません（イラスト）。

　この見え方を用意周到に考え作画したのが、尾形光琳『紅白梅図屏風』です。

　佐々木教授が指摘したのは、(イ) と (ロ) の水流の頂点と紅梅の枝先が先端を一致させるということでした（図 70）。確かにそうです。佐々木教授の説明はここまででした。とにかく、十分納得のいくものでした。しかしその後、私は多摩美で、「陰と陽」との観点から様々な発見をしました。その絵画の秘密を解き、学生達に教えるようになりました。

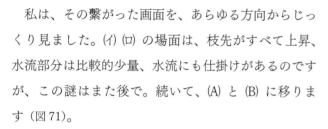

70. 同、「イとロ」

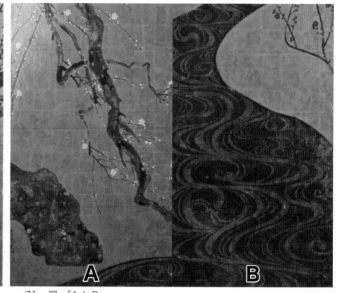

71. 同、「AとB」

　私は、その繋がった画面を、あらゆる方向からじっくり見ました。(イ)(ロ)の場面は、枝先がすべて上昇、水流部分は比較的少量、水流にも仕掛けがあるのですが、この謎はまた後で。続いて、(A)と(B)に移ります（図71）。

　ほとんどが下降、暗鬱な水流が画面を支配します。しかし、(ロ)の紅梅の先端が僅かに老梅を元気付けてくれます。「老梅さん、頑張りなさいよ」と。それに呼応して、最後の力を振り絞って立ちあがったのが、(イ)の白梅の枝でした。全体の中での白梅（老いと陰）と紅梅（若さと陽）とが、互いに語り合っているようです。「陰と陽」は元来一体なのです。「太極」「大玄」から「陰と陽」が分かれ、また一体となって別の創造を行うのです。「陰」と「陽」をここまで見事に視覚化した芸術は少ない。要するに「太極図」に帰着する思想の絵画表現です。これを詩文に置き換えて表現した文学者が日本にいないのは悲しい。嗚呼。

　佐々木教授とは、喧嘩もし、語り合い、人生の何たるかを教わった仲でした。人生の師です。もともと嫌いだったお酒の飲み方も教わり、社会とどうやって向き合って行くかを教わりました。なぜか私に目を掛けていただき、修士課程に入ったときには、PRINCETON 大学に行け、静嘉堂文庫から放出されたときには、HARVARD 大学に行け、最後に、松濤美術館時代には、MICHIGAN 大学に行けと、何度もお誘いを受け

たのですが、こちらの都合で終に米国には行かずじまい。結局、中国南京に滞在したのですが、それはそれなりに喜んでくださった。京都人独特の不可解さをいつも持った、不思議な人でした。

　ここまで、佐々木教授の教えに導かれ、尾形光琳『紅白梅図屏風』理解の一端に至った私ですが、多摩美時代にもう一人、強烈な人が現れました。華道家の中川幸夫さんです。松濤美術館時代からお付き合いのあった人ですが、多摩美の特別講義にお呼びしたのです。中川さんは、尾形光琳『紅白梅図屏風』を取り上げ、そこに描かれている水流について触れられました。

　私は、琳派についての論文は書いていません。日本に於ける琳派研究の牙城は高い。結束力は固い。関連書物も多い。今更、私がしゃしゃり出る必要はない、だが私は、教科書に書いてないことを学生達に伝えることが使命だ。しかし、嘘や出任せや思い付きではなくて、あくまでも作品に自身を語らせ、その内容を私が受け止め、理解し、学生達に咀嚼して還元するのが多摩美にいる存在理由だと認識し、その点では「奮闘努力」してきたつもりです。

　佐々木教授と中川さんは、私の尾形光琳『紅白梅図屏風』講義の骨格をほとんど完成の領域にまで導いてくださった。残るは細部の分析だ。短い人生で、本当にこれはとか、本当にこの人と思える出会いは少ない。それは、自分の身体中に取り入れられる要素を持つも

のとの出会いである。

中川さんは、右隻と左隻に分かれた水流の描き方について説明された。中川さんは、それ以前に私の授業はお聞きになったことはない。しかし中川さんは、ここでは「陰と陽」という言葉は発しなかったものの、見事に「陰と陽」の思想に触れたのだ。中川さん曰く、「皆さん、中央に流れる水を見なさい。画面上方、つまり奥から画面の下、つまり手前に流れて来るように見えますね。ここに、巧妙な仕掛けがあるのです」と。「一体になって見えるその水流も、左隻と右隻とでは、描き方が違うのです」と。この話を聞いたときには、正直本当に驚愕しました。私、気付かなかったのです。やはり、芸術家の眼は鋭いと。

このことを後々まで私の授業で取り上げその違いを学生に問うと、何百人の中の数人だけは理解しますが、ほとんどの学生はボーっとしています。そこで、私は学生達に命令します。「皆さん、鉛筆を手に持って、その場で立ち上がりなさい」と。学生達、ゾロゾロと怪訝な顔をして立ち上がります。どうせ、変人教師（恋人教師ではない）の言うことだ、この場は大人しく従ってやろうかと。私は言います。「次に、鉛筆を高く掲げ、そのまま腰を降ろしながら、蛇行する波の線を空中に描きなさい」。つまり、上から下に向けて波の線を描くのだ。「次に、腰を下ろした状態から、やはり、手に鉛筆を持って膝を伸ばし、腰を伸ばし、上に向かって波の線を描きなさい」と。つまり、下から上へ波の線を描くのだ。この動作は、私が中川さんの話を聞いたことを、学生達に簡単明瞭に理解して貰うために発明したやり方です。結構効果的です。どうです、学生達はここで実際に身体を使って、「上昇」と「下降」を経験するのです。身体的にも、「上から下」は楽です。膝の屈曲もSMOOTH、描かれた線も伸びやか、「下から上」へは、膝・腿に力が入り、屈曲も困難、描かれる線は必然的に窮屈となる。これが、真ん中を境に右と左に描かれた波の二つの性格の違いになるわけです。こんなこと、教科書には絶対書いてない。前代未聞の事柄です。

中川さんの話はこうでした。もう一度復習しましょう。

「右隻の水流の波は、間隔が伸びやかでゆったりとこちらに向かって流れて来る。左隻の水流の波は、間隔が窮屈でつまった感じで上に向かう」（図72、73）。

右隻のゆったりした波の線を描くときの身体行為は、「上から下」、つまり「下降」、だけどでき上がった線は、ゆったりとして穏やか。左隻のつまった波の線を描くときの身体行為は、「下から上」、つまり「上昇」、だけどでき上がった線は、圧迫され窮屈。正に、「陰の中に陽あり」、「陽の中に陰あり」、「上と下」、「右と

72. 同、「左波」

73. 同、「右波」

左」の二元論の表出なのです。「男と女」、「天と地」、「聖と俗」、「美と醜」など、一見対立構造をとるようなものも、所詮互いの要素をその中に併せ持ち、やがて、一体となるのだ。いやあ、深い。マイッタ。

あっそうだ。忘れていた。その波です。一曲隔てた、(A) と (B) の、波は一番下の部分で、波の線が繋がり、(イ) と (ロ) は、波の上部と紅梅の枝の先端が、手を結んでいます（図74、75）。正に、「陰と陽」との一体化現象です。また、(A) と (イ) はそれぞれ大いなる「下降」、(B) と (ロ) はすべて「上昇」の VECTOR を持つということになるのです。尾形光琳には、マイッタ。複雑な幾何学的構成の極みと、鮮やかな「紅と白」の象徴する意味を統合したものです。究極の二元論の展開が見られましたとさ。

はい、今日の講義はここまで。また来週。なぜかこの授業が終わった後はいつも気分も晴れ晴れ、気持ちが安定した状態になったことを記憶しています。明快で単純、なおかつ奥が深い。尾形光琳の頭の良さに打ちひしがれるのです。絵画の威力です。いや見事。

私は、このことを、以前に文章にしたことはありません。佐々木教授と中川さんによって、助けられて得た、この珠玉のような宝を公衆の面前に曝け出したくなかったからです。僅かに、変人教師の私の授業をとった学生達に、秘伝の如く伝えたのです。あくまでも、「豊かな感性」を持った、貴方方自身が、直接、作品と対峙することが必要なんだよということです。これが、私の授業の究極の目的なのです。

何が言いたいかといえば、図書館にある美術全集に付けられた通俗的解説では、物事の真実は見えない、ということです。

2005年、中央公論美術出版社から発行された『国宝　紅白梅図屏風』には、「江戸時代、紙本金地著色、二曲一双、各 156.0 × 172.2㎝、国宝」と表記されています。MOA美術館と東京文化財研究所の共同編集です。2003年から2004年にかけて行われた、東京文化財研究所による光学調査の結果、金色の地の部分が、金箔が貼られているのではなく、金泥であたかも金箔のように描かれていたという発表がなされました。この本はその報告を兼ねているわけです。ほとんどの研究者が、その結果を支持しましたが、中には疑問の声を上げる人もいました。京都の箔屋、野口 康さんです。ある学会で、偶然、野口さんとお会いし概要をお聞きすると、かなり、説得力のある金箔説でした。早速、京都から八王子の多摩美の授業にお呼びし、何百人もの学生の前で、そのことを披露してもらいました。実際に、金箔を使用しながら、江戸時代に行われていた技法を再現してくださいました。ほとんどすべての学生が、野口説を支持し、感歎の声を上げました。様々に報道された「金地説」ですが、その後一切なりを潜めています。しかし、真実は崩れない。DIAMOND のように地中に存在し続ける。

もし、博物館で屏風作品の前を右に左に行ったり来たりしている者を見かけても、許してやってください。一応、人々に迷惑にならないようにと注意はしてありますので。彼等はかつて、私の授業を取った者達でしょう。

74. 同、イとロ

75. 同、AとB

顔輝「魂魄遊離」の世界

顔輝『蝦蟇鉄拐図』[二幅]（京都・知恩寺）（図76）
　紙本着色。161.0 × 79.8㎝。

「元曲」とは

　諸君！「元曲」と言っても「元気な曲」ではないんだよ。

　元時代（1271‐1368）の一種の OPERA で、民衆の中に広まり、「勾欄」（普通の見世物小屋とは言わないが、もう少し立派で、舞台・観客席・楽屋などを完備したもの。マア、SHAKESPEARE の FORTUNE 座と思えば良い）。これは、大都会では、「瓦舎」と呼ばれる娯楽場の中にあり、「瓦舎」には各種の娯楽場があり、演劇・語り物・曲芸などが行われる場所が「勾欄」であった。周辺では、薬・衣類・飲食などの店も繁盛していた。マア、以前の浅草界隈を想像すれば良い。そこでは、浅草 OPERA があり、「FRANCE 座」があり、「花屋敷」があった。

　日本の大学での元曲研究の歴史は、京都大学から始まる。

　「故青木正児博士が京都大学にもどられた機会に、吉川博士が主宰して元曲の共同研究を開始されたのは、昭和十四（一九三九）年四月のことである。当時といえば、俗語の辞書はおそまつ極まるもので、ましてこのジャンルは辞書がほとんど役にたたない」（平凡社『元曲五種』校訂者のことば）とある。

　京都大学は、国立大学として 1897 年に、東京大学（1877 年創立）に続いてできた。江戸時代の漢学・儒学の伝統を引き継いだ東京大学の羈縻に付したくないという思いがつのり、仏教思想や道教思想や、ここで見る「元曲」などの研究で見事な成果を残した。東京大学と京都大学の二つの大学が並立し、日本の学問研究を押し進めてきたことは、紛れもない事実である。その間隙を補完しつつ研究を進めたのが、その他の大学であると言える。

　翻って見るに、我が母校早稲田大学（1920 年創立）

と言えばどうか。暗然とした気持ちにならざるを得ない。彼の大学は、優れた語学力を駆使し、西洋の哲学や科学思想をいち早く理解し、社会科学・人文科学・自然科学などという、いわゆる学問研究を科学的な方法論を使って進めて来たのである。目覚ましい成果を上げた。一方私の母校は、一介の私立大学である。自ずから限界がある。圧倒的な資金と資料に支えられ、学問研究に邁進した国立大学。研究者の層も厚い。しかし、彼等も人間である。研究のうえで、取りこぼした点が必ずある。私のように、圧倒的に劣悪な研究環境に置かれた人間としては、各研究で生ずる様々な問題点の修正・補強を図りつつ、斯界に寄与するしかないと、覚悟を決め研究を続けて来た。私の研究対象は、中国絵画史である。私も最初の頃は、東京大学の鈴木敬教授から、「何でそんな些細瑣末な研究をやるの？」と怪訝な顔をされながら、ご忠言を賜ったものである。しかし、後に、彼が静岡県立博物館の館長になるときに、私を自宅に呼び付け、「学芸員として一緒に来ないか」とのお誘いも賜わったが、諸般の事情でお断りした。そのまま、あり難い申し出をお引き受けしていれば、その後の私の人生も別の方向に進んでいただろうと思うが、そのときは断るよりなかった。私の人生は、断り続けの集積だ。

　そんな私が、顔輝に興味を持ち、西上実氏のお取り計らいで、実際の作品の特別観覧の機会を得、京都国立博物館の一室でじっくり作品と対峙したのが、顔輝『蝦蟇鉄拐図』である。私は、これを基に二つ論文を書いたが、そのうち最初の一つは、北京の『故宮博物院院刊』に翻訳、掲載された。二つ目は、偏に私の怠慢で、それを出すのに 20 年かかった。怠慢と言えば怠慢。二度目の論文を書くきっかけは、本当に偶然であった。それを、以下に説明する。

　「元曲」を「元雑劇」とも称するが、要するに庶民向けの大衆演劇とでも言ってよかろう。

　今、反省するが、私はその「元曲」を軽んじていた節がある。大衆演劇など、絵画史研究の資料としては、さほど役に立たないと、高を括っていたのである。私の狭量な考えが 20 年間、自分自身を事実から眼をそ

76-1. 顔輝『蝦蟇鉄拐図』「蝦蟇仙人」（京都・知恩寺）

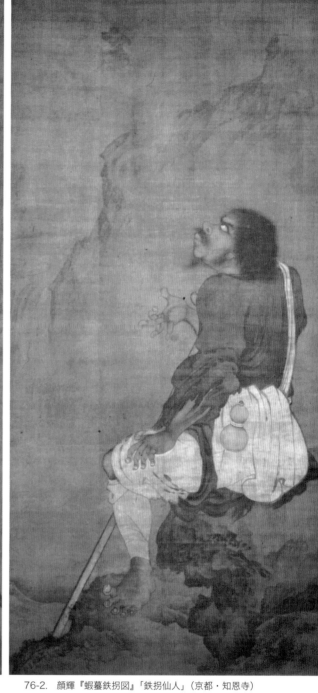

76-2. 顔輝『蝦蟇鉄拐図』「鉄拐仙人」（京都・知恩寺）

むける状態に置きっぱなしにしていたということである。反省。しかし2011年、学校での夏休みの直前、研究室で学生達が、資料整理をしていたとき、偶然私の傍らに平凡社『中国古典文学大系』の『戯曲集』（1970年）が置いてあった。もちろん私の蔵書であるが、なぜそこにその本が忍び寄ってきたのかは、わからない。神様が、そっとそこに置いたとしか考えられない。外では、瑠璃鳥が美しい声で鳴いていた。何気なく

本を開けて目次を見た。田中謙二訳の『鉄拐李』が載っている。ああそうか、また数多ある例の俗説の登場かと軽い気持ちで頁を繰ってみた。内容を見て驚愕した。日頃の私の怠慢を自ら発見したわけだ。あの衝撃は忘れられない。ガツン。ゴツン。

ここには、「青眼の李さん」が登場する。私自身、以前から、潜在心理的に、何かが気になっていたのであろう。あわてて、顔輝『蝦蟇鉄拐図』のSLIDEを

取り出して、鉄拐の眼をみると、「青い」（図77）。電撃が走った。

そして、元、岳伯川『鉄拐李』関連資料や、明、臧懋循の『元曲選』中の関連資料を調べると、私がそれまで授業中に学生に向けて説明して来た内容とかなり違うではないか。今度は、「私自身が青くなった」。私が、それまで説明して来た内容は、明代の『八仙出處東遊記』に基づくもので、この説が一般にも流布している。私もそれを踏襲していたのである。

いみじくも、私は顔輝『蝦蟇鉄拐図』の研究者である。最初の論文は、顔輝の出生地や活躍地や、その技術の習得過程について詳しく調べた。その内容にはかなり満足している。今度は、元時代の「雑劇」や宗教、とりわけ道教の「全真教」について調べ、どのような文化環境で、顔輝自身がどのようにそれを享受し、自家薬籠中の物にし、「仙人像」を描いたかの検証が必要であると感じた。「元曲」は宗教的な教訓を中心

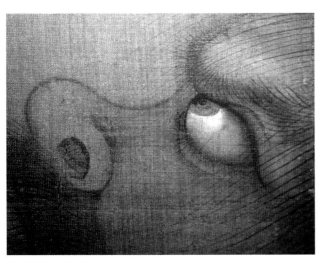
77. 顔輝『蝦蟇鉄拐図』「鉄拐仙人」、「青眼」

に語られるものが多いが、舞台は主として当時の市井で、その時代の風俗や社会意識が反映されている。歴史資料としての側面も持つのである。興味が湧く。

「元曲」は脚本を必要とするが、その作者の出現と立ち位置について、田中謙二はこう語る。

〈書会〉には、科挙をめざして正統の教養を修めながら中途挫折したインテリくずれも投じたであ

ろう。ところが元朝では特殊な状況が生まれた。インテリの唯一の進路—科挙の門がとざされたのである。唯一の進路をふさがれたために、有為の才をいだくかれらの多くが、あるいは〈書会〉に投じ（あるいは独自に）、雑劇の制作に参加し、吐け口のないかれらの鬱屈せる情熱と才能を噴出させた、ということが考えられるのである。

ここでの「書会」とは、辞書に次のように説明されている。

宋・元のときの民間演劇・芸能作者の専業組織。多くは演劇・芸能が比較的に集中した燕京（元の大都、今の北京市）に「玉京書会」「元貞書会」など、杭州に「武林書会」、温州に「九山書会」があり、蘇州・揚州などにも書会があった。書会の作者は「書会才人」と呼ばれた。

私は、顔輝の生きた時代、宋末元初の戯曲を調べなければならないと思った。新しい顔輝研究の再出発である。2011年のことです。

私の「顔輝研究」の経緯

以下、私は1996年当時の顔輝研究の経緯を語ります。宋末元初の画家顔輝は、日本でかなり有名になりました。中国、宋末元初（13世紀後半‐14世紀初頭）に江西省を中心に活躍した顔輝は、壁画を制作する画家でした。道観（道教）や寺院（仏教）に道釈人物画（道教や仏教関連の人物画。仙人なども含まれる）を多く描きました。当時の中国には、同じような壁画家は他にもいましたが、顔輝は独立した掛幅に主題を描き、やがてそれが各地を転々とし、日本にも到着したのです。

独特な風貌を持つ顔輝の道釈人物画は、日本でも多くの人々の心を捉えました。数少ない顔輝の真筆を中心に、様々な顔輝風の作品が集まり、日本では「顔輝派」なる名称まで作られました。しかし、伝承が伝承を呼び、それが伝わる毎に様相は変化して行きます。

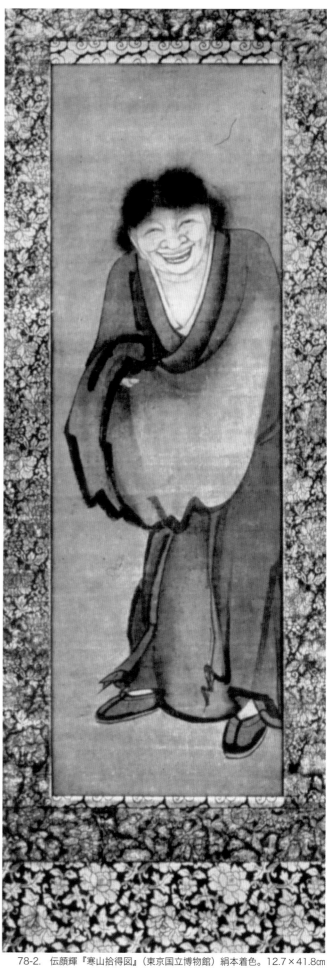

78-1. 伝顔輝『寒山拾得図』（東京国立博物館）絹本着色。12.7×41.8cm　　78-2. 伝顔輝『寒山拾得図』（東京国立博物館）絹本着色。12.7×41.8cm

79. 岸田劉生『麗子像』（東京国立博物館）

吉井勇「蝦蟇鐵拐」傳顏輝筆

秋ふかき山ありきする鐵拐の痩せ足指の爪の苔かも
この仙や何すと岩に憩ふらむ肩に負ひたるは白き
蝦蟇（たにぐく）

　吉井勇は、「伝（Attribute）顏輝」としますが、この
絵は、その後の研究の結果、顏輝の真筆と認められ
ています。顏輝の作品は、『寒山拾得図』（図78、二幅
対）も有名であり、岸田劉生（きしだりゅうせい）が『麗子像』（図79）を
描くのに、それを参考にしました。私も若い時、伝顏
輝『寒山拾得図』が好きでした。東京国立博物館で
は絵葉書を買い求め、机の傍らに置き、眺めていた
ものです。私は、卒業論文で「岸田劉生——近代日本
の跨ぎの問題」を書きました。岸田劉生『宋元の寫生
畫（が）』も読みました。しかし、『寒山拾得図』と、真筆
とされる『蝦蟇鉄拐図』の技法や表現する世界との違

いは明確です。伝顏輝『寒山拾得図』は、
現在東京国立博物館に所蔵されています
が、以前は神戸の川崎男爵家のものでし
た。売りに出されて、現在東京国立博物
館にあるのです。
　昭和11（1936）年、『神戸川崎男爵家藏
品入札目錄』序には、次のようにその入
札の理由が述べられています。

> 然るに川崎男爵家が、往年我國經濟
> 界の動乱に遭遇し、巨額の損害を受
> けた結果曩（さき）に第一回賣立てを行ひ、
> 今またその第二回を行はれることと
> なったのは、蒐集に努められた故翁
> の靈に對し申様もない痛恨事ではあ
> るが、形状や伝来は以下の如くです。

> 國寶、顏輝、寒山拾得二幅對、著
> 色絹本、竪四尺二寸一分　巾一尺
> 三寸八分。表装、一風、丹地飛雲
> 古金襴、中、茶地大牡丹古金襴、
> 上下、萌黄地二重蔓大牡丹古金襴。
> 足利義政公、織田信長公、本願寺
> 傳來。

　その伝来は、足利義政から始まり、織田信長を経て
本願寺に伝わったものとされます。
　その真偽はともかく、この入札目録には、我々に馴
染みの深い作品がまだまだたくさん載っています。夏
珪（けい）『風雨山水図（ふううさんすいず）』、因陀羅（いんだら）『四睡図（しすいず）』、銭選『恒野王
図（いとま）』、その他枚挙に暇（いとま）がないが、沈銓（しんせん）や伊藤若冲もあ
る。つまり、我々は、川崎男爵のお蔭で、中国美術
史理解が進んだのです。昭和11年（1936）の入札（AU
CTION）には、合計313点が出品され、なぜか、昭和
13年（1938）に同じ目録が再販されています。このあ
たりの経緯は、私はわからない（骨董業界に詳しい人は
知っているだろうが）。いずれにせよ、1929年の世界大
恐慌の影響を受け、川崎家が所蔵品を売りに出したこ
とだけは確かでしょう。
　ところで、伝顏輝『寒山拾得図』には、款記印章

80. 顔輝印章

（画家の署名や印章）がありません。一方、顔輝『蝦蟇鉄拐図』の『鉄拐図』には、印章「秋月」「顔輝」の二印が捺されています（図80）。

　印章が捺してあるから、真筆というのではなく、当時の元時代の絵画情況を背景に考えても、これが真筆という結論が導き出されるのです。詳細は後で。しかし、「秋月」とは、如何にも洒落た「号」です。これが、あの少し陰鬱な雰囲気を持つ『鉄拐図』に捺してあるのですから、申しわけないが笑ってしまう。いや、簡単に笑ってしまってはいけないのです。

　実際に、絵自身と対面すると、その「秋月」の文字の持つIMAGEと「鉄拐仙人」の絵の愁いを秘めた表情が微妙に融合し、正に、画面を「秋風」が吹き抜けるような蕭蕭とした雰囲気を醸し出すのです。絵とは、不思議なものです。「秋月」を文学で見てみましょう。

白居易「秋月」

夜初色蒼然、　　夜初、色は蒼然、
夜深光浩然、　　夜深、光は浩然、
稍轉西廊下、　　稍、西廊の下に転じ、
漸満南牕前、　　漸く、南牕の前に満つ、
況是緑蕪地、　　況や、是の緑蕪の地、
復茲清露天、　　復た、茲の清露の天、
落葉聲策策、　　落葉、声は策策、
驚鳥影翩翩、　　驚鳥、影は翩翩、
棲禽尚不穩、　　棲禽、尚、不穏たり、
愁人安可眠。　　愁人、安ぞ可眠なり。

　「夜の初めは薄暗く、夜深くには煌々と、次第に西廊の下に転じ、次には南窓の前に満ちる、緑の野から、清露の天までを照らす、落葉は策策と音を立て、驚鳥は翩翩と飛ぶ、木々の鳥さえ穏やかならず、ましてや愁人は眠れない」

［語注］蒼然＝薄暗いさま。浩然＝盛んなるさま。緑蕪＝緑の野原。策策＝落葉の音。驚鳥＝驚いて飛び立つ鳥。翩翩＝鳥が身軽く飛ぶさま。棲禽＝樹上にいる鳥。愁人＝心に愁い悲しみを持つ人。

　顔輝が白居易の詩「秋月」を知っていたかどうかはわかりません。しかし、後世の鑑賞者が、作品をさらに充実した理解に導くための手段として、その詩を用いることは許されるはずです。

　ところで、ここで私は学生に注意を喚起します。「印章があるから、直ちに『顔輝』などという拙速な理解はしないように諸君。印章なんか、いくらでも偽印を作ることができるのだから」と。多摩美の学生が、課題作品で足利義満の所蔵印「天山」「道有」印を見事に彫ってしまったのです。昔から偽造印のお手本はありました。この場合、いわば、鑑賞の手引きなのでしょうが、悪用しようと思えば悪用できます。たとえば、『捃印補正』の出版です。ここには、歴代の様々な画家や書家の使用印が載っています。江戸時代、「享和2（1802）年初刻、天保5（1834）年再刻」とありますから、当時でも、相当評判を良くしたのでしょう。出版元は、「浪華書肆、心斎橋筋順慶町柏原屋清衛門、同北久太良町、河内屋喜兵衛」とあります。その後、文化7年（1810）には、『捃印補遺』まで出版されています（図81）。

　これは、京都・江戸・大阪での出版ですが、全国に広まったものと思われます。私も、2、3部手に入れたことがあります。これには、たくさんの人達の印が収録されているから、贋物の絵画を描いて、その印を

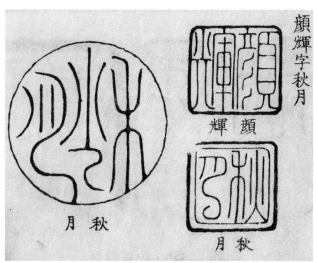
81. 『捃印補正』（顔輝印章）

　模刻して画面に捺せば、ハイ、一丁上がりとなります。贋物とはいえ、本物の要素を80％持っていれば、本物に限りなく近いというわけですが、それに印が捺してあるとなると信用性を増す。通常一般はそれで流通します。しかし、我々研究者は、残された20％の部分を問題にするのが仕事だと思いますが、大らかな研究者は、「80％主義」であるし、極めて厳しい研究者は「20％主義」である。ただし、「主義」と言っても「IDEOLOGY」ではないですよ。もちろん、後者の「20％主義者」が何時まで経っても貧乏であることも、この業界の常である。トホホ。

■参考文献
野口康「金碧障壁画の金箔の復元研究─尾形光琳『紅白梅図屏風』の金地と流水部分について」（『民族藝術』23号　民族藝術学会　2007年）
『元代道釈人物画』（東京国立博物館　1975年）

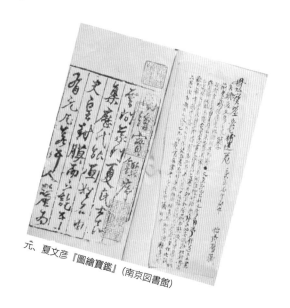

元、夏文彦『圖繪寶鑑』（南京図書館）

第6章 中国絵画探しの旅1

中国、『圖繪寶鑑』を探して

日本の中世、日本に入って来た中国絵画理解の参考書として用いられた一つに、元時代の夏文彦『圖繪寶鑑』（1365年自序）があります。以下、その研究を披露します。

室町時代の足利将軍家所蔵の中国書画や茶器などの工芸品に関する書物、『君台観左右帳記』等での中国人画家の説明は、ほぼこの『圖繪寶鑑』によったものと思われます。

岩波書店、日本思想大系23『君台観左右帳記』には、次のように載ります。

　　　顔輝、字秋月、江古人、道釈人物山水。

出身は「江古」とあります。はてな？　「江古」とは何処だろう？　中国での地方志、その他を調べます。「江古」、どれにもありません。しかし、「江右」と「江山」はありました。当時の日本人の写し間違いかも知れません。「右」と「古」の字が似ていたのでしょうね。

それに、さらに、「江山」も写し間違いの結果であることも判明しました。ただし、こちらの「江山」は、明末、17世紀に活躍した出版人、毛晋の『津逮秘書』本の中の『圖繪寶鑑』に記載されている地名です。実際の「江山」は浙江省衢州近辺を指します。『津逮秘書』本は、大変流行し、読者も多かったのですが、拙速な編集により、誤りが多々あることでも有名です。江戸時代のある文人は、自分の持っている本に「江右」とあるのを、『津逮秘書』本に従って朱線で消し、わざわざ、「江山」と訂正をしました。泣くに泣けない悲劇です。チャンチャン。

結局、正しいのは、「江右」だとわかりました。「江右」は、江西省吉州盧陵です。元時代に刊行された『圖繪寶鑑』や、それを襲ったところの羅振玉『宸翰樓叢書』本では、ちゃんと、「江右」となっていて、こちらが正しいのです。江西省吉州近辺の地方志を繰

り、確認しました。出て来ました、顔輝関連の記録が。いやあ、楽しかった、顔輝の出身地の「地名」調べ。

ことのきっかけは、こうです。あるとき、「新潮世界美術辞典」の「顔輝」の項目を引いてみました。そこには次のように説明されていました。

> 顔輝。中国、宋末元初の画家。字は秋月。①江山（浙江省）、あるいは盧陵（江西省）の人といわれる。儒学の素養があったが、専門家としてたち、元代前半期の道釈画家となった。とくに画鬼に巧みで、『筆法奇絶、八面生意あり』と称された。大徳年間（1297 – 1307）、吉州（江西省）の道観に壁画を描き、②また当時宮廷画家であったとされる説もある。（番号と下線は、筆者）

これを読んで、様々な疑問が湧きました。

以下、●印は私の結論。

①顔輝の出身地が二説あるとされるが、果たして、どちらが正しいのか。

　●地方志や各種『圖繪寶鑑』を調査の結果、江西省盧陵が正しいことが判明した。

②本当に、宮廷画家であったのか。

　●まったくの誤解、大間違い。一部の日本の研究者が、関連資料を読み間違い、「御畫士」という字句に拘泥し、「御」を「御物」「御用達」のように解釈し、勝手に作りあげたものでした。日本の研究者は、ずっと、それを踏襲していたのです。根が臍曲がりで、「20％主義者」で、生来、怠け者の私は、「同じ人間が、同時に二か所で生まれるはずがない。一つ決着をつけてやろう」と、我が身の怠惰の矯正も含めて、関連資料探索の道に入りました。これは、本当に面白かった。

中国は、地方志の資料が豊富です。まず、「江山」と「江右」関連の地方志を調べなければなりません。

同時に、昔から、日本でも珍重されてきた、顔輝に関する記述がどのようになされていたかを調べます。幸い日本には、内閣文庫や東洋文庫、その他大変貴重な資料が揃った図書館があります。それらは、大半が公開されています。

1992年、顔輝に関する最初の論文「顔輝―魂魄遊離の世界」（1991年）を携えて、台北・故宮博物院の研究員に会いました。そこで、ある指示を受けました。その後、1995年、中国南京に10か月滞在しました。目的は、各地での絵画調査と、『圖繪寶鑑』の資料探しでした。資料探しの旅は中国でも続きます。顔輝に魅入られてしまった私です。トホホ。ハハハ。

1995年、南京大学図書館の何慶先さんに会い、私の例の論文「顔輝―魂魄遊離の世界」を渡しました。彼からも一つの指示を受けました。台湾での1992年、南京での1995年、いずれも、私の論文に関して、まったく同じ箇所の誤りを指摘されました。貴方の資料の読み方には間違った部分があると。すなわち、それまでの日本の研究者が、一途に踏襲してきた部分でもあったのです。いやあ、汗顔の至り。即ち、次の部分です。

元、劉將孫『養吾齋集』
「吉州路永和、重修輔順新宮記」（抜粋）

> 離宮便殿、軒偉嚴翼、戟衞馬御、畫士顏輝手自位置、見稱絶筆。

江西省吉州路永和鎮の廟を重修したときの壁画を顔輝が描いたときの様子である。私は、日本の先人研究者の例に倣って、「御畫士顔輝」と読んでいたのである。「御畫士」というのを拡張解釈し、「御」即ち、「宮廷画家であった」とする『新潮世界美術辞典』の説明も同様であった。もっとも、私は論文の中で当時の民間壁画家達が「待詔」と呼ばれていた例を挙げ、「御画士」は単なる尊称としておいた。とにかく、中国人のお二方から、「馬御」は「御者」の類で、「厳めしい武具に身を固めた衛士達と、隊列を組んだ騎馬

兵達」と解釈すべきと指摘された。私もそれに同意し、1996年、北京の『故宮博物院院刊』に私の顔輝論文が掲載されるときには、ちゃんと「馬御畫士」との間に点を入れて、「馬御、畫士」とそれを切り離しておいた。「宮廷画家」説はとんだ誤解に基づくものであることが証明されたのである。思い込みは恐ろしい。あるときの権威が宣うた説が、その系列の中で次から次へと繰り返し述べられる状況は飽きる程見てきた。かく言う私も、一時期その末端に絡まってしまったのである。慙愧に耐えない。しかし、一つのちっぽけな真実を見つけるには、意外と長い年月と、それにもまして、新たなる視点解釈が如何に必要であるかを、この論文を通して私は知った。声高な、あたかも権威ある言説は、瞬間的には辺りに強く響くものの、やがて、時の彼方に、色褪せて、歴史の外に放り流される運命にある。進歩とはそういうものだ。私も、少しは自戒せねばと反省しました。

「善本」

中国の図書館はもちろん、日本の図書館にも、良質な文献資料が残っています。その中で、「善本」とは、資料性の高い貴重な古い書物を言います。綿密詳細な書誌学的方法で、中国の書誌学者や蔵書家は、持てる力を十分に発揮して、昔から書物研究に取り組んで来ました。清時代の乾隆・嘉慶年間は書誌学研究が盛んでした。現代でも、我々が常に使用する王重民『中國善本書提要』(1983年)、崔建英『明別集版本志』(2006年)などは、その種の基本図書です。AMERICAの大学図書館で発行する中国関係の蔵書目録も内容が充実しています。近年でも、『美國哈佛大學燕京圖書館 中文善本書志』(1999年)などが出されています。優秀な研究員が全力を尽くして内容のある目録作りをしているさまが窺えます。それに類する、『柏克萊加州大學東亞圖書館 中文古籍善本書志』(2005年)を見てください。170ページの「圖繪寶鑑六卷補遺一卷」の項目説明には、「夏書刻於至正間、明清兩代傳本甚多、或續或增或改、頗爲複雜。(1997年中國江蘇古籍出

版社出版日本學者近藤秀實與中國學者何慶先合著『圖繪寶鑑的校勘與研究』一書、於版本源流異同考訂頗備備、可資參考)」とあります。私と何慶先との著作が紹介されているのです。我々の著作の題名には、「的」は付いておりませんが。チョットしたMISTAKEでしょう。

『圖繪寶鑑校勘與研究』、この本を完成させる前、1995年の中国南京10か月は、いわば、『圖繪寶鑑』の「善本」探しの旅でもあったのです。最初に籍を置いた南京藝術学院の図書館で尋ねると、薄っぺらな王雲五編「國學基本叢書」の一冊(1956年)を示し、「これで用を足すだろう」と。どうも、こちらの意図がうまく伝わらなかったようでした。幸い、美術史系の研究室に、兪劍華の集めたと思われる、『宸翰樓叢書』の一本があったのです。この本は、元刊本を翻刻したものと言われ、少なくとも「津逮秘書」本より、信用できるはずだ。『宸翰樓叢書』本では、顔輝の出身地は「江右」、「津逮秘書」本では、「江山」となっていました。これでおわかりでしょう。出身地に二説があると説明された理由が。

さて、南京での「善本」探しが始まった。1995年、4月1日に南京に着き、南京藝術学院から紹介された宿舎に滞在したが、暗くて陰湿。1か月で、東南大学の「専家楼」に移った(不思議な縁で、2009年に、私は東南大学の客員教授となり、記念講演を行った)。5月に、私の妻の顧琳(LINDA GROVE)が南京にやって来たので、彼女の知己の南京大学嚴學熙教授に同行して貰い、南京大学図書館の古籍善本の閲覧を申し出たが、外部の者には許可しないと厳しく言い渡された。致し方がない。どうにか一般書の閲覧許可を得て、しばらくそれを閲覧すべく、南京大学図書館に通った。南京大学には、世界から研究者や留学生が滞在し、日本人も多いのに対し、南京藝術学院では私が初めての訪問学者で、他に外国人はいなくて、事務方も対応に難儀したようでした。で、11月には、警察に出頭させられる破目になったのです。お蔭で、周教授と同行予定のSYMPOSIUMは取り消し。

次の目標は南京図書館の古籍部です。「善本」が山程あるはずです。南京図書館古籍部の前身は、「江蘇

省立國學圖書館」であり、清代の有名な蔵書家、丁^{ding}申・丁丙兄弟の「八千卷樓」の蔵書が収められている、世界的にも有数の資料の宝庫です。

訪ねると、古籍部は引っ越ししたばかりで、事務用品やら図書目録やらの整理中。閲覧業務は正式には始まっていませんでした。周教授の紹介もあり、どうにか頼み込んで図書目録だけでも調べさせてくださいと潜り込み、『圖繪寶鑑』関連を図書CARDを頼りに、片端から調べ始めた。

クンクン、臭った、直観だ。「あった！」。どうやら元刊本らしい。興奮した。こちらの熱意が通じ、特別にその本を出して貰い現物を見ると、正しく元刊本である。欣喜雀躍、雀も躍る。私も躍る。

1995年、その年は、抗日戦争勝利50周年、反FASCISM勝利50周年記念の年でもあった。極く少数の人は、私に向かって日本人批判をしたが、概して皆さん親切で、それらの人々の顔は今でも脳裏に刻み込まれている。思い出すだに懐かしい。拉麺屋のちょっと憂いを秘めた子連れのオネーさん、確か西安出身と聞いていた。そして、餃子屋さん一家の人達、特にオバさんの笑顔がやさしい。古書店の幾分怪しい雰囲気の男性店員。今はすべて消失してしまっている。有為転変。悲喜交交。光陰矢の如し。老年真っ最中。

いずれにせよ、南京図書館で『圖繪寶鑑』に興味を持った者は、私より前には皆無だったようだ。この経緯は、後に、『揚子晩報』でも記事として取り上げられ、他の研究者と共に紹介された。

一方、北京にも元刊本があるとは聞いていた。後に、北京に行き、やはり元刊の善本『圖繪寶鑑』を閲覧し、南京本と比較対照して見ると、北京本には錯誤や空白部分があったりした。結果、南京本が唯一の「善本」、天下の「孤本」であることがわかった。世界で只一点、南京本が光り輝いていたのである。この本を通して、元時代の著者夏文彦と、初めて通じ合えたと思った。今でも、あの日のことは、アリアリと覚えている。

周教授とは、中国各地に赴いて、作品調査をしたが、南京にいるときの私は、雨の日も雪の日も、自転車で足繁く南京図書館に通い、『圖繪寶鑑』以外の無尽蔵とも言える良質な資料と取り組んだ。至福の時間であった。当時、1995年には、冬でも、閲覧室に暖房機は設置されておらず、職員や閲覧者は、時々膝の上に手を遣り、それから仕事を続けていた。何をやっているのかと帰り際に確かめると、膝の上に布にくるんだ小さなGOM（和蘭語）製の湯湯婆（「ゆ」は重言）を置いていた。湯が冷めると、給湯器で中身を取り換えるのだ。早速帰りに一つ買い求めた。日本では、幼少期に熱を出したとき、氷枕として用いたものの小型版である。結構重宝した。幸い私の逗留していた部屋には暖房機が付いていたが、たまに学生達が私の部屋に来ると、「暑い」と言ってびっくりしていた。そりゃそうだ。学生達の使用するATELIERは、寒くても窓は開けっぱなし、「新鮮な空気が心地良い」と言う。その気持ちはわかりますが。軟弱な日本人には少々キツイ。御免。

脚の悪いTEXTILE専攻の女子学生は、寮の集団生活に負担を掛けてはいけないと、ひとりCAMPUS斜面のあばら家に住むことになった。松葉杖をつきながら、毎日たくさんの階段を上り降りしなければならない。もちろん、学校の教室でも。私は、西安出身のPIANO専攻の女性達とよく訪問し、色々手伝った。部屋の入口のDOORは隙間だらけ。暖房は、特別に個人で買い求めた石炭を燃やす旧式のSTOVE。燃料の石炭に火を点けるのは難しい。皆で建築物の取り壊された場所に行き、木端を拾い集めた。彼女は、両端に木箱を積み重ねて板を渡した上に蒲団を敷きBEDにしていた。少し暖かくなると、皆でCARD GAMEに打ち興じた。部屋のCHRISTMASの飾り付けも皆で行った。彼女達、今頃、どうしているだろう。

大学教師は、学生を相手にいろんなことを学びつつ、研究資料と向かい合い、成果を発表し、豊かな将来を目指すのだ。貧乏でも心に燈火を。贅沢は敵だ？

とにかく、『圖繪寶鑑』の「善本」を、南京図書館で見付けた。神様ありがとう。その興奮冷めやらぬうちに、南京大学図書館古籍部の何慶先さんに、これを機に『圖繪寶鑑』の諸本の「校勘」（刊本や写本の文や語の異同を調べ、誤りを正すこと）を行わないかと持ち

近藤秀實

何慶先

82. 『圖繪寶鑑校勘與研究』

掛け、同意を得た。それから、その仕事も忙しくなる。しかし、私の中国滞在の主目的は、各博物館・美術館での作品調査であったので、『圖繪寶鑑』関連の仕事は未完のまま私は帰国。帰国後1年、1997年に出版されることになるのです（図82）。

顔輝『蝦蟇鉄拐図』の図像

　さて、私は美術史を語らねばならない。顔輝『蝦蟇鉄拐図』の解明に入ろう。鉄拐仙人の図像学的分析です。本当に「元曲」の資料にはお世話になりました。『元曲選』は、明時代の萬暦44年（1616）、臧懋循の編集によって出版された、百種の「元曲」を集めたもの。存在は知っていたものの、それまではほとんど無視していました。しかし、前に述べたように、読んで、ガツンと一撃を喰らいました。本当に痛かった。それまで、漫然と見ていた顔輝『鉄拐仙人図』の「眼が青く」、且つ、そうである理由がはっきりとわかったのです。その理由が、戯曲中に、細かく説明されていたのです。

　20年の間、私は何も見ていなかった。「青い眼」は、ただ「超人・異人・偉人の象徴である」と簡単に考えていたのだ。要するに、常人とは違って仙人であるから、少々風変わりでも良い、マア、そんなもんかと、漠然と理解していたのです。しかしこの日、歴然とした。鉄拐仙人が「青い眼」であるところの個別的理由

を、この日、突き付けられたのです。記念すべき日でした。研究では、このような経験がままある。図書館での資料探索は『老人と海』状態であると、人には説明します。しばらくの間、「元曲」関係の本に没頭しました。京都大学の青木正兒・吉川幸次郎、及びその下に育った弟子達が、精力的に「元曲」研究を行っていました。私はその成果を、元時代に描かれた顔輝の『鉄拐仙人図』に落とし込もうと努力しました。

　以下、この絵を見たときの、図像の特徴を列挙し、若干の解説を付けます。

1. **蓬髪頭（ボサボサ、ノビノビの髪の毛）**
   この姿は、金代に起こり、元時代に流行った道教の一つである、全真教の始祖王嘉（重陽）の他、七真人の姿。彼等は、なりふり構わず厳しい修行を行った。鬚も髪も伸び放題。現代で言えば、HIPPIE STYLE の元祖か。

2. **鉄拐（鉄の杖）**
   仙人の持つ杖であるが、効能は明らかでない。尸解（身体から魂を遊離させる術）に必要なものであるという説もある。HARRY POTTER の杖と同種類か。魔法に使用する。

3. **跛脚（片足が不自由な様子）**
   「元曲」に登場する人物の形態。

4. **葫蘆（ひょうたん）**
   仙薬が入っている。魔法の力を持ち、「瓢箪から駒」でも有名。

5. **青眼（青い眼）**
   「元曲」に登場する人物の形態。

以上が、ざっと見た「鉄拐仙人」の図像である。私が「元曲」を読み、理解したことを要約し、顔輝『蝦蟇鉄拐図』の図像を加味して論文を発表した。多摩美に奉職して20年余りの間「鉄拐仙人」を授業で語る

とき、説明してきた内容の誤りに気付いたのである。それまでの学生達、ゴメンね。深々と頭を下げる。陳謝、懺悔、あってはならないこと、何でもいい、誠心誠意、再発防止に努めます。以上。

私の場合、学問研究は日々進歩し、旧説が新説に取って代わられることは常道であるのですと、学生達に言いわけします。「私の授業では、教科書に書いてないことを教える。ただし、いずれも、私の綿密な研究に裏付けられた成果である。もっとも、理解するかしないかは、皆さんの自由ですよ」と豪語して来た私も、とんでもない所で常識に搦め捕られていたわけだ。トホホ。再び、お辞儀と陳謝の繰り返し。

さて、旧説を紹介します。

昔々、中国のある所に、美男子で少々仙術が使える男がいた。「尸解（しかい）」術である。あるとき、町で一人の老人に出会い、さらなる修行を勧められた。ただ、場所は少々遠い。若者はその気になり、同意した。下男に向かってこう言った。「私はしばらく遠地に仙術の修行に出掛けるが、通常の旅行では日にちがかかり過ぎる。そこで、私の得意とする『尸解』術でもって、私の分身を遊離させ、飛ばすことにした。その方が明らかに早いのだ」と。

（「尸解」とは、「魂と魄が分離すること」、魂は精神を、魄は肉体を司る。「死」とは、この「魂」と「魄」とが、分離する状態。ただし、仙術では、生きながらにして、自分の魂を分離させることができるようになるという。即ち、魂魄遊離を自由自在にできる能力を持つということ）

得意満面、意気揚々の様子で下男に指示を出した。「私の身体はこのままここに置いて行くが、修行を終えて戻って来たとき、魂が元の身体に戻れるように、十分注意をして見張っているように」と。やがて、修行を終えた若者は、ルンルン気分で、空中を飛んで帰った。さて、故郷に到着し、空から自分の身体があった家の場所を見ると、ナイ。自分の身体がないのだ。若者慌てふためいた。顔

も真っ青である。そんなことあるはずはない（後からわかったことだが、見張りの下男は母の危篤で田舎にかえり、どうもその間に身体が鼠に食われてしまったようだ）。イヤ大変だ、ドウショウドウショウと、ウロウロしながら空中をさ迷った。困惑の極み。焦躁の極み。若者も疲れてきた。やがて、町外れのとある橋の下に、行き倒れの乞食（こつじき）の死体を見つけた。身なりはボロボロ。しかし、CHANCE 到来。美男子の若者、とにかくこう思った。取り敢えず、ないよりあった方がよい。仕方がない、乞食の身体を借りようと、魂を乞食の体に注入して、蘇生した。そしてそれ以来元美男の李さん、哀れな乞食の姿で通したとさ。姿は、破れ衣に蓬髪、足は跛脚のままで、その後の一生を過ごしたとさ。チャンチャン。

現在でも、一般論として、こういう説がまかり通っているが、実はこの説、明時代の呉元泰『新刊八仙出處東遊記（しんかんはっせんしゅっしょとうゆうき）』に出るものである。要するに、新しく作られた話である。

ここに至るまでの、「鉄拐仙人伝説」には、それ以前に、藏懋循（ぞうぼうじゅん）『元曲選』（萬暦44年1616）に収められたものがあり、簡単にまとめると、次のようになる。

小役人の岳寿（がくじゅ）が粗相（そそう）を起し、地獄に送られた。呂洞賓（りょどうひん）の勧めで還魂する。しかし、その死骸は既に焼かれていてない。そして、李屠（りと）（青痣があり、「青眼（あおめ）」と呼ばれた）の息子の小李屠（しょうりと）（彼は跛脚であった）の屍を借り蘇生した。その後、岳寿は心を改め、八仙の一人となった。呂洞賓（りょどうひん）は、彼の名前を、二字姓（にじせい）の李岳（りがく）、道号（どうごう）を鉄拐とした。

「青眼」「跛脚」「仙人」と、我々が顔輝によって示された「鉄拐仙人」の主要素はほとんど持つ。この時点で、我々の知る顔輝の「鉄拐仙人像」がほぼ完成していたことがわかる。岳受が借りた「息子小李屠（がくじゅ）の死体」は、跛脚ではあったが、青眼ではない。青眼は「父親の李屠」である。「李屠」は死んではいない。息

子の「小李屠」が死んで、その死体がまだ温かかったから、それを借りて岳受が蘇生したわけだ。しかし、これでさえ、どこまで古い説を忠実に再現したかはわからない。顔輝は、それらの諸要素を融合させ、他の説話も交え、自らの鉄拐仙人像を複合体として作り上げたのである。臧懋循の知り得なかった元時代の別本に基づいたかも知れない。臧懋循は、偉大なる演劇研究者であった。しかし、彼は明時代の人である。元時代の戯曲をまとめ『元曲選』を完成した中には、新たに自らの創作部分を付け加えた部分もあるだろう。ことは複雑だ。元時代の宗教と演劇を突き合わせ、精度の高い鉄拐像を、今一度探り当てなければならない。月の裏側もいいが、我等の足元もしっかり見詰めねば。チャンチャン。

とにかく、顔輝が生きた元時代の13世紀末14世紀初の元曲である岳伯川（がくはくせん）『新編岳孔目借鉄拐李還魂（しん べん がく こう もく しゃく てっかい い かんこん）』を見ると、そこには、「鉄拐李」の名が登場している。しかし、今残る岳伯川『新編岳孔目 借 鉄拐李還魂』は当時の上演に際しての簡単な PAMPHLET のようなものである。その骨格だけは示されるが、細部は省かれる。そこで、次に注目すべきは、「元曲」の記録を綿密に調べ上げ、明時代に、『元曲選』として発表した臧懋循の仕事である。いずれにせよ、呉元泰（ごげんたい）『新刊八仙 出 處東遊記（かんはっせんしゅっしょとうゆうき）』の記述は、もう少し後に作られ、別系統のものによるか、あるいは、まったく新しく作られた宗教色の薄れた活劇風のものであった。私は、呉元泰の説によって、20年間、鉄拐像を語ってきたのである。再び陳謝。

臧懋循より、300年程前の元曲「李鐡拐」（りてっかい）の記録は、簡単なものしか伝わらなかった。しかし、元時代当時の「鉄拐仙人」に関する有力な証言者が、岳伯川以外にもいたことになる。絵画資料として残した、当時、生きていた画家顔輝である。顔輝がその一部を詳細に、絵画として描き留めておいてくれたのだ。これによって、元時代の「鉄拐像」が、一層鮮明に浮かび上がることになった。臧懋循が、顔輝の『鉄拐図』を見て脚本を再構成したかは定かでない。というよりその作品は、臧懋循の生まれる前に日本に来ていたから、見る

のは無理だったろう。

そもそも「青眼」とは

ところで、元曲の中では、「青疱」が目立ったので、「青眼（qīng yǎn）」と称されたのだが、「青眼」には、「親しい人に対する目つき。愛する目つき。白眼（bái yǎn）の対」という意味もある。

『晉書』巻四十九「列傳」第十九「阮籍傳」

阮籍字嗣宗、陳留尉氏人也、父瑀、魏丞相掾、知名於世、籍容貌瓌傑、志氣宏放、傲然獨特、任性不羈、而喜怒不形於色、或閉戸視書、累月不出、或登臨山水、經日忘歸、博覽羣籍、尤好莊老、嗜酒能嘯、善彈琴、當其得意、忽忘形骸、時人多謂之癡、惟族兄文業每歎服之、以爲勝已、由是咸共稱異（略）。

阮籍不拘禮教、然發言玄遠、口不臧否人物、性至孝、母終、正與人圍棊、對者求止、籍留與決賭、既而飲酒二斗、舉聲一號、吐血數升、及將葬、食一蒸肫、飲二斗酒、然後臨訣、直言窮矣、舉聲一號、因又吐血數升、毀瘠骨立、殆致滅性、裴楷往弔之、籍散髮箕踞、醉而直視、楷弔唅畢便去、或問楷、凡弔者、主哭、客乃爲禮、籍既不哭、君何爲哭、楷曰、阮籍既方外之士、故不崇禮典、我俗中之士、故以軌儀自居、時人歎爲兩得、籍又能爲青白眼、見禮俗之士、以白眼對之、及嵇喜來弔、籍作白眼、喜不懌而退、喜弟康聞之、乃齎酒挾琴造焉、籍大悦、乃見青眼、由是禮法之士疾之若讐、而帝每保護之。

「阮籍、字は嗣宗、陳留尉氏の人なり、父の瑀、魏の丞相掾（じょうしょうじょう）にして、世に名を知らるる、籍、容貌瓌傑（かいけつ）、志気宏放（しきこうほう）にして、傲然独特（ごうぜんどくとく）、任性不羈（にんせいふき）なり、而（しかる）に喜怒は色に形（かたち）せず、或は閉戸視書し、累月出ず、或は山水に登臨し、経日帰るを忘る、羣籍（ぐんせき）を博覧し、尤（もっと）も荘老を好む、酒を嗜（たしな）み能く嘯（うそぶ）き、弾琴を善くす、其の得意に当たりては、忽（こつ）として形骸（けいがい）を忘る、時人、多くは之（これ）を癡（ち）と

謂う、惟、族兄文業、毎に之に歎服し、以て勝と為すのみ、是に由りて咸共に異と称える（略）。阮籍、礼教に拘らず、然に発言は玄遠にして、人物の臧否を口にせず、性は至孝なり、母終り、正に人と囲碁す、対者は止むを求めるも、籍留りて決賭に与る、既にして飲酒二斗、声を挙げ一号し、吐血すること数升、将に葬するに及び、一蒸肫を食し、二斗酒を飲み、然る後に臨訣す、直言窮まるかな、声を挙げ一号し、因りて又、吐血数升、毀瘠骨立、殆ど滅性に致る、裴楷往きて之を弔す、籍、髪を散し箕踞し、酔いて直視す、楷、弔嗺畢りて便ち去る、或は楷に問う、凡そ弔は、主、哭し、客、乃ち礼を為す、籍、既に哭さず、君、何して哭を為すかと、楷曰く、阮籍、既に方外の士なり、故に礼典を崇せず、我れ俗中の士なり、故に軌儀を以て自居すと、時人、歎じて両得と為す、籍、又、能く青白眼を為す、礼俗の士を見れば、白眼を以て之に対す、嵆喜の来弔に及び、籍、白眼を作し、喜、懌ずして退す、喜の弟康、之を聞き、乃ち酒を齎ち琴を挟みて造る、籍、大に悦び、乃ち青眼をみせる、是に由り礼法の士、之を疾むこと讐の若し、而に帝、毎に之を保護す」

[語注] 瓌傑＝珍しく優れたこと。任性＝わがまま。きまま。臧否＝良否善悪の批判をする。善悪。肫＝ほじし。干した肉。毀瘠＝喪に居て甚だしく悲しんでやせ衰えること。骨立＝痩せて骨ばかりになること。滅性＝父母の喪に遭い悲しんで生命を滅ぼすこと。箕踞＝両足を前に伸ばして尻をついて坐る。弔嗺＝とむらうこと。要するに、気に入らない人には白眼をむき、気に入る人には青眼で迎えたということ。

王維「贈韋穆十八」

與君青眼客、　君とは青眼の客、
共有白雲心、　共に白雲の心を有す、
不向東山去、　東山に向わずして去り、
日令春草深。　日は春草に令して深し。

「君とは青眼の客、共に白雲の心を持つ。東山には行かないものの、太陽は春草を濃くさせている」

「白雲」は、清い心、「東山」は、東晋の謝安が、俗塵を避け隠棲した場所。そこまで行かなくても、ここで気心の知れた友人といれば、春草も活き活きと育ち、ここで十分楽しめるといった様子。気心知れる善き友達の例である。「青眼」と「白雲」との対比となる。

白居易「醉後重贈晦叔」

老伴知君少、　老伴、君を知ること少く、
歡情向我偏、　歡情、我に向いて偏なり、
無論疎與數、　疎と数とを、論ずる無く、
相見輒欣然、　相見れば、輒ち欣然たり、
各以詩成癖、　各、詩を以て癖と成し、
俱因酒得仙、　俱に酒に因りて仙を得る、
笑廻青眼語、　笑いて青眼を廻し語り、
醉竝白頭眠、　酔いて白頭を竝べて眠る、
豈是今投分、　豈、是れ今、分に投ぜんや、
多疑宿結緣、　多く疑う、宿ら縁を結ぶかと、
人閒更何事、　人間、更に何事ぞ、
攜手送衰年。　手を攜えて、衰年を送る。

「老伴たる私は、君の年少たるを知っている、しかし、君は私に対して歓情を偏に向けてくれる、たまに会っても心は欣然とする、二人共、詩癖があり、共に酒に因って、仙人となる、笑って青眼を廻らし、酔っては白頭を並べて眠る、今の親交も、たぶん、前世の結縁だろう、現世でさらにそれを強め、手を攜えて老年を送るのだ」

[語注] 晦叔＝崔元亮。老伴＝老いたる仲間。歓情＝喜ぶ心。疎数＝回数のまれなこと。欣然＝嬉しそうに活き活きとするさま。投分＝気が合う。親交する。

これは明らかに親しみを込めての「青眼」である。仏教の方でも「青眼」はいる。

梁、慧皎『高僧傳』巻第二、「譯經中」「晉壽春石磵寺卑摩羅叉」

卑摩羅叉、此云無垢眼、罽賓人、沈靖有志力、出家履道、苦節成務、先在龜茲、弘闡律藏、四方學者、競往師之、鳩摩羅什時亦預焉、及龜茲陷没、

乃避地焉、頃之、聞什在長安大弘經藏、又欲使毘尼勝品、復治東國、於是仗錫流沙、冒險東入、以僞秦弘始八年達自關中、什以師禮敬待、又亦以遠遇欣然、及羅什棄世、又乃出遊關左、逗於壽春、止石磵寺、律衆雲聚、盛闡毘尼、羅什所譯十誦本、五十八卷、最後一誦、謂明受戒法、及諸成善法事、逐其義要、名爲善誦、又後齎往石磵、開爲六十一卷、最後一誦、改爲毘尼誦、故猶二名存焉、頃之、南適江陵、於辛寺夏坐、開講十誦、既通漢言、善相領納、無作妙本、大闡當時、析文求理者、其聚如林、明條知禁者、數亦殷矣、律藏大弘、又之力也、道場慧觀深括宗旨、記其所制內禁輕重、撰爲二卷、送還京師、僧尼披習、競相傳寫、時聞者諺曰、卑羅鄙語、慧觀才錄、都人繕寫、紙貴如玉、今猶行於世、爲後生法矣、又養德好閑、棄誼離俗、其年冬、復還壽春石磵、卒於寺焉、春秋七十有七、又爲人眼青、時人亦號爲青眼律師。

[語注] 罽賓＝西域の国の名。印度の北部、今の KASHMIR 地方の国。龜茲＝国の名。今の新疆 UYGHUR 自治区の庫車県地方。鳩摩羅什（350‐409）、KUMARAJIVA。龜茲国の王妹を母とし、彼女と共に熱心な仏教信者となる。

卑摩羅叉は、KASHMIR 出身というならば、「瞳が青い」のは普通であろう。これは形態人類学的特徴である。私の論文、『鉄拐仙人の眼は何故青い』（2011年）を同業の皆さんにお送りし反応を見たが、美術史関係の人達の反応が鈍い。道教関係の人々の反応の方が VIVID であった。あれ程までに、外観描写の特徴を得々と解説する人達が、一体どうしたんだろうという疑問が沸沸と湧いた。つまり、私は、白眼視されたのか。皆さん、それまで気付かなかったことに、若干の羞恥を覚えて口をつぐんでいるのだろうか。特に私が知りたかったのは、顔輝『蝦蟇鉄拐図』を継承した様々な日本の画家の作品に、「鉄拐の眼を青く描いたもの」があったかどうかという点である。日本美術史研究者はそれにほとんど答えてくれない。政治は数なんだろう。多数派が実権を握る。数は権力である。真実は彼方へ。何処も同じ。嗚呼。しかし、それでこちらが掴んだ事実の一端を、忖度して取り下げるようなことはしない。これを機に、議論がさらに活発になれば良いと思うのだが。しかし、少数の人達からは、色んな貴重なご指摘があった。論文発表で嬉しいのは、こういう情報を与えてくださることだ。これだけが楽しみだ。また、一歩前へ進むことができる。お名前は省略させていただいて、その一部を、要旨だけ掲載させていただく。

◉『三国志演義』において孫権が碧眼だとされている。

◉道教に係わる図像の解釈は近頃目にするようになったが、元曲と併せての考察は初めてである。

◉釈尊の瞳が青かったことを「青眼律」（青眼）と言うので、修行僧（あるいは悟りを開いた李鉄拐）を青眼に描くこともあった（仙人も僧侶も同じ）のではないかと思われる。

◉曾我蕭白や佐竹曙山などの鉄拐には青眼はない。

まだまだ面白い指摘はあったが、これからの研究課題でもある。とにかく、普通の人々とは幾分様相の違う箇所が仙人の仙人たる所以であったのかもしれない。

閑話休題

人気者の鉄拐仙人

桜川慈悲也『落噺常々草』（歌川豊國画）（文化7年 1810頃刊）

「腹 曲 馬」（図83）

　張果郎が、瓢箪からよく駒を出すを、鉄拐仙人そねみて、張果郎が家に忍び入り、かの瓢箪を盗みけれども、なかなか重くて持たれぬゆへ、鉄拐、つくづく考へ、「どふだ、八兵衛は馬を飲んだから、馬も飲めさふなもの」と、瓢箪の口へ口をあてれば、馬は鉄拐が口へ飛び込みけるが、張果郎が姿が腹の中にあつて、その馬に乗つて騒ぐゆへ、鉄拐、馬を飲んで大きに困る。

　張 果郎は唐時代の道士と言われる。江蘇省常

83.『落噺常々草』（腹曲馬）

州の 條 山に隠棲した。太宗・高宗の招きを断り、玄宗の時、帝の前で数々の仙術を披露し、人々を驚かせた。長生の術にも通じ、いつも白い驢馬に乗り、その驢馬は紙のように折り畳め、水を掛けると元に戻ったという。

　鉄拐仙人に関しては、他の箇所を参照。顔輝の描く「鉄拐仙人」は、腰に瓢箪をぶら下げるが、これには仙薬が入っているという。「腹曲馬」の作者は、この PARODY を行ったわけである。

　「瓢箪から駒」は、日本でもよく使われる表現。「思いがけなく何かが起こる」という意味でも使用する。張果郎が、馬を使わないときには瓢箪の中に収めておいたという話もあり、そこから馬が飛び出て来れば、普通の人は大いにびっくりするだろう。

　鉄拐仙人は、張果郎が瓢箪から駒を出すと聞き、その瓢箪が欲しくてたまらない。張果郎の家に忍び込み、盗むべくその瓢箪を運ぼうとしたが、重くて持上がらない。八兵衛でさえ馬を飲んだのだから、自分も馬くらい飲めそうなものと、瓢箪に口を付け馬を飲み込んだ。ところが、その馬には張果郎が乗っていて、腹の中で大騒ぎをする。困ったのは鉄拐仙人。

　何か鉄拐が腹の中で曲馬を乗るとの評判ゆへ、おびただしく仙人見物に来たり、鉄拐が腹の中へ、豆ほどになつて飛び込み、曲馬を見物するうち、腹の中で仙人同士喧嘩を始めて、腹の中で大騒ぎなれば、早々腹で打ち出し太鼓が鳴るゆへ、仙人、鉄拐が口から皆飛び出して、「鉄拐殿、貴様の腹の中は大喧嘩であつた」と話すうち、又腹で喧嘩が始まるゆへ、仙人ども口々に、「まだ腹に、生酔が二人残つて喧嘩をする」と知らせるゆへ、鉄拐思ひ付いて、反魂丹をしたたか飲めば、げろげろと吐く。その生酔をよくよく見れば、李白、淵明。

84. 『繪本通寶志』（蝦蟇鉄拐図）

　鉄拐仙人の「腹の中の曲馬」は評判となり、大勢の仙人達が見物に来た。仙人達は、見物すべく、豆粒程の大きさになって、鉄拐仙人の腹に飛び込んだ。そして、腹の中で曲馬を見物中、仙人達が思わぬ喧嘩をし始め大騒ぎ。やがて、興業の終わりを告げる打ち出し太鼓が鳴り、仙人達は飛び出したが、まだ中で残って騒いでいる者がいる。仙人達が言うには、ひどく酔っぱらった者が二人まだいると。鉄拐は思い付いて、反魂丹（霍乱・食傷・腹痛の薬）をたくさん飲み、グロゲロと吐いた。よく見ると。その二人、酒の大好きな李白と陶淵明であった。チャンチャン。

『今歳咄』（安永2年1773）

　「仙人といふものは、三人に限つたものだ」「ナニ、手前たちが知るもので」「ナゼ」「仙人は五人あるものだよ」「なに、五人あるもので」「ソンナラ数へて見や、ソレ、蟇仙人」「ヨシ」「鉄拐仙人」「ヨシ」「久米の仙人」「ヨシ、そして」「ハテ、めくら仙人、めあき仙人」。

　「蝦蟇仙人」と「鉄拐仙人」は、中国の仙人。「久米仙人」は、日本の仙人。「目明き千人、盲千人」とは、物事がわかる人とわからない人はそれぞれ半分ずつという喩でもある。「千人」と「仙人」とを掛けた。下手な冗談、語呂合わせ。「久米仙人」は、空中飛行中、地上の水辺で若い女性が着物の裾を上げて洗濯をしている姿に目を留め、その眩しいくらいの白い脹脛につい見とれ、神通力を失い、地上に落ちてしまったという、間抜けだが愛嬌のある仙人。まるで「亀仙人」である。話は、『今昔物語』や『徒然草』にも載る。

橘守國『繪本通寶志』（享保14年1729）（図84）

　奥付は「嘉永二己酉歳孟秋補刻」とあり、1849年の出版である。

　「候先生。世に蝦蟇仙人と云、此人なるべし、列仙傳に候先生眉髭なしとあり」

鉄拐先生（三才圖會）

張果（三才圖會）

皿の文様にも描かれた「鉄拐仙人」

皿の文様にも描かれた「鉄拐仙人」

■参考文献

近藤秀實・何慶先『圖繪寶鑑校勘與研究』（江蘇古籍出版
　　社　1997年）

何慶先『玉泉韓昂考』（『南京大学学報』第35巻第2期
　　1998年）

何慶先「『四庫全書』載『圖繪寶鑑』底本考源」（『古籍
　　整理研究学刊』112号　東北師範大学古籍整理研究所
　　2004年）

近藤秀實「顔輝—魂魄遊離の世界」（『多摩美術大学研究
　　紀要』7号　1991年）

近藤秀實「論顔輝—魂魄遊離的世界」（『故宮博物院院刊』
　　72号　1996年）

近藤秀實「顔輝『鉄拐仙人像』再考—鉄拐仙人の眼は何
　　故青い」（『多摩美術大学研究紀要』25号　2011年）

吉井勇『墨寶抄』（鎌倉文庫　1947年）

第**7**章

中国絵画探しの旅2

鄭顚仙『漁童吹笛図』部分

狂態邪学派──鄭顚仙
市隠画家

　私の授業を受けた学生達は、中国人画家の、それも
いわゆる BIG NAME ではない画家の名前をたくさん
覚えている。私が無理矢理彼等に名前を覚えさせたの
ではない。授業を通して、画家達の作品に奥深く入り
込むことで、内容と独自の技法を理解し、画家達と友
達になってしまうからだ。

　私はこう言う。

　「授業で取り上げた画家達と、いずれ天国で会うかも
しれない。そのときは、かつて多摩美の学生であり、
近藤先生の授業で貴方の名前を知ったと、まず自己紹
介を行い、次にその画家の作品について、本人を前に
して忌憚なく会話ができることになる。君達は、美大
の学生だから、『豊かな感性と優れた技術』は持ち合
わせているはずだ。それを武器に、十分、作品論を戦
わせなさい。もちろん、全世界共通の天国語を使用し
て。ひょっとすると、ついでに、花さんや鳥さん達と
その天国語で会話ができるかもしれないよ」。私の天
国論である。その日が楽しみだ。

　鄭顚仙は、その中の一人だ。

　在世中も、おそらくひっそりと画業に励み、庶民の
ささやかな暮しぶりの中に一瞬の喜びを見出し、それ
を画面の中心に置いた。人間ドラマを仰視する眼差し
を持ち、情緒的な花鳥風月や、静かな山水の脱塵の世
界からはほど遠い地点に立っていた。筆先も鋭く、人
の内に潜む軟弱な精神に鋭い切っ先を突きつける。そ
んな強烈な画風故に、後世「狂態邪学」などと揶揄
されてしまったのである。

　鄭顚仙は、福建出身です。福建出身の画家の作品を、
中国では「閩習」と言って、荒々しくて粗野という
ような意味合いを込め、幾分さげすんだときもあり
ました。尚且つ、浙江省地域（越）の画家達の画風を、
同じような意味で下に見たときもありました。特に明
代、江蘇省蘇州近辺で文人画なるものがことさらに強
調され、それを「呉派」と称するようになると、浙江

94

省の「浙」を取り、「浙派」として攻撃の対象とします。皆さん、おわかりでしょう。例の「呉越同舟」の歴史的対立が、絵画の分野にも持ち込まれたのです。もちろんインチキですが、その対立構造を煽ったのが、蘇州文人CIRCLEの近くにいた人達でした。

徐沁『明畫錄』巻三

蔣嵩、字三松、江寧人、山水派宗呉偉、喜用焦墨枯筆、最入時人之眼、然行筆粗莽、多越矩度、時與鄭顛仙・張復陽・鍾欽禮・張平山徒逞狂態、目爲邪學。

「蔣嵩、字は三松、江寧の人、山水の派は呉偉を宗とす、喜んで焦墨枯筆を用ゆ、最も時人の眼に入る、然して行筆は粗莽にして、多く矩度を越ゆ、時に鄭顛仙・張復陽・鍾欽禮・張平山が徒と、狂態逞しくし、目して邪学と為す」

徐沁は17世紀の人。100年前の鄭顛仙の絵画を「狂態邪学」とする態度は、決して彼を高く評価するのではなく、却って、貶めようという意図に基づくものでしょう。ちなみに、ここで挙げられた人々に加え、この文章の前後に挙げられる鍾欽禮や汪肇などの、浙派と目される画家達の作品が数多く日本に流入し、寺院などに飾られていた事実は興味深く、私達も様々な博物館や寺院を訪れ作品調査をし、絵画の質を確かめると同時に、その作品がどのような経路を辿ってきたかを検証した。

鄭顛仙のことを、私は、「市隠画家」と呼びます。

「市隠」とは、市中に住んでいる仙人のことです。差し詰め私は「市隠研究者」ということになりましょうか。唐、王康琚は「反招隠詩」で、「小隠隠陵藪、大隠隠朝市」と唱っています。「小隠は山に隠れ、大隠は市に隠れる」（小物の隠者は山中に棲み、大物の隠者は町中に棲む）というあれです。

私の例で言えば、私は30歳前後を北鎌倉の松ヶ岡文庫の裏手の山腹の一軒家に、カミさんと住んでいました。大学院の授業は週一回。博士課程在学中、静嘉堂文庫にも勤め始めましたが、これものんびりしたも

の。横須賀線に乗るときには、鴨長明の『方丈記』など携え、ちょっとした隠者気取りでした。自然豊かで、コジュケイやリスもいて、それは素晴らしい環境でした。その後、東京の渋谷区立松濤美術館に勤め始めました。これが大変。

半分、公務員ですので、出勤時間は朝早く、それも毎日定時に出勤。しばらくは、北鎌倉から通っていたのですが、やがて、体の限界を迎え、東京武蔵野市の今の場所に移りました。ここで、私も覚悟を決め、『方丈記』を捨て、吉田兼好の『徒然草』を味読することにしました。それ以来、武蔵野の「町の中で、ひっそりと人知れず生きる隠者」、即ち「市隠」を意識するようになりました。私の鎌倉時代は終り、江戸時代が始まったのです。

鄭顛仙は、福建で生まれ、16世紀、おそらく江蘇省蘇州で活躍したようです。なぜならば、倭寇退治で有名な武将任環が、親しく鄭顛仙の家を訪れ、真夜中に話をしたという記録があるからです。任環の詩文を集めた『山海漫談』に、そのときの情景が述べられています。また、その任環『山海漫談』に色々な人々が賛を寄せていますが、蘇州の人物が多いことから、任環がその任地を蘇州に置いていたときのことと思われるのです。

任環が蘇州に居たときの話です。ある夜、任環が鄭顛仙の住まいを訪れました。

任環『山海漫談』
「夜訪鄭顛仙」

仙子雲巢駕碧臺、　仙子の雲巣は碧台に駕し、
市城深隱即蓬萊、　市城の深隠は、即ち蓬萊
元關不惜山人扣、　元関、惜しまず、山人の叩くを、
夜半鷹驚鶴夢回。　夜半、鷹は鶴夢を驚かし、回る。

「仙人の、雲でできた巣は、EMERALDの台の上に乗る、町中に深く隠れた場所は、まさに蓬萊山と同じ、元関で、山人は戸を遠慮なくたたく、夜半、鷹は、鶴の見ていた夢を破ったまま、帰る」

ここでの「元関」がわからなかった。この言葉、辞

書には載らない。あるとき、当時、静嘉堂文庫長であった米山寅太郎先生に、このことを聞くと、即座に、「近藤君、これは玄関でいいんだよ」とお答えになる。ギャフン。考察を怠っていた。中国哲学で根本を占める「気」や「玄」に対する配慮が足らなかった。確かに「玄」は「元」である。宇宙を支配する「元素」であり、「気の素」である。それが少々故障すると「病気」であり、回復すると「元気」であった。米山先生のお蔭で、私も少々、「正気」に戻ったのである。エッ？依然「狂気」だって。スマン。即ち、「宇宙の気が入ってくる場所が、玄関」なのである。

以下、大意を説明する。

　町中にひっそりと佇む小さな家、少々、みっともないが、そこは、鄭顛仙にとっては、正に仙人の住む蓬莱山と同様。碧台の上に佇立する、仙人の乗る雲の巣でもある。ある夜、任環は突然その家に赴き、玄関の扉をドンドンと叩いた。鄭顛仙は、心地良い夢を見て寝ていた。その音に驚き、寝ぼけ眼で任環を迎え入れ、話をし、それは夜更けまで続いた。

勇猛果敢で、部下思いの武将任環が、町中に住む鄭顛仙のあばら家（これは想像です）を訪ね、夜中まで話に打ち興じていた。武将と仙人、この組み合わせ自体が奇妙だが、その会話の内容はいったい何であったろう。興味津々、だが、任環は、明らかにしていない。任環は『山海漫談』で示したように、詩作にも通じていた軍人です。まさか、倭寇退治の話はしないだろうし、やはり、一種の芸術談義だったろうと思われるのですが。とにかく、任環、目の付け所が良い。鄭顛仙は、当時の、蘇州（たぶん）では、孤立していた画家だったでしょうに。しかし、任環はその存在を知っていた。任環は、訪れる自分を「鷹」に、鄭顛仙を「鶴」に喩えた。見事なものです。「鶴夢」には、「超凡、脱俗を思慕する心」の意味もあります。

任環は、やはり、鄭顛仙を市に住む仙人と見ていた。彼の詩文がそれを証明する。しかし、仙人鄭顛仙

の周りは、富裕層の、「文人画家」と称する者ばかりです。いわゆる、「呉派」と言われるところの、いわゆる「ELEGANT」な絵を描く人が多かった。彼等金持ちは、ありあまる時間を詩書画の制作に費やしていた。任環『山海漫談』の序跋には、呉派を代表する文徴明を始めとする蘇州在住の面々が文を寄せています。互いの存在は認識していたはずです。

では、任環を介在に、「呉派」の代表的選手文徴明と、「浙派」の「狂態邪学派」の代表選手鄭顛仙は、直接に会談をしたことがあるのでしょうか。まるで、TRUMP大統領と金正恩委員長との会談の如くに。残念ながら、それに関する資料はありません。たぶん、なかったでしょう。所詮、肌が合わない。互いの利益に干渉し合うこともなく、鄭顛仙は、ただひっそりと、町中に隠れ住み、自らの城を頑なに守っている人物でしたから。まるで、熊谷守一のようです。熊谷守一は、東京都の真ん中で家も出ず、毎日庭の虫や草を観察し、鄭顛仙は蘇州近辺の郊外で水辺に働く人々を観察した。いずれも、その観察力・洞察力は、並々ならぬものを持っていた。その成果が、絵画として現在に残っているのです。どちらも、若い学生諸君はお気に入りのようです。

とにかく、「呉派」に敵対する如くにでっち上げられた「浙派」、その「浙派」の中で、「狂態邪学派」とされた画家達に共通することは、人間観察力の鋭さと、その幾分強調誇張された表現です。舞台背景としての自然風景描写の構図も、それぞれが創意工夫のもとに、大胆な切り取り、強調が行われているのです。巧みな舞台設定です。それに比べて、「呉派」絵画に登場する人物は、単なる点景、添え物で、豆粒ほどの人物では、その表情も読み取れない。自然描写も型に嵌まっている。つまり、鄭顛仙を代表とする「狂態邪学派」の画家達は、偉大なる「演出家」でもあったのです。

さて、何度も言いますが、「声のない詩」が「無声詩」つまり「絵画」、「声のある絵」が「有声画」つまり「詩」であるとは中国の謂い。中国の「詩」は、声に出して、その音の素晴らしさを堪能します。5世紀

の沈約は、「声律」を求め、『四声譜』を著し、詩に使用される文字の音の特徴を重視し、併せて、句形を整えました。句の語尾で、「韻を踏む」のは、その結果の一つです。「韻律」を整えるというのでしょうか。

任環のこの詩の、それぞれの句の末尾、「臺」「萊」「回」の韻は、日本人でも、何となく理解できるでしょう。授業では、中国人留学生にSTAGEに上がって貰い、最初に北京語で、ときには、広東語、四川方言や、浙江地方の言葉で読んで貰います。多摩美には、その時々で、違う出身地の中国人留学生がいますので、その朗読は十分楽しめます。学生達も大喜びです。まるで、居ながらにして、中国各地のおいしい郷土料理にありつけるような、楽しさを覚えるのです。堪能。満足。

絵画は、声では表現できず、ただ、色とか墨とか、線とか構図で勝負するのです。つまり、人々の視覚に訴え、作者の心情を伝えるのです。先の言葉を学生達も大変気に入ってくれています。これを通して、美大の学生も、文学の一端に軽く触れることになるのです。

詩は、文字の持つ音と、その文字の持つ情報力（文字そのものが、紀元前15世紀前後から使用され、その後、人々によって、繰り返し繰り返し使用されてきたため、厖大な歴史を背景に持つ）を駆使して、作者の心情を伝えるのです。先の言葉を作った人は、「絵画」も「詩」も、表現手段は違うが、目指す所は同じであることを言いたかったのでしょう。私も、その意見には大いに共鳴します。優れた詩人、例えば杜甫などは、絵画の内容と精神とを正確に文学的表現で伝える名手です。つまり、優れた美術評論家にもなり得る人です。

ところで、鄭顚仙の号である「顚仙」は、「頭のオカシナ、狂った仙人」という意味です。自ら付けた「号」でしょう。一方、本名は、「文林」で、こちらは普通です。しかし彼は、「オカシナ仙人」を名乗り、個性的で諧謔趣味のある絵画を描いた。私流の言い

85-1. 鄭顚仙『龍虎図』「龍」（京都・宮津・国清寺）
絹本墨画。179.2 × 105.9㎝

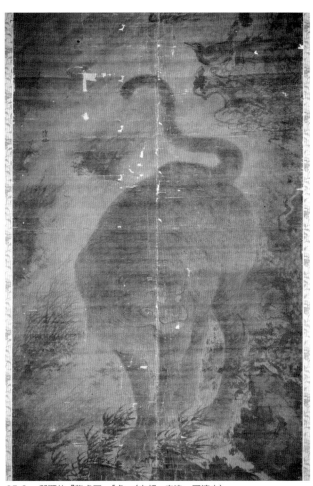

85-2. 鄭顚仙『龍虎図』「虎」（京都・宮津・国清寺）
絹本墨画。179.2 × 105.9㎝

方をすれば、そこで敢えて貧乏人を描き、そこに展開する様々な人生の局面を描いた「呉派」に対する反逆である。外的な卑近美の中に潜む、内的な人間性の豊かさを描いたのです。継ぎ当てのたくさん施された弊衣を纏った庶民を主人公にして描くなど、20代から「狂椿」を名乗る私にとっては、大いに興味を引く対象でもありました。蓋し、「名前が人や物を呼ぶ」とはこのことか。

高槻市の橋本さんのお宅でこの作品を拝見したとき強く惹かれ、それ以後の研究対象としたのです。私の研究動機なぞ、こんなもんなんです。スマン。

1995年、中国滞在期にも南京藝術学院周積寅教授と、北京の中央美術学院所蔵の鄭顛仙『二老図』『女仙図』、広東の広州市美術館の『群仙図』を調査しました。日本にも数点あります。

それはともかく、これを縁に宮津、国清寺の鄭顛仙『龍虎図』の「龍」と「虎」の二幅にも出会うことになるのです（図85）。

最初に『虎図』に出会ったのは大阪城博物館での展覧会。『龍図』は保存状態が悪いので、展示されていないとのただし書きが添えてありました。そのときに、鄭顛仙の真筆であることは疑いがないと確信しました。所蔵先の、京都宮津の国清寺、色々な伝を経て、連絡がつき、許可を得、現地で調査をすることになりました。

ところが、箱から絵を取り出し、開いてみてびっくりしました。破損箇所がたくさんあるのです（図86）。京都府の指定文化財であったにもかかわらず、この地球上に数点しかない、私の大好きな鄭顛仙の絵画が、

86. 「龍図」、破損箇所

瀬死の状態で私の前に横たわっているのです。愕然としました。それをいたわりながら、本当に済まない思いを抱きつつ、丁寧に丁寧に扱い、調査をしました。作品に対しては、本当に申しわけなかった。しかしその調査の結果、画風、落款印章共に鄭顛仙の真筆であることが改めて判明しました。

そのとき私は、日本の文化行政を呪ったものです。人目に付きやすい派手な公共投資にはふんだんに税金を使っても、物言わぬ傷ついた絵画には目もくれない。弱者をいたわることは、そもそも日本人は苦手である。慈悲の心は何処に行った。お祭り騒ぎの熱狂には興ずるが、傍らで静かに痛みを感じているものには冷淡なのが日本人である。ただし、これも INTERNET などで一旦火が点けばあっというまに炎上し、燃え尽きたら、ハイ、お終いという状況にもなり得る。現代に生きるのは難しい。

それはともかく、鄭顛仙に関する文献記録は中国本土でも非常に少ないのです。ただ、作品の存在が確認できたことで、それを通して彼の実体を知ることだけはできます。我々は、絵画を通してしか、鄭顛仙の本質を知る術はないのです。鄭顛仙の作品は、神戸市立博物館に、その作品を模した紛本（資料用の模写）があり、日本にも、江戸時代に伝わっていたことがわかります。

鄭顛仙『三聖図』紛本（神戸市立博物館）（図87）

紙本淡彩。77 × 67㎝。

この図は、中国から輸入される物品の記録係であった唐絵目利の渡邊鶴州（1778-1830）が長崎で模写した作品。小さな紙を何枚も継ぎ足して描かれている。紛本にはよくあることです。内容は、「老子」と「孔子」と「釈迦」の三人が一緒になって、何事かを語らっている風景。中国に於ける、道教、儒教、仏教の三つの教えの始祖が仲良く話をしている。これは「三教一致」といって、各々の教えの良い点を併せて新しい方向を目指そうという流れの象徴です。仏教が中国に入って力を持ってきたときに、既に意識されていた「三教一致」運動です。

87. 鄭顚仙『三聖図』紛本（神戸市立博物館）

　この紛本には、「滇仙」（墨書）、「鄭文林印」（白文方印）、「滇僊」（白文方印）が写し取られ、さらに、「（明）時鄭顚仙、号滇仙、一作顚仙」、「元本薬師寺所蔵、文化十五年戊寅三月廿五日摹得、崔洲渡邊祕藏」と添え書きされている。文化15年は1818年。現在、原本は行方不明ですが、渡邊鶴洲の克明な模写により、それが真筆であったことが保証されます。日本には、個人所蔵の『商山四皓図』があり、また、徳川美術館に所蔵されているある作品も、鄭顚仙であろうという指摘を受けたこともあります。

　さて、私が鄭顚仙『柳蔭人物図』『漁童吹笛図』（図88）についての論文を最初に発表したのは、1986年の『MUSEUM』でした。その表紙に『漁童吹笛図』の主役の笛を吹きながら踊る少年を載せてくれたのはありがたかった（しかし、この少年の図像的解釈を詳しく行ったのは、それから26年後、中国の「浙派」SYMPOSIUM の席上です）。いわゆる、「江南の水辺の風景」、特に漁師達の生活風景は、画題としても取り上げられるものである。時代は下りますが、『圖繪宗彝』（萬暦35年1607）等の画譜にも紹介され、それらが日本に持ち込まれ、それが和刻され、多くの絵が描かれたのです。その中、「魚舟暢飲」（図89）は、衣服に継ぎ当ての

ある粗末な服に身を包んだ（図では継ぎ当ては描いていないが、それが日常であったろう）漁師達が一日の漁を終えて、水辺でささやかな宴を催す風景。きっと、当時はどこでも見ることができた風景だったことでしょう。

　『漁童吹笛図』の、画面下部、二人の大人は相当酔っぱらっているのだろう、一興を呈するためだろうか、一人の子供が笛と踊りで場を盛り上げる（この子供に関しては、後に詳しく述べる）。遅れてやって来た男が、蓑を着けたまま驚きの表情で岩陰から上半身を覗かせながらその場を見詰める。この蓑を着けた男の存在が大変重要となる。彼は、画中に於ける「第三者の眼」をもつ存在なのだ。我々はこの絵を見るとき、画面の中のこの蓑を着けた男の眼に成り代わって、場面で行われていることに注目するのだ。「第三者の眼」を通して見る私達は、まるで画面の中の登場人物になったような錯覚に捉われる。武蔵野美術大学で演劇論を担当していた米村晰教授は、これを称して「演劇性」であると喝破された。第三者の存在を介してこそ演劇性が増すと。心が躍った。

　『亨金簿』で鄭顚仙の絵画を取り上げた孔尚任自身も劇作家であったのである。孔尚任は、鄭顚仙の絵画に「寓意」があると述べている。『柳蔭人物図』も然り。水辺で二人の男が酒を巡ってささいな駆け引きを行っている姿を柳の陰から、興味津々、窺っている高士。頭巾が違う。これが「第三者の眼」。本来、柳の根元でくつろぐ高士は、ゆったりと遥か彼方に眼を追い遣り、静かに物思いに耽っているべきなのだ。世の中の喧騒や塵から、一時離れて、清らかな空間に、身を委ねているべきだ。ところが、この高士、眼前、僅か数メートルの所で展開する卑近な庶民の行動に、思わず振り向いてじっと見詰めているのである。卑近に眼を奪われている。ダメ仙人。だけど可愛らしい。私達は、この高士の眼を通して画中に入り込むわけだ。正に、「第三の男」の「眼」である（学生、「先生！　行き過ぎ」。スマン。でも映画では、ZITHER の音色が良かった。最後の SCENE が良かった）。

　『漁童吹笛図』の少年は、大人びた顔を持ち、大人のご機嫌を取る、これまた、単なる卑近な存在である

88-1. 鄭顛仙『漁童吹笛図』（橋本太乙蔵）。絹本墨画。162.7 × 76.7cm

88-2. 鄭顛仙『柳蔭人物図』（橋本太乙蔵）。絹本墨画。161.0 × 70.0cm

と、私の最初の論文では述べた。この論文は、1986年、松濤美術館にいたときに書いた。美術館学芸員は、学を取ると芸員、芸員は芸者、芸人でもある。皆、似たような要素を持つ。人との付き合いも重要である。「学」が付くと、研究も必要なことになる。

多摩美に移って、1997年、その後集まった資料を基に、「江南の市隠画家──鄭顛仙」を書いた。約10年後である。ここでは、その後の1995年、中国滞在時に集めた絵画資料や文献資料を紹介し、鄭顛仙に仙

人図像の絵が多いことを強調した。しかし、ここでは『漁童吹笛図』の子供に関しては、未だ深く立ち入ることはなかった。

2012年には、中国、杭州で、「明代浙派絵画国際学術検討会」があり、招待を受けた私は、中国の人達に、是非、この鄭顛仙絵画の魅力を知って貰いたいと、「鄭顛仙絵画的寓意表現─漁童吹笛図考論」と題して発表した。例の大人びた子供が、実は有名な八仙の一人「藍采和」であると証明したのである。前回

89. 「魚舟暢飲」(『圖繪宗彝』)

の論文発表から5年が過ぎていた。大学院時代、厳格な図像解釈が要求される仏教美術のやり方に窮屈感を覚えていた私は、このとき、その桎梏から解き放たれ、「大人びた子供」が実は仙人の「藍采和」であると敢えて証明したのである。頭部は蓬髪、目もギョロメ、鼻も上を向き、決して美男子ではない。衣服は破れ、太い腰帯に、片足は裸足、片足は鞋を履くというのは、正に「藍采和」に符合する図像であった。「藍采和」が、何時も歌いながら拍子を取る楽器は、通常、「拍板」という大きなCASTANETのようなものである。酒場を訪れて演奏し、剽軽な言葉で人々を笑わせ、しかも、その姿は何百歳というのに童顔である。ある日突然、鶴に乗って上空へ飛び去ったと言う。やはり、正真正銘の仙人である。ただの子供ではない。その子供は仙人だったのだ(一人でも仙人。スマン)。だが鄭顛仙『漁童吹笛図』では、演奏している楽器は、「笛」である。笛を吹いている藍采和を見たことがあるような気がするが、不確か。しかし、その一点で躊躇逡巡することはない。そこで、SYMPO

90. 鄭顛仙『群仙図』(広州市美術館)。絹本着色。249.0 × 106.0cm

SIUMの席上で、こう結論付けた。

「些細な細部の図像上の約束に捉われないで、画家の思うがままに自由に変更するところに芸術家の特権があるのだ。芸術家の自由、これが肝要なのだ。芸術家は心の中の自由を表現する権利を持つのだ。拍板を笛に替えてもいいではないか」

これが受けた。評判が良かった。特に若い研究者達は、SYMPOSIUMの休息時間に、私の所に大勢押し

かけて来て、賛同の意を表してくれた。若い人の反応は素晴らしい。2005年の北京・故宮博物院創院80周年記念のSYMPOSIUMでの私の発表も、なぜかしら若い人に受けが良かった。やはり、通常若い学生諸君とやり取りする、多摩美での授業の賜物と、私は理解する。

振り返って見るに、私は、今までの研究で「八仙」の内の二人、つまり、「李鉄拐」と「藍采和」を取り扱っているのだ。ついでに、『柳蔭人物図』の柳の下の老人も、推測はしている。皆さんに、私が、仙人図像に少々関わったと吐露したところで、所詮、鄭顚仙に笑われるのが関の山。鄭顚仙は、その画業の中で、本当に数多くの仙人を描いているのだから。『群仙図』（広州市美術館）（図90）には、様々な仙人達が、思い思いにひしめいている。数えてみると24人程いる（衣服の裾だけ出していて判然としない者もいる）。仙人天国である。上空には鶴が飛び、岩陰から鹿が顔を覗かせる。鉄拐仙人らしき者もいるが、頭には金輪を巻いているようだ。それぞれに個性豊かな表情を保ち、相変わらず筆さばきも大胆で強い。

先の二図も含めて、鄭顚仙の絵には、画面に力強い巨木が登場し、その奇妙に屈曲する枝が作り出す空間の中に人物を配置して演出効果を高める。舞台装置が旨いのである。

2005年、北京・故宮博物院80周年のSYMPOSIUMでは、北宋、鄭俠『流民図』に関する資料を駆使して、「弱者への視点」というTHEMEで論を展開しようと考えた。しかし、北京の事務局に原稿を送った後に、その内容は「80周年を祝う会には、ふさわしくない」と思い直し、一旦取り下げた。発表当日は、「中国風俗画に描かれる第三者的視線の問題」として、論点を修正して行った。「第三者の眼」の登場である。いやはやそそっかしい。しかし、発表当日の内容と、前に送ってあった原稿は、双方共に後日中国で別々の本に掲載され、ホッと胸を撫で下ろした次第である。だから、ここでも、鄭顚仙の『漁童吹笛図』と『柳蔭人物図』を取り上げて発表しました。これらは、もはや、私の人生の一部となっている作品です。

米萬鍾——詩と絵画
石のIMAGE

米萬鍾『寒林訪客図』（橋本太乙蔵）（図91）

絹本設色。立軸。173.5 × 79cm

米萬鍾は、当時、「北米南董」（北の米萬鍾、南の董其昌）といって、その書が有名でしたが、絵も描いています。その書と絵が一緒になっているものが、『寒林訪客図』です。

米萬鍾（1570‐1630）、字は仲詔、号は友石・石隱。

91-1. 米萬鍾『寒林訪客図』（橋本太乙蔵）

陝西省 関中 の人。北京で育つ。萬暦23年（1595）の進士。河南省永寧・重慶市銅梁・江蘇省六合の知県を経て、萬暦38年（1610）、大理評事となり、浙江布政司参軍・江西按察使・山東右轄を務めたが、宦官魏忠賢の生祠建立を批判し、天啓5年（1625）弾劾され免職された。魏忠賢が誅殺されると官界に復帰し、太僕寺少卿に補せられました。高級官僚としても活躍しました。

　少し不思議な絵です。AMERICA の JAMES CAHILL 教授は、"FANTASTICS AND ECCENTRICS IN CHINESE PAINTING"（1967年）として、米萬鍾らの絵を取り上げます。後に、「奇想と幻想の中国絵画」といった風に、日本語訳されています（ちなみに、雑誌『美術手帳』に辻惟雄「奇想の系譜」が掲載され始めたのは1968年です）。米萬鍾は、北宋時代の米芾の末裔と称し、自らも石を愛し、『石史』を著し、『澄瀞堂詩集』を残しました。

　画面の右上に、彼の書いた詩があります。

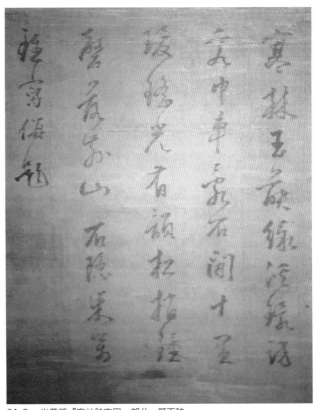

91-2.　米萬鍾『寒林訪客図』部分、題画詩

寒林玉暎緑溪環、　寒林玉暎、緑溪環り、
訪客巾車亂石間、　訪客の巾車、乱石の間、
十里瓊瑤光有韻、　十里の瓊瑤、光に韻有り、
松梢鍾磬落前山。　松前の鍾磬は、前の山に
石隱米萬鍾併題。

　　　　　印＝「米萬鍾印」（白文方印）
　　　　　「古今怪石知己」（朱文方印）

「葉の落ちた林に水晶が光り、そこを緑の谷が廻る、そこに、ゴツゴツした石の間を、幌車に乗って客が訪ねて来る、周りは十里に広がる宝石、光が韻きわたり、松の梢の鍾磬の音は、前山に落う」

［語注］玉暎＝水晶の異名。巾車＝布で覆い飾った車。瓊瑤＝美しい玉。鍾磬＝鐘磬。楽器の名。鐘と磬。磬は、石や玉で作った楽器。「へ」の形で、台につるして叩く。落＝まつわる。まとう。

　印章の「古今怪石知己」（古今の怪石は私の友達）という言葉は、面白いでしょう。米萬鍾の自負を示します。この詩も、毎回、中国人留学生に読んで貰います。耳

から詩を聞く、貴重な体験です。到底私には無理。もちろん、例によって、現代語ですが、北京語、上海語、広東語など様々な言葉で読んで貰います。退職した今となっては、もうあのようにワクワクする経験は得られません。残念至極。老兵は死なず、ただ消え去るのみ。兵どもが夢の跡。青春は戻らない。舞台の終幕。嗚呼。

　詩の字面は、「玉暎」「亂石」「瓊瑤」「鍾磬」と石と金属系の言葉がちりばめられ、日本語では、カ行も多く、「キーン」「コーン」「カーン」と響きわたるようにも思えるのですが、これは日本語での理解、実際に中国語で発音すると、トテモ柔らかく聞こえます。確かに日本人は字面だけでもほぼ理解できますが、これにはやはり限界がある。詩の最後に、「石隱米萬鍾併題」と自分の名前を書くのですが、ここでもさらに、「石」と「鍾」を登場させています。何とシツコイ人か。両方とも「硬い」。詩の中にも、自分の名前の「鍾」を登場させていることは、皆さんも、既にお気付きでしょうね。反復の常習犯。仕掛け人。

　第一句の「寒林」は最後の句の「十里」と呼応し、

寒林が広々と何処までも続く冬の景色を想像させます。同じく第一句の「緑渓」(りょくけい)と最後の句の「松梢」(まつのこずえ)が呼応し、絵では雪景色の「白一色」の中に、「緑色」の存在を際立たてます。実際に、松には「緑色」を使用し、上には「烘托法」(こうたくほう)（塗り残し技法）による雪を被せます。松の姿の「緑色」が周辺に映え、存在を強調します。葉の落ちた寒い林の中でも、強靭な精神を示します。「緑渓」という言葉が、我々の意識をそこへ誘導します。詩の中に登場しない「赤色」も、絵の中には登場させ、赤く色づいた紅葉樹を松の横に置きます。これは、補色関係により、松を際立たせる効果です。

絵画の世界で詩を補い、詩の世界で絵画を補う。中国絵画独自の表現方法です。皆様、試みに画面の紅葉樹の部分を指で押さえて消して見てください。たちまち緊張感のない、極めてぼんやりした絵になるでしょう。このように、寒さの中に息づく力強い生命力を「赤色」で強調するのです。「松の緑」と「紅葉の赤」、この二つが、文字通り画面に鮮やかな彩(いろどり)を添えます。さらに、前を行く従者に担がせた琴の袋にもその「赤色」を少しだけ使用します。「赤色」の顔料が余ったのでしょうか。いや、そうではなく、これは画家の常套手段です。画面に連続性を与えるためでもあるのです。視線誘導と色の効果を増すための方法です。

総じて一番手前の近景は、人間と騾馬(らば)と松と紅葉樹で、幾分かの温かい温度を感じます。松の梢の遥か向こうには、樹々に閉ざされた楼閣が屋根だけ覗かせます。ここでも人の気配は感じないのですが、詩に導かれて情況を判断すると、迫りくる闇と寒さの直前の夕刻の一時、鐘楼から、「ゴーン」と鐘の音が響きわたるのです（日産のゴーンではない。片仮名表記が如何に現場を混乱させるかの見本です。私は、自分の文章を書くときには、外国語を片仮名で表すことは極力避けています。コーンは、私の場合ONOMATOPOEIAの一つ、決して玉蜀黍(とうもろこし)ではないのです）。音は、絵画では表現し難いものです。ここでは、詩の表現がそれを補足していますが、中景は「音」(おと)が主の部分です。鐘楼を取り囲む重く沈んだ灰色の空気の真上には、先の尖がった山々が7、8本見えます。これが実は一番遠くにあるのですが、まるで水晶の結晶のようです（叩けば、コーンと音がする氷柱のようでもあります）。白い雪が全山をおおっているのですが、ここでも雪は塗り残しの「烘托法」(こうたくほう)を用います。

画面の前景から始まり、中景へと続き、さらにそのまま上昇し、画面上部にまで達する奇岩は、中景の部分では、針の先のように尖った枝を露出し、先程の先端の尖った山々と呼応します。

IMAGEの増幅効果を狙った巧妙な表現です。そこからしばらく、奇岩は横断する霞で分断されますが、やがて再びENERGYを増幅させ、反転行動をとりつつ身もだえします。一旦下降したその先端は再度上昇し、さらに樹木を息づかせます。心なしか、ここに淡い朱色が付せられているかのように感じてしまうのは、私の思い過ぎでしょうか。先程の「赤色」の残像が私の脳裏に残っているのでしょうね。いやあ、画家の勝利です。マイッタ。降参。

絵に登場する奇岩もうねり狂い、この世のものとは思われない風景を醸し出します。

中国の詩は耳から音を聞いて楽しむものです。しかし、米萬鍾(べいまんしょう)は少々ひねくれ者、字面の硬質性と音の柔和性との乖離現象を意識して、言葉を選んで使用しているのでしょうか。『寒林訪客図』は、詩の表す状況と絵の内容が見事に符合しています。中国では、

「無聲詩」(wú shēng shī)＝声のない詩＝絵画。
「有聲畫」(yǒu shēng huà)＝声のある絵＝詩。

という言い方がされます。つまり、詩は声に出せる絵、絵画は声のない詩、という意味です。

この相関関係をもう少し発展させ、「詩書画三絶」(ししょがさんぜつ)、三つがすべて素晴らしく、見事なCOLLABORATIONを示すのが、最高の形であるという境地にも達しました。ただし、この考えには社会的地位の高い人々の願望が込められています。私自身は、絵そのものが私達に感動を与えてくれれば、それはそれで十分に完結しているという考えを持ちます。しかし、この米萬鍾『寒林訪客図』が、「詩書画三絶」の姿を示していることも確かなのです。彼は、欲張りなのです。後に示す、彼の友人である呉彬の『溪山絶塵図』(けいざんぜつじんず)も、「詩書画三絶」の例です。米萬鍾と呉彬は仲のよい友人で

した。

　それでは、なぜ、『寒林訪客図』などという題を付けたのでしょうか。

　山中の樹々は葉を落して、枝を露出し、寒々としています。画面の下部には幌付きの車に乗って、一人の客が訪ねて来ています。驟馬が前を引き、後ろは下男が押しています。その少し先を、召使いが琴や払子や諸道具を天秤にぶら下げて進みます。

　文学では、このような情景は、何度も語られてきました。ちょいと、文学を見てみましょう。

　「巾車」（幌付き車）は、寒さ除けの車であることももちろんです。しかし、文学で様々な場面に登場することによって、その前後の意味が「巾車」に付与され、読む人は、これまた、様々に思いを巡らし、その含蓄が増すことになるのです。

　世俗から離れて隠遁することを詠った陶潛（淵明）の「歸去來辭」では、「巾車」は、次のように詠われています。

陶潛「歸去來辭」第三段

原文	書き下し
歸去來兮、	帰去来兮、
請息交以絶游、	願わくは交を息め、以て遊を絶たん、
世與我而相違、	世と我は、相に違く、
復駕言兮焉求、	復た駕して、言は焉をか求めんや、
悅親戚之情話、	親戚の情ある話を悦び、
樂琴書以消憂、	琴と書を楽しみ、以て憂いを消す、
農人告余以春及、	農人、余に告ぐるに、春の及ぶを以てし、
將有事於西疇、	将に西の疇に事有るとする
或命巾車、	あるいは巾車を命じ、
或棹孤舟、	あるいは孤舟に棹さし、
既窈窕以尋壑、	すでに窈窕として、以て壑を尋ね
亦崎嶇而經邱、	亦、崎く嶇くと、丘を経る、
木欣欣以向榮、	木は欣欣として、以て栄に向かい、
泉涓涓而始流、	泉は涓涓として、流れ始め、
善萬物之得時、	万物の時を得たるを善しとし、
感吾生之行休、	吾が生の行休を感ず、
已矣乎、	已んぬる乎、
寓形宇内復幾時、	形を宇内に寓するは、復た幾時か、
曷不委心任去留。	曷んぞ心を委ねて、去留に任せんや。

　「いざ、帰りゆこう、交際はやめつきあいは絶ちきろう、世間と私とはあいいれぬのに、また外へ出て何を求めるというのだ、親戚の心のこもった話を喜び、琴と書物を楽しんで憂さを晴らそう、農夫が私に春の来たのを知らせ、西の田圃で仕事がはじまるそうだ、時には幌車を出すようにいいつけ、時には一艘舟の棹をあやつってゆく、奥深い谷をおとずれてもみたし、けわしい丘も歩きとおしてみる、木はいきいきと花咲こうとし、泉はさらさらと流れはじめている、万物が時を得たのをよろこびつつ、わが生のかくて死にちかづくのを知る、これもやむをえぬことか、体を宇宙の中にあずけるのはいくばくもないこと、どうして心をあずけてなりゆきにまかせておかぬ」（一海知義訳）（抜粋）

　今、「巾車」の部分を引いたのですが、段玉裁（1735‐1815　清朝中期の言語学者）は、ここは「或巾柴車」とすべきと主張します。つまり、「あるいは柴車を巾い」の意となります。「柴車」は、賤者の車、毀れた車であり、むしろこの方が似つかわしい。「ボロ車の埃を拭って」出掛ける、となります。「巾車」は、「幌車」とも表されるのでのすが、この場合、覆いで美しく飾った車の意もあり、貧乏な陶淵明の日常にはふさわしくありません。次の句に「孤舟」とあるのに対しても、「柴車」の方が、一層、まざまざとその生活状況を表します。

　ここでは、米萬鍾の意図を汲んで、この「巾車」にまつわる陶淵明の詩を紹介しました。「巾車」一つの文字をとってもその意味は深い。米萬鍾は、その「巾車」を寒々とした林の中に置き、十分に「柴車」的雰

囲気を付与しました。画家の力です。魔法使いです。

　以上、米萬鍾が陶淵明の詩を意識していたとするなら、画面に登場する訪客の「巾車」は、作者の隠遁願望の表れを象徴しているかも知れません。もっとも、これから隠遁生活に突入する人にしては、少し豪華な生活道具を携え過ぎているようにも思えます。たぶん、違うでしょう。しかし、マア、金持ちの道楽の隠遁なんてこんなものかも知れません。別に生活が逼迫しているわけでもないし。召使いも従えているし。趣味の隠遁。

　いずれにせよ米萬鍾は、この絵で「鉱石と植物」「無色と有色」「寒冷と温暖」などの対比構造をとって、画面をにぎやかで愉快なものに仕立て上げようと意図しています。先を行く従者の、しなだれて袖の先で口を覆っている姿には笑ってしまうではないですか。矢折れ刀尽きて、蕭索（物寂しい）の気持ちで隠遁生活に入るのではなく、明るい隠遁生活を期待するのが米萬鍾の姿です。単に、友人を訪ねるだけの場面かもしれませんが、私も、チョイと遊んでみました。

　さて、絵では、客は車の中で口を覆い、寒さに耐えているかのように見えます。しかし、この周囲の樹木は人間の暖気に中てられ、生気を保っているかのようにまだ紅葉を付けています。右端の松も緑色ですが、これは常緑樹です。塗り残し風の雪が積もっていますが、松は「高節の士」（高い志を決して曲げない人物）の象徴とされます。とにかくここでは、「赤、緑」

92. 水晶実物写真

と生物が息づいています。それより上は、寒々とした風景。中程に聳え立つ尖がった山は、「水晶」のIMAGE。上部の屈折した岩も、実際の鉱物のIMAGE。流石、愛石家だけあります。冷え切った硬質な空間は、鉱物質のIMAGEと重なります（図92）。白い雲と白い山と松に積もった白い雪が「烘托法」で成されていることに気づくでしょう。そのために、周りの空間に薄い墨を付け、重く湿った冬の空間を表すことにも成功しているのです。

　周りに何も描かない「余白」の美を強調するのは日本画の特徴ですが、「気」の存在を宇宙の根本原理に置く中国は、存在する「空気」にも濃密の違いがあるという認識を、空間に墨を付けることで視覚的に表現するのです。おっちょこちょいの日本人は、中国絵画は周りの空間を汚しているなどと、つい言ってしまうことがあるのですが、これは宇宙観・哲学感の違いから生ずる発言なのでしょう。「彼我」の違いです。中国では、森羅万象、周りの空間には、いつも「気」が充満しているのです。

　最後に、米萬鍾は、ややひねくれ者の風変わりな人であったことを紹介します。その姓の「米」は、彼の慕った「米芾」と共通するものでした。米萬鍾は米芾の子孫であるとも豪語するのです。しかし、その親も、少々風変わりであったのではないかと、気付きました。なぜならば、以下の例をご覧ください。「鍾」は、容量の名。「萬鍾」は、「非常に多くの量」「多額の米穀」という意味にもなるのです。

　『管子』は、管仲（？−紀元前645）の思想をまとめたものです。後代の仮託ともされるのですが、春秋時代の政治的動向を知るために便利な書物です。作者の管仲、字は夷吾。鮑叔と親しく、彼の推挙によって桓公に仕えました。桓公は、春秋時代、斉国の君主（紀元前685−紀元前643在位）。兄の襄の時、政治の乱れを避け、国外に出、放浪の後に帰国、君主となり、管仲を宰相に用いて、産業を盛り立て、富国強兵を図った。春秋五覇の一人でした。その『管子』に次のような、貧民救済の策が示されています。

『管子』「軽重篇」

桓公憂北郭民之貧、召管子而問曰、北郭者盡屨縷
之甿也、以唐園爲本利、爲此有道乎、管子對曰、
請以令禁、百鍾之家、不得事鞜、千鍾之家、不得
爲唐園、去市三百歩者、不得樹葵菜、若此則空間
有以相給資、則北郭之甿、有所讎其手掻之功、唐
園之利、故有十倍之利。

「桓公は、城北地域に住む人々の貧乏生活を憂え、
管子を召して問うた。『城北の人々は、屨縷（履
物）づくりを職業としている。唐園（野菜畑、菜園）
で利益を出すようにしてあげたいが、何か方法
はないものか』と。管子が答えて曰く、『禁令を
出しましょう。米百鍾を生産する農民は、鞜（靴、
履物）を作るな、米千鍾を生産する農民は、菜園
を持つな、市から三百歩の者は、葵菜（冬葵）を
樹えるな、こうすれば、空いた土地を相分かち合
うことができる。城北の人々も、手作りの靴や
他に野菜を売り、十倍の利を得ることができるこ
とになります』と」

この「百鍾」「千鍾」は、おそらく米の量のこ
とであろう。とするならば、次に来るのは、「万鍾」、
つまり、「米萬鍾」ということになります。米萬鍾の
父が、『管子』の思想に共鳴しての子の命名であった
かはいざ知らず、米萬鍾自身が、かつて『管子』を読
んだとするならば、自ずから意識せざるを得なくなり
ます。米萬鍾の役人としての功績の中に、『管子』の
教えの片鱗が見られるかどうかは、それぞれの彼の赴
任地の地方志を繰りながら、その役人としての施策を
逐一検証しなければなりません。しかし今、私は触れ
る余裕がない。検証する時間がない。あくまでも私の
推測です。そうであったとすると、米萬鍾は生まれた
ときから『管子』の思想を背負わされたことになるの
です。果たして米萬鍾が、それを自分の人生の中でど
のように具現化したのか、あるいは、具現化しなかっ
たのか、とにかく、一人の人間の持つ複雑な思考を読
み解く鍵ともなります。興味ある事柄です。

私の2018年の定年退職のときの挨拶にも、陶淵明
の「帰去来の辞」の一節を用いたのですが、若い諸君
にはこの心境はなかなかわかりますまい。陶淵明は言
う、隠遁生活にも若干の喜びはある。音楽と読書、親
戚や農民の心のこもった話、悠然とそびえる自然の姿、
その中に我が身を置くと健康なエネルギーが充満し、
残る人生も楽しくなるという類のものです。

私も、2018年、「鍵戸息交」（家の扉に鍵を掛け、世間
との交わりを絶つ）を実行し、2019年3月まで、「独居
房」生活を送りました。ただ、東京でこれを行ったた
め、豊かな自然は周りにはありません。「鍵戸息交」
には、読書に励むという意味も隠されているので、ひ
たすら、明末清初の政治や文化を調べ、一旦、美術史
から遠ざかっていたのです。過去の歴史を再現する、
あるいは、理解するということは至難の業です。今、
我々が接する古くからの中国絵画も、歴史の波に洗わ
れ残ったものです。広大な宇宙の下で、公正無私に
篩に掛けられ、残ったものです。画家の生きた時代、
彼が人気を勝ち得ていたかどうかなどまったく関係な
く、厳しい試練を経て残ったものがその作品です。し
かし、中には人知れずささやきの声を我々に投げ掛け
ている作品も無数にあります。海岸に打ち寄せられた
様々な貝殻同様です。我々は一つ一つと対話をし、心
を通わせなければなりません。

■参考文献
近藤秀實「鄭顛仙資料」（『MUSEUM』428号　1986年）
近藤秀實「江南の市隠画家―鄭顛仙」（『多摩美術大学研
　究紀要』12号　1997年）
近藤秀實「投光弱者的目光―兼市隠画家鄭顛仙、及宋代
　風俗画発展形式」『清明上河図新論』（故宮博物院編
　故宮出版社　2011年）（北京故宮博物院創院80周年紀
　念研討会「清明上河図与宋代風俗画」発表論文要旨）
近藤秀實「北宋、張澤端『清明上河図』、看宋代風俗画発
　展形式」（『紫禁城』219号　故宮出版社　2013年）
近藤秀實「鄭顛仙絵画的寓意表現―漁童吹笛図考論」『明
　代浙派絵画国際学術研討会論文集』浙江省博物館編
　（浙江人民出版社　2012年）
江立華・孫洪涛『中国流民史・古代巻』（安徽人民出版社
　2001年）
劉曦林『蔣兆和』（河北教育出版社　2002年）
朱理軒『流民図―見証人采訪実録』（人民美術出版社
　2004年）

第8章

中国絵画探しの旅 3

呉彬『涅槃図』部分（長崎・崇福寺）

呉彬——望郷の画家

呉彬『溪山絶塵図』（橋本太乙蔵）（図93）

絹本淡彩。250.5 × 82.2㎝。

93. 呉彬『溪山絶塵図』（橋本太乙蔵）

美大の学生達は、人体解剖図にも大変興味があります。人物 DESSIN のときに大変役に立つし、事実、「解剖学」の授業があります。私の家の近所の「剥製屋」さんの店頭には、大蝙蝠の骨の標本が天上から吊り下がっています。マア、迫力のあること。思わず古本屋で清棲幸保『鳥類検索』（三省堂　1948年）を買ってしまいました。鳥の骨格図がたくさん載っています。

さて、呉彬『溪山絶塵図』です。この作品を SCREEN に登場させますと、学生達は異口同音に「筋肉体」を彷彿とさせると言います。郭熙『早春図』と同様、体内を気が循環する ENERGY を持った山水画は、皆、「筋肉 MAN」系なのでしょうか。こうなると、とても CÉZANNE の『MONTAGNE SAINTE - VICTOIRE』や「大和絵系山水画」など見ていられない。鍛えに鍛えた筋肉系山水画の魅力は絶妙です。ウッフン。

呉彬の詩と絵

画面に呉彬自身の作った詩が書いてあります。少々、ねちっこい字ですが、凝縮力のある呉彬の書風を示します（図94）。

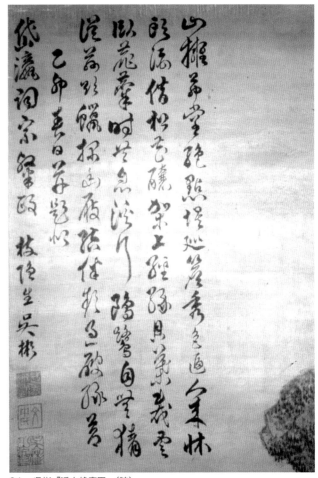

94. 呉彬『溪山絶塵図』（詩）

山擁茆堂絶點埃、　　山は茆堂を擁し、点埃を絶ち、
（shān yōng máotáng jué zhān āi）

巡簷秀色逼人來、　　巡簷は秀色にして、人来を逼る、
（xún yán xiù sè bī rén lái）

牀頭酒借松花釀、　　牀頭の酒、松花釀を借る、
（chuáng tóu jiǔ jiè sōng huā niàng）

架上經緣貝葉裁、　　架上の経緣、貝葉の裁、
（jià shàng jīng yuán bèi yè cái）

雲臥鹿麋時共息、　　雲臥の鹿麋、時に共に息む、
（yún wò lù mí shí gòng xī）

溪行鷗鷺自無猜、　　溪行の鷗鷺、白にして猜いなし、
（xī háng ōu lù zì wú cāi）

從前欲蠟探幽屐、　　従前、探幽の屐に蠟するを欲す、
（cóng qián yù là tàn yōu jī）

結絆頻過破綠苔。　　結絆、頻過、綠苔を破る。
（jié bàn pín guò pò lǜ tái）

乙卯春日并題　　枝隱生呉彬
（yǐ mǎo chūn rì bìng tí　zhī yǐn shēng wú bīn）

印＝「織履生」（白文方印）、
（zhì lǚ shēng）

「文中氏」（朱文方印）、
（wén zhōng shì）

「呉彬之印」（朱文方印）
（wú bīn zhī yìn）

「山には粗末な堂があり、街の埃も寄せ付けない、軒をかすめる秀色は、人の来るのを拒絶する、枕元に置く酒は、松花釀、棚の上のお経の縁どりは、貝多羅樹の葉、雲に寝る鹿と麋は、共に休み、谷

を行く鷗と鷺は、疑うことをまったく知らない、以前から、幽遠を求めて行く履物に蠟を塗ることを欲していた、仲間と頻りに過ぎり、緑苔を破る」

［語注］茆堂＝かやぶきの堂。點＝よごれ。けがれ。巡簷＝軒端をかすめる。逼＝脅す。威迫する。貝葉＝貝多羅。印度産の木の名。その葉は経文を書き写すのに用いられた。松花釀＝松花酒。松の花で醸した酒。蠟屐＝旅とか遠くに出掛けるため、履物に蠟を塗る。結絆＝仲間を組む。

どうです、なかなか良い字でしょう。「乙卯」は、萬暦43年（1615）。「枝隱」は、呉彬の画室、印の「織履生」は「靴を織る職人」。靴を織って何処かに旅立つのでしょうか。山中に籠るのでしょうか。「文中」は字。自作の詩である。呉彬の詩集があったと資料には載るものの、現存はしません。

皆さん、ご注目を。正に絵画と詩と書の協同です。それを本人がやってのけました。絵を見ると、茆堂らしきものはあるものの、そして、そこに一人の男が

いるものの、その室内の細々したものは描いていない。松花酒も貝葉経も、鹿も麝も、渓行く鷗や鷺も、詩の中に登場する具体物は一切省かれている。一切、暗示である。呉彬はあらかじめ詩でそれらを表現し、画面上の展開はそれらを省き、別の物々を登場させる。即ち、図上の楼閣や瀧などは、画面の中では重要な点景物であるが、詩には表れていない。茆堂は草堂と同じ。草ぶきの家。ここではその家に一人の人が安息し、流れ落ちる瀧を見ている。ちょうど山の一部に抱え込まれている如くに、岩の陰に見え隠れする。しかし、都会の喧騒から一時的に離れ、そこへやって来た人にも都会の埃はこびりついている。仙人ではない。俗人であろう。そういった、清浄と汚濁がまだ併存するのが、画面の手前。中景には、世間から閉ざされ、ひたすら修行に励むための寺院らしきものが建っている。やや不思議な建物です。遠景は、俗塵とはまったく縁のない聖なる山。

　呉彬の詩で、絵を読み解くと面白い。最初の四句までは、春の美しい景色に包まれた清浄な空間に粗末な堂があり、その堂の室内では、枕元においしい松花酒が置いてあり、書架のお経は貝葉で彩られた美しいもの。描かれた堂の室内の、具体的、仔細な室内の状況説明です。堂内には確かに人がいます。この人物は、仏教信者でありながら酒を好む。僧衣は纏っておらずも「居士」、いわゆる在俗の仏教信者でしょう。呉彬も自ら「居士」と名乗ったが、この人物を呉彬自身に見立てる必要はないでしょう。呉彬は、おそらく、そもそも貧乏。お寺の一角に、画室を作って、画業に励んだ人。画中のこの人物は、明らかに富裕階級。揃えた道具も、高級品であろう。

　さて、続く四句では、絵には描いてないが、深山に住む鹿達がゆっくりと休み、谷を訪れる鷗（鷗盟は、鷗と友達になること、隠居して世俗から離れることを意味します）や鷺もゆったりと飛ぶとする。彼等は、すべて無垢であり、俗世とは縁がない。実際に描き込むことはしなかったが、そのような場面を彷彿とさせる詩情溢れる語句です。そして、最後に、画中の人物の内面を語る。この人物は、前々から、奥深い所を求めて、履

物の準備をしようとしていた。ついに、仲間と連れ立って、緑の苔を踏みしだく。最後の二句は、呉彬の気持ちでもあったのです。仙人指向はあったようです。以上、呉彬自ら付した、画面左上の詩に即して説明してみました。

　しかし、絵の表す内容はもっと豊富だ。絵筆と墨とを自由自在に使い分け、我々の視覚を幻惑します。正に絵画の醍醐味です。前景は人界の延長、中景の手前は自然界に現れた土橋を境に、中景の後ろは瀧の上に掛かる不思議な形状の楼閣に繋がり、後景は人をも寄せ付けぬ聖なる自然の世界です。住むのは、仙人と鶴くらいのもの。土橋を境に上に佇立する奇岩、これは、「上昇」を示し、我々の視線を上方に導くVECTORの役割を持ちます。土橋の下には滑落する数条の瀧。これは「下降」を示し、重力の法則に従い、手前の四阿の後ろをかすめ落ちる。人はこれを眺め、豊富なIONに包まれます。いわゆる「観瀑図」の様相。土橋を境に、「上昇」と「下降」が同時に存立するのです。見事なVECTOR使用。

　中景、奥の楼閣は俗界を離れ宗教の修行に励む場所です。彼方に聳える聖なる山に入るべく、静謐で厳しい修行を行っているのでしょう。人の気配がありません。無人とも思える程です。しかし、このような奇妙な形の建物は、中国でも見たことがありません。屋根には、五輪塔らしきものが乗っかり、上を示します。屋根は丸みを帯び、全体にはMOSQUEのような雰囲気を醸し出します。正に異境の象徴です。意図的に行ったのでしょうか。左右に張った回廊には水中に潜りこむ橋脚があり、危ない場所での建物を支えます。下には下降する急峻な瀧。ドッドッドッドッ。「上昇」と「下降」です。五輪塔は、中景の佇立する尖った岩と相似形となります。中景は自然物と人工物の拮抗する場所。親潮と黒潮とが混じり合う場所。楼閣で修行を終えると、後景の聖なる山に達することができるのです。呉彬の詩の最後の二句は、この境地を願望したものでしょうか。

　とにかく画面は、下部の俗に始まり、中程の聖俗入り混じる状態、そして背景の聖なる世界の提示とい

う三層構造を示します。その三つの段階を繋ぐものが、山肌を縫って立ち昇る霞です。郭熙『早春図』では、これを「龍」の姿に見立てたが、ここでも、含む意味合いは同様です。画面の向って左隅に顔を覗かせる水面から上昇する靄霞（もやかすみ）は、曲がりくねって上の天に向かいます。天に達して雲となり、雨となり、山頂に達し、それが流れ落ちる瀧となり、また、元の水に戻って行く。地と天を行ったり来たりするのが「龍」です。すなわち、「陰」と「陽」の世界を循環しつつ、地表に恵みをもたらすのが、「龍」の役割となります。ついでに、天の意志を地表に伝える「神」の役割も付せられることになるのでしたね。皆さん、おわかりですね。「龍神の池」とか、「昇龍軒（しょうりゅうけん）」（我が家の近くにある中華料理店）とか、色々な龍関係の名前がある理由がわかりましたね。そう、例の、冷たい陰の水が、大いなる陽の光にあたためられて、陰たる水から出て靄霞となり、上に昇って、陽気の漂う天に行くときには、「龍」となり、龍が天空の陽の塊と合体すると、雲となる。雲は、やがて雨となり、地表に降り注ぎま

す。山頂に届き、山肌を縫い、集まって流れ落ちるのが「瀧」です。つまり、この世は「陰」と「陽」との循環作用によって成り立っているのですよ。再確認のため。チャンチャン。

呉彬の「廊橋（ろうきょう）」

「今日の授業は、屋根付きの橋をやります」というと、学生は即座に答えます、「先生、EUROPE にあります」と。私は言います、「アッソウ、しかし、私の紹介するのは中国の橋だよ。それを取り上げるのは、チャンと理由があるからなのだよ」と（図95）。

諸君！　「呉彬の『溪山絶塵図』を例とし、数々の呉彬の作品にはちょっと風変わりな橋がたくさん描かれている。これらの橋は、彼の故郷の福建省（ふっけんしょう）を中心に見られる屋根付きの橋を MOTIF にしているのだよ」と授業を始めます。彼等はその姿に圧倒されます。

福建省の北部、浙江省（せっこうしょう）の南部には、見事な屋根付きの橋、「廊橋」が「乱立」する。「乱立」すると敢え

95-1. 福建廊橋

95-3. 福建廊橋

95-4. 福建廊橋

95-2. 福建廊橋

95-5. 福建廊橋

95-6. 福建廊橋

95-7. 福建廊橋

95-8. 福建廊橋

て言ったのは、その建立が決して実用的ではなく、計画的ではないものが多く、互いに競うように「乱立」している例が多いからである。

　我々は2013年、実際にその地を見て回った。調査をして解（わか）ったのだが、どうも、各村、地域、都市毎で、その華美を競い合っているようだ。呉彬の故郷、福建省莆田博物館（じあん しぇん ぷ ティエン ぼ う ぐぁん）で、館長に、「莆田（ぷ ティエン）近辺には、この種の廊橋（らん ちゃお）は残っているかと」聞くと、「少し遠いが、古いのが一つだけある」と言う。「見たいか」と聞かれ、「見たい」と答えると、「明日、その地元の文化財関係者を呼ぶから、一緒に行って見なさい」と勧められた。現地の人に説明する。なぜ、「廊橋」探索に出掛けるのか。つまり、呉彬の山水画に、頻繁に姿を現す所の、幻想的とも言える橋のIMAGEが、彼の故郷で、幼少期に見ていた「廊橋」に基づいて形成されたものと、睨んだからだと。要するに、呉彬の故郷の思い出の一つだと。

　次の日、迎えの人と共に車で現地に行った。小さな村の小さな川に、それは老いたる姿を見せながら、小さいながらキリリとした佇（たたず）まいで存在した（図96）。地元の人も大勢集まってくれ、色々な説明をしてくれた。かつては人々に頻繁に利用されたその橋も、近くに高速道路ができ、地域が分断され、今では記憶装置の役割を示すだけと、幾分悲しげな様子だった。「橋

よ、有難う」。昼食事は地元料理に与（あずか）った。ただし、私はそれらを写真に撮る趣味はない。その地には、一種の土楼があり、少数民族の小柄な人々が住んでいた。土楼は昔、山賊による強襲が度々あり、それを防ぐためだと言う（図97）。途中、「三教一致」で有名な林兆恩（りん ちょうおん）の墓があったので、もちろんお参りをした。この地はかつて倭寇に荒らされ甚大な被害を蒙ったが、林兆恩は人々のためにあらゆる手を尽くし、彼等の心を癒すのに「仏教・道教・儒教」の融合を図った「三教一致」の運動を興し、それは各地に広まった。

　「廊橋（らん ちゃお）」は、福建省の北部や浙江省の南部に多く、そこから随分西にまで分布が広がっていると思われます。その存在を知ったのは、2005年、北京故宮博物院（べい じん ぐ ごん ぼ う ゆえん）80周年記念SYMPOSIUMで、晩餐会の席上で同席した浙江省出身の古代橋梁の研究家、唐寰澄（たん ふぁん ちぇん）氏のお話からです。それをきっかけに、呉彬絵画の新たな研究が始まりました。故宮博物院の庭での晩餐会。いやあ、キレイなオネーさんが美しい衣服を纏って歓迎してくれたのには、一瞬クラクラしました。ワタシ、俗人カシラ。

　SYMPOSIUMのTHEMEは、「『清明上河図』と宋代風俗画」でしたので、唐寰澄（たん ふぁん ちぇん）氏は、画面に登場する、汴河（べん が）に架かる「虹橋（ほん ちゃお）」について発表されておりました（図98）。

96. 莆田廊橋

97. 莆田土楼

晩餐会は素晴らしく、故宮内に設けられた各 TABLE では、様々な話が飛び交っていました。私もアチコチ飛び回りました。同席した唐寰澄氏は私に、「『廊橋』というものを見たことがあるか？」と、尋ねます。私が「ない」と答えると、唐寰澄氏は、「早く見ておいた方がいい。自然災害や老朽化で、数が減ってるから」と忠告してくれました。

その後、2008 年、多摩美の学生達と浙江省南部の各地を訪ね、様々な「廊橋」を見ました。

壮大な大きさで人を圧倒するものもあり、小ぶりで瀟洒なものもあります。山間を小さな BUS に揺られて辿り着いた場所には、奥深くの緑豊かな静かな場所に忽然とその姿を現し、まるで幻を見ているような感動を覚えました。

村内にある小さな「廊橋」を撮影していると、花火が打ち上げられ大きな音を発しています。村民に、「一体、あれは何だ」と問うと、「上の方にある寺で、今、観音様の生誕祭をやってるから、君達も行ってみろ」と勧めます。行くと、祭壇にはもうもうと立ち込める線香の煙に混り、「ブタ」の頭部が十個近く供えられています。例のヤツです。軽い SHOCK。礼拝が終わると、「これから食事が振る舞われるから一緒に食べて行け」と勧められます。老人が多い TABLE には、今まで見たこともない地元の郷土料理がふんだんに並べられています。腹一杯、詰め込んだ後には、学生達がそこにいる人々の似顔絵を描いてお礼にしました。流石美大生、役に立つ。やがて、一日一本の最終

BUS に間に合うように駆け足で BUS 停に向かうと、後から数人、追っかけて来るではありませんか。何事かと振り返ると、食事のときに「オイシイ、オイシイ」と言って食べた饅頭（中身は甘い餡）や木の実などを、たくさん袋に入れて渡してくれ、「道中で食べろ」と。いや、美しい自然の中で生活している人々は、心も美しい、と感じた次第。

帰りの BUS は、子供達で一杯。ギュウギュウ詰め。週末を親の「家」で過ごし、次の日から始まる学校に合わせて帰る生徒達でした。山間の学校で、普段は、寄宿舎生活をしているのでしょうか。慣れているはずの彼等でさえ、車酔いでゲロを吐く程の悪路でした。私も若かった。村の名は、「月村」。洒落た名前でした。もう一度訪ねたい。

「鱟」の登場

呉彬「涅槃図」（長崎、崇福寺）（図99）

絹本着色。400.2 × 208.4㎝。

「涅槃」とは、本来の SANSKRIT 語では「火が吹き消された」を意味する「NIRVANA」であります。つまり、「涅槃」は「火が消えた」という意味で、端的に言うと、釈迦の寂滅であるが、これを単なる即物的な死と考えたあらゆるものが悲しみ、慟哭し、悲嘆にくれつつ横たわった釈迦の周りに押し寄せるというのが、「涅槃図」の内容である。

ところが、釈迦の場合、その涅槃は「苦悩を超克した精神の平和」の境地に至ったことを意味し、むしろ喜ばしいことなのである。「心の平和」を勝ち取った状態なのである。その顔を見ればわかる。

この状態を、「最高の喜悦」と捉える萩原朔太郎は、次のように言う。

　　花ざかりなる菩提樹の下
　　密林の影のふかいところで
　　かのひとの思惟にうかぶ
　　理性の、幻想の、情感の、いとも美しい神秘を
　　おもふ。

98. 張澤端『清明上河図』「虹橋」（北京・故宮博物院）

99. 呉彬『涅槃図』（長崎・崇福寺）

100. 呉彬『涅槃図』（部分）

101. 呉彬『涅槃図』（部分、鸞）

　さて、呉彬の『涅槃図』である。縦400.2×横208.4cm
という巨大なこの作品を一度、京都国立博物館で見た
ときには、本館の高い天井から吊るされ、上部の方は
遠く暗くて判然としなかった。その後、長崎・崇福寺
で調査に当たったときには、やはり大きすぎて掛ける
場所がない。本堂の、鴨居に巨大な棒を渡し、そこへ
順繰りに送りつつ全体を見た。

　陶然とした。壮大な芝居や映画を見るようでもあっ
た。思わずその世界に引き込まれた私達観客は、一瞬
のうちに、森羅万象の凝結した姿を把握する。凡俗か
ら道教神や自然神まで、仏教とは直接関係ないと思わ
れる者達も詰めかけている。豚や鶏までも嘆き悲し

むのに加え、海中から龍王が手下を従え、駆けつけ
る。世の中、騒然としている中、中央に敷物の上に手
枕で平然と横たわる釈迦の境地は、上で述べたように
「一種の悦楽」の世界を感じているのだ。「続く皆様も、
私のように早く涅槃に達しなさいよ」という、慈悲の
心を発信しているのが涅槃図なのである。それにして
も、この図は、海中場面が大きく取られている。そこ
では、通常見られない生き物が、釈迦を目がけて突進
している（図100）。ここで、ちょっと御注目あれ。何

102. 鱟

やら不思議なものがいるではないか。そう、「鱟」(hòu)(カブトガニ)である（図101、102）。

周亮工『閩小記』「不解」
しゅうりょうこう　びんしょうき

> 予在閩、善後十二歳、有不解者七、（略）、于海錯不解鱟、（略）。
>
> （私は、前後十二年、福建に滞在したが、今以て、解せないものが七つある。その中の一つが、海錯類では、カブトガニ［鱟］である）
> かいさくるい

周亮工（1612-1672）は、河南祥符の人。字は元亮、
げんりょう
号は櫟園。崇禎13年（1640）の進士。彼が福建に赴
れきえん　　すうてい
任したとき、通算12年間でも「不可解な七不思議」
があったとし、そのうちの一つに「鱟」がいた。南京
かぶとがに
の文人社会でも活躍し、知識豊富な周亮工でも、や
はり、「鱟」だけは、相変わらず「解せない」存在で
あったのだ。そりゃそうだ、南京はもちろん、上海
の近辺でも、「鱟」の姿は見掛けないはずだ。南の方
の福建の沿岸に、「鱟」は生息するからだ。では、呉
彬はなぜ、敢えて、「鱟」を描き込んだのか。呉彬は、
福建莆田の出身です。故郷を離れた場所で「涅槃図」
ほでん
を描いたときにも、幼少期に馴染んだ「鱟」を故郷の
思い出として登場させたのだ。嗚呼、故郷思いの呉彬
ちゃん。好き！

注目すべきは、「鱟」である。中国では南方の沿岸
でしか見られない「鱟」が、故郷から離れた場所で、
萬暦38年（1610）に描かれたかという理由は、歴然

としている。福建に数多く存在する「鱟」「廊橋」を
画面に描き込んでいるのだ。故郷を偲ぶ縁だ。故郷を
離れて何百里。画家は幼少期の思い出から解き放たれ
たことはないのだ。「鱟」と「廊橋」は、呉彬の故郷
の象徴なのだ。チャンチャン。

曾鯨と黄檗画像
そう　げい　　おう　ばく　が　ぞう
精神の真実

曾鯨（1568-1650）、字は波臣。福建省莆田の人。南
そうげい　　　　　　　　　　はしん　　　　　　ほでん
京に出て活躍した。呉彬と同様である。曾鯨は、肖像
画の名手で、その新しい画風は、一世を風靡し、その
弟子達と共に波臣派を形成した。それまでの伝統的な
はしんは
描き方、宮廷の高級官僚、あるいは地方の有力者を描
くときには、贅沢な服装を身に纏い、威厳に満ちた眼
差しで、正面からこちらを見据えるという杓子定規な
やり方から脱却したのだ。地方の有力者は成功する
と、肖像画家に自らの肖像を描かせ、それを家譜（宗
譜。一族の詳細な歴史を記す）等に掲載した。大体が真正
面を向いた画像であった。

曾鯨の肖像画の新しさとは、人物に軽い動きを与
え、表情も柔らかく、見る人々に優しさを感じさせる
ものだった。威厳や緊張からの解放である。明末、時
代の変動期、揺れ動く人々の心を、そして文化の大衆
化の中で新しい息吹に触れつつある人々の心を、鷲掴
みにしたことは、十分納得のいくものである。曾鯨の
肖像画は、既成の権威から離れ、日常での寛いだ情景
の中に人物を落とし込み、その人の、優しさや悲しさ
を、微妙で淡い色彩を用い、見事に描き出す点に特徴
があった。明末の新しい肖像画の誕生である。

以下、一般的な曾鯨絵画の説明。
『中国文化史大事典』（大修館書店　2013年）（一部抜粋。
傍線、頭注番号は筆者）

> 彼の画風は、①顔貌などに西洋画風の陰影を温和
> に加味する一方、②衣服・背景は伝統的な画法で
> 描く折中的なものであったが大変流行し……。

以下、私の注釈。

① 顔貌に少しでも陰影が付けられていると、すぐに西洋画風の影響とする見方は長年踏襲されてきているが、果たしてそうであろうか。中国には、既に、西方からの立体表現、一種の「隈取」（くまどり）が齎（もたら）され、独自の展開を遂げて来た経緯がある。そのことを考えれば、北宋、李公麟『五馬図巻』や、南宋、『無準師範像』などに見られる軽い「隈取」による陰影法もその延長上で考えるべきである。曾鯨の場合、利瑪竇（MATTEO RICCI。伊太利人の JESUS 会宣教師。一時、南京に滞在した）との接触により、西洋的立体表現を取り入れたというが、根拠は薄弱であるにもかかわらず、相変わらず、その説を踏襲するのは如何なものか。40 年以上前のある本の解説で、『無準師範像』をこう述べている。

　「面貌はきわめて写実的に描かれ、軽い隈どりもみられる。それに反して衣服は一定の方式で描かれ、顔面ほどの迫真性はない。賦彩は豊かであるが、宋画特有の清澄な調和がある。宋代の写実主義が肖像画の領域で到達した一傑作である」

では、この説明上に曾鯨の肖像画を乗せることはできないのか、私は十分できると思う。つまり、宋代の写実主義の肖像画を発展させたものが、曾鯨の肖像画であると、私は位置付けるのである。西洋写実のことを殊更に強調するのは止めよう。

② 「衣服・背景は伝統的な画法で描く」とするが、衣服は十分、抽象化・簡略化され、これを伝統的と言ってよいかはわからない。ここにも、顔貌表現と同様に軽い別種の隈取が見られるが、やはり、西洋画風の影響を指摘するのだろうか。正に、陰影 COMPLEX である。それに、曾鯨の肖像画の背景は、別の画家の手になり、いわば合作であることが多い。事実をしっかり見ねば。

我々は、謙虚に作品と対峙し、画家の心を理解し、描かれた内容の理解を行わなければならない。曾鯨の場合、描かれる人物の、その時々の内部に潜む「精神の真実」を如実に描くことに力が注がれた。描かれる対象人物の、瞬時に於ける心の動きを掴んだ。それには、鎧（よろい）を脱いだ、いわば日常の行動の一端がふさわしい。だから、もちろん、左右対称の正面性を重んじる威儀を正した姿ではなく、鎮座まします固定した状態ではなく、動きをつけ、体をやや右や左に振り、衣服も礼服ではなく、普段の簡素なものを着用する。寛いだ姿の中に、相手の真実を見付けるために、あるときは樹木の下で、「行楽」を行っている場面も、数多く描いた。

2005 年、中国滞在中、南京藝術学院 周 積寅（しゅうせきいん）教授と全国の博物館・美術館での作品調査を行うとき、周教授の勧めで沈南蘋と同時に数多くの曾鯨の作品の調査を行った。中でも私が一番好きな作品は『張 卿子像』（ちょうけいし）である。

芸術作品とは、見る人をどれだけ感動させるか、という一点にその価値を見出すものというのが、私の考えである。その点で、私はこの作品に吸い込まれ、その吐息に触れ、張 卿子（ちょうけいし）の生きた時代に連れ戻されたのである。医術にも心得があったにもかかわらず、自身病弱で詩人でもあった 張 卿子（ちょうけいし）のこの像は、画面の大半は空白である。

曾鯨（céng jīng）『張卿子像』（zhāng qīng zǐ xiàng）（浙江省博物館）（図 103）
　絹本設色。111.4 × 36.2㎝。
　　款記「天啓壬戌中秋、曾鯨寫」
　　印＝「曾鯨之印」（白文方印）「波臣」（白文方印）

天啓 2 年（1622）の作である。中国ではその絵を鑑賞した人が、自らの感想を題詩題跋として、その画面上に書き付けることが多い。ところがこの作品は、画面の気迫に圧されてか一切それはなく、周りの表具の空白場所に、様々な人々がぎっしりと書き加えているのである。

顔の柔和で繊細な表情と過不足ない表現、なにより

103-1. 曾鯨『張卿子像』（浙江省博物館）

103-2. 曾鯨『張卿子像』部分（浙江省博物館）

その衣文線のギリギリまで省略され、直線化された仕上げが小気味良い。画面全体がピリッと張り詰め、他人の手が加わることを見事に拒否しているのだろう。学生達にも大変人気がある。確かに、RUBENS などの肖像画を見慣れた学生諸君には、曾鯨の肖像画作品は清新に映るだろう。私もかつて西洋画 FAN だったから、その気持ちはよくわかる。ちなみに、曾鯨と RUBENS はほぼ同時代の人である。

　中国の肖像画の歴史は長く、技術も発達してきました。その中で、17 世紀に肖像画の歴史を転換しようとした曾鯨の役割は大きなものがあったわけです。

　とにかく、その曾鯨の弟子の 張 琦の描いた作品『費隠通容像』が日本に持ち込まれた（宇治、萬福寺）。崇禎 15 年（1642）の作。福建の隠元 隆 琦（1592 - 1663）が、順治 11 年（1654）、日本に来るとき、携えて来たものだろうと言われています。費隠通容（1593 - 1661）は、隠元の師匠です。

張琦の作品等を基にして、日本では「黄檗画像」なるものが発達したのです。いわば、曾鯨の波臣派が中国で活躍していたほぼ同時期に、その画風が齎されたと言ってよいでしょう。

　隠元 隆 琦は黄檗宗の僧です。黄檗宗は臨済宗の一派ですが、念仏も重要視し、念仏禅とも呼ばれています。隠元は 1654 年に長崎に渡来しますが、その理由は様々です。隠元より先、1641 年に日本に渡来し、長崎の興福寺第三代の住持となっていた僧逸然の招請によるものとか、明末の混乱を避けての亡命的要素を持つとか、たぶん、色々な理由が重なり、弟子 20 人ばかりを伴ってやって来ました。しばらくは、長崎の地に留まりますが、やがて、幕府より京都宇治の地を与えられ、黄檗山萬福寺を建立します。

　宇治萬福寺は、京都の中心から東の宇治にあります。江戸時代、京都の文人達はそこを目掛けて日参します。なにしろ、そこでは最新の中国文化（主に福建文化ですが）に直接触れられるわけですから。煎茶趣味も、その影響です。

　「インゲン豆」も、隠元が携えてきたからその名が付いたとされます。事の真偽はともかく、今でも宇治萬福寺の境内には「インゲン豆」の蔓があり、傍には詳しい説明が添えられています。現在、毎日行われている読経も、隠元来日時の中国明末、中国萬福寺のものを伝えており、文化遺産としても貴重なものとされています。私は通りがかりにチョイと小耳に挿んだ程度ですが、福建訛の強いものなんでしょうか、中国の萬福寺での読経は私には聞き取れませんでした。

　隠元は、大勢の弟子と共にたくさんの薬や器物を持って来たりました。その中には、書画の類も数多くあります。趙珣『松竹図』（京都宇治・萬福寺）も、その一つでしょう（図104）。趙 珣と言っても、現在の人々はほとんどその名前を知りません。ところが当時、京都の文人達は、彼の作品を巡って熱い争奪戦を繰り広げていたのです。趙珣『蘆雁図』もその対象の一つです。頼山陽、田能村竹田、そこに大塩平八郎も加わってくるので、事は複雑になります。いやあ、面白い、江戸の歴史は。

104. 趙珣『松竹図』（宇治・萬福寺）

2011年、私は、福建省博物館を訪れ、特別観覧の機会を得ました。様々な作品調査をしましたが、もちろん、趙珣の作品『煙壑亂楸圖』も、その中に入っています。趙珣もまた福建莆田の出身なのです。そう、曾鯨と呉彬と同郷で、ほぼ同時代の人です。ただ、彼は、曾鯨や呉彬とは違って南京に出ることなく、福建の地に留まっていました。館所蔵の趙珣の作品を前にして、館員がびっくりして私に聞きます。「どうして、このような画家の名前を知っているのですか」と。そこで日本との因縁を語り、ついでに、1731年に日本にやって来た中国人画家沈銓（南蘋）のことも説明します。彼等納得。日中絵画交流の一端です。

曾鯨と同郷、福建莆田出身で、同じく南京で活躍した画家呉彬。南京に居るとき、二人に共通の友人がいたにもかかわらず、呉彬と曾鯨が直接出会い、面談したという記録がないのは不思議です。董其昌は、その間に立ち、双方を共に知る人物であったにもかかわ

らず、その二人の交友には一切触れていません。歴史の謎でしょう。

とにかく、曾鯨の作品ははるか彼方、北京の朝廷でも快く迎えられました。曾鯨の弟子の張琦の作品が、隠元来日と共に日本に持ち込まれ、それを基に花開いたのが「黄檗画像」というものです。西村貞は『黄檗畫像志』という本を、1934年に出し、日本人の「黄檗画像」画家の作品を網羅しました。しかし、隠元来日時、中国で、流行していた所の、曾鯨による新しい肖像画の形式を持つ張琦に興味を持つことはなかったようです。当時、長崎を中心に描かれた「行楽図」の形式も、曾鯨の波臣派が得意とするものであったにもかかわらずです。日本の黄檗画像研究者の限界は、当時の中国の肖像画に関心がないというところにあります。加藤淳教授の言う、「地方史研究者」の限界なのです。

沈南蘋の絵画

沈銓は、江戸時代の1731年に来日し、1733年に帰国した中国人画家です。南蘋は彼の号です。当時の日本画界に大きな影響を及ぼしたのですが、一部の人には、その写実主義的な画風が受け入れられなかったことも事実です。我々も学生時代、「沈銓は商賈（商人）の類で、絵を善くした人物である」と教わりました。その後、ずっとそれを信じていました。静嘉堂文庫で沈銓絵画に興味を持ち、その後『雪梅群兎図』に会い、研究を始め、論文をいくつか書き、1997年には、南京藝術学院周積寅教授と『沈銓研究』（江蘇美術出版社）を出しました。「中日絵画交流傑出貢献者」と副題が付けられています。実は正真正銘の画家だったのです。

近年まで、沈銓に対する冷遇・誤解は続いています。例えば、『新潮世界美術辞典』（新潮社　1985年）の項目説明を見てみましょう。「沈銓」を探しますが、出ていません。「沈南蘋」と出ています。つまり、本名ではなく号で出ていたのです。明時代の有名な文人画家「沈周」は、号の「石田」ではなく本名が使われているのに対してです。この不統一な人名表記の何た

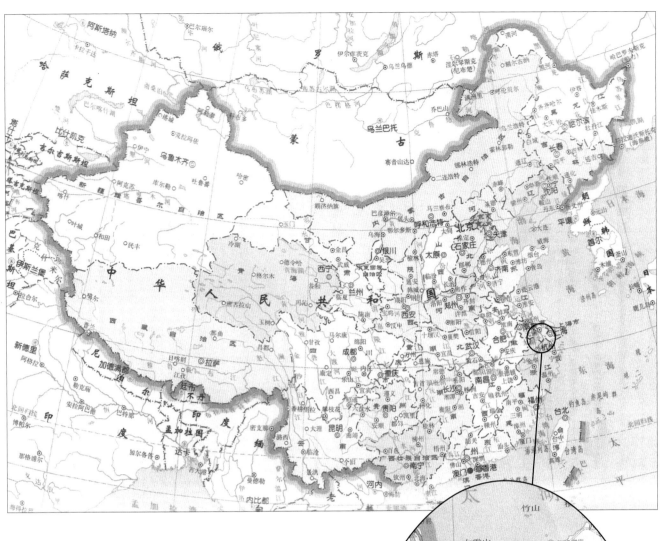

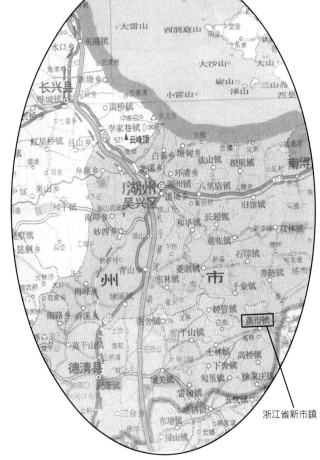

浙江省新市鎮

るかは、今は問いません。陶潛も、確かに陶淵明の方が通りが良いわけですから。ここでも、たぶん、世間で通用している呼び方に倣ったものでしょうが、問題は内容です。抜粋してみます（傍線筆者）。

・沈南蘋。名は詮、字は衡之。浙江省呉興の人。
・帰国後も、対日輸出ルートにのって作品を送り続け、それらのうちには一族亜流の作品も混入している。

　「詮」は明らかに「銓」の間違い。「衡之」は印章に拠ると「衡齋」が正しい。出身地は、細かく言えば、徳清県新市鎮ですが、広く「呉興」として捉えてよいでしょう。沈銓もその「呉興」印を使用していますし。これらの記載は、その時点でのささやかな間違いとしてもよいでしょう。しかし、二番目の「対日輸出ルートにのって作品を送り続け」の部分は、解説者の勝手

105. WILLEM VAN ROIJEN 『花鳥図』模写

な想像。皆さん、お信じにならないように。もっとも、沈銓本人でなく、貿易商人が自らの利益のために日本に持ち込んだとすれば、その可能性はありますが。一族亜流とは一体誰を指すのか、明らかにして貰いたかった。さて、私はなるべく正確な沈銓像をお示しします。

沈銓、号は南蘋、字は衡齋。浙江省新市鎮の出身です（121頁地図）。江戸時代、権威ある筋からの招聘で日本にやって来ました。徳川吉宗の治政のときです。徳川吉宗は「実学の奨励」で、西洋や中国から宗教性（基督教）を排除した上での技術・科学を日本に取り入れようとしました。絵画では、HOLLANDからはWILLEM VAN ROIJENの「西洋写実主義」の油絵作品『花鳥図』（1725）が輸入されています。1726年のことです。中国からは沈銓の「中国写実主義」の輸入ということになります。沈銓は実際に日本に来ました。ご注意あれ、共に「写実主義」の絵画であったことを（図105）。

1995年、中国に滞在し、南京藝術学院周積寅教授と全国の美術館・博物館で作品調査をしたとき、沈銓の作品の観覧調査をお願いすると必ず聞かれたのが、「何でそんな二流の画家の作品を調査するのか。わざわざ日本からやって来て」という質問でした（日本でも同じような扱いを今でも受けているようです。2013年の『中国文化史大事典』［大修館］でも項目に挙げられていません）。その都度、私は、こう答えます、「中国ではそう思われるかも知れませんが、日本の江戸時代の絵画を考えるには、大変重要な画家なんです。1731年に日本にやって来て、1733年には中国に帰るのですが、その残した影響たるや厖大なものがあるのです。一流とか二流とかは関係ないのです。とにかく宜しく」と。

日本で出版された『長崎派の花鳥画――沈南蘋とその周辺』（フジアート出版 1981年）の解説では、「現在中国に知られる南蘋作品は二点に過ぎない」と解説されています。沈南蘋絵画、周教授との旅で果たしてどれくらいの作品と遭遇できるのか、ワクワク、ドキドキ。結果、中国の主要博物館には、良質な沈銓絵画がたくさん所蔵されており、その数合わせて数十点を超えるというものです。NIKON F3を使って、詳細に調査しました。いやー、楽しかった。

■参考文献
関口晃一『カブトガニの不思議』（岩波新書 1991年）
近藤秀實「枝隱庵の住人―呉彬の実像（文献編）」（『多摩美術大学研究紀要』22号）
近藤秀實「望郷の虹橋―呉彬の実像（絵画編）」（『村重・星山教授古稀記念論文集』 2008年）
近藤秀實「明末福建出身の画家達―曾鯨・呉彬・趙珣」（『多摩美術大学研究紀要』26号 2012年）
近藤秀實「幻の趙珣」（『多摩美術研究』1号 多摩美術大学大学院 2012年）
平久保保章編『隠元全集』（開明書院 1979年）
佐々木剛三『万福寺』（中央公論美術出版 1964年）
『泰順廊橋』（上海人民出版社 2005年）
『寧徳市虹梁式木構廊屋橋考古調査与研究』（2006年）
『中国廊橋之都―慶元』（西冷印社出版社 2007年）
近藤秀實『波臣画派』（吉林美術出版社 2003年）
近藤秀實「曾鯨と黄檗画像」（『佐々木剛三教授古稀記念論文集』 1998年）
近藤秀實「曾鯨与黄檗画像―中日絵画交流的一端」（『故宮博物院院刊』91号 2000年）
近藤秀實「肖像画家曾鯨―精神の真実」（『多摩美術大学研究紀要』15号 2001年）
近藤秀實「明末肖像画の諸問題―黄檗画像の祖、曾鯨と張琦」（『黄檗文華』121号 2002年）
近藤秀實「明末福建出身の画家達―曾鯨・呉彬・趙珣―日本との関係を中心に」（『多摩美術大学研究紀要』6号 2012年）
近藤秀實「明画録周辺（II）―南蘋瞥見」（『美術史研究』23号 早稲田大学美術史学会 1986年）
周寅積・近藤秀實『沈銓研究』（江蘇美術出版社 1997年）

胡湄『柳塘集禽図』部分（旅順博物館）

沈銓の師、胡湄——揚州物語

胡湄。字は飛濤、号は晩山・秋雪。浙江平湖の人。沈銓の絵の師匠とされる。

1995年、周教授と平湖の地を訪れ博物館で胡湄の作品を調査したが、残念ながら期待外れ。天津のときも期待外れ。その年、4月1日、南京に到着して10日目にひいた風邪はひどかった。4月の終わり、その大風邪が治り始めた頃、揚州の博物館で、薛峰さんに同行していただき調査した作品の方が、胡湄の真髄を伝えるものとして印象に残っていた。

その作品『錦雞桂花図』は、大作であったが傷みが激しく、壁には掛けられない。仕方なく床に敷物を広げ、その上に横たえたものを傍らの机の上に私が載り、CAMERA を構え全図を撮影しようとしたが、残念ながら無理。康煕39年（1700）の作であった。

この当時の揚州は、緑も豊かで、佇まいも静か、各所を頻繁に散歩し、気に入った。そして、この地を第三の故郷としたのである（第一は岐阜県中津川の生まれ故郷、第二はもちろん世話になった南京、そして三番目が揚州である）。道の傍では、食用ハリネズミ（蝟・刺猬）が売られ、食堂では、小龍（ヘビ）の湯（SOUP）が出た。いやはや珍道中。

1995年4月1日に中国に上陸し、10日後に大風邪を引き、抑圧された日々を BED の上で過ごした私は、揚州の地で、柔らかい春風に吹かれ、周教授の集中講義に集まった全国の博物館や文物商店勤務の諸君と出会い、語らい、「日本美術の特徴」なるものを飛び入りで講義させられ、気分は次第に高揚していった。

やや調子に乗り過ぎたのだろう。回復に向かう私は、皆と大衆浴場に行き汗を流し、少々、酒を飲んで帰った。同室の周教授は、明日の講義のための準備で夜遅くまで忙しい。

春雷が遠くで鳴り響く中、二人は眠りについたが、真夜中に私の腹の具合が悪くなった。TOILET は、部屋を出て、宿舎の庭の真ん中にある共同 TOILET。私は、朝まで、雨を突いて足繁く通い、朝を迎えたもの

の、次の日は全体力を消耗し、博物館調査の約束を
CANCEL し、BED の中でウンウン唸っていた。薛峰_{xuě fēng}
さんが心配して果物や飲み物を持って来てくださった。
こうして、私の、中国での最初の1か月は、病気と介
護で過ぎて行った。時、あたかも、抗日戦争勝利50
周年、反 FASCISM 勝利50周年での南京生活の幕開
けであった。

　胡湄が沈銓の師匠であるという記録資料は、実は意
外と新しく、近代になって書かれたものである。この
関係を示す他の資料は少なく、そこで述べられた事柄
を基に、様々な検証を行わなければならないことは必
然である。

胡湄『柳塘集禽図』（旅順博物館）（図106）

　絹本着色。161.0 × 80.0㎝。

　1995年、南京藝術学院の周積寅教授と鎮江教育学
院の唐戈と私の三人の調査団は、旅順博物館を訪れ
た。暑い夏で、前日洗って乾ききらないズボンが、大
連から乗った BUS が博物館に到着したときには既に
乾いていた。風格のある建物で館長さんに会うと、前
日、日本の某大学教授が、館所蔵の日本絵画を調査す
るために訪れたとのことであった。中国の博物館には、
近世から近代の日本絵画が所蔵されていることが多い。
もちろん、それ程の優品はないが、調査はされておら
ず、私達が訪れると必ず出して見せてくれるのである。

　ここの胡湄の作品は素晴らしかった。水墨画である
が、画面中央に宙を飛ぶ鶖は大きく羽を広げ、その羽
音が聞えてくる程の躍動感がある。その羽の濃墨から
淡墨、さらに「烘托法」による顔から首筋にかけての
白さの強調は見事である。空間にも薄墨が刷いてあり、
そのムラムラが、描かれた対象、即ち、鶖、小鳥、柳、
岩、水などと微妙な親和性を持ち、一体感を生じさせ
るのである。空気の重さと厚みをしっかり描くのも、
中国絵画の特徴である。

　水面と上方の空間との境がないのも、中国哲学の
「気」の認識によるものであろう。森羅万象すべてが
「陰と陽」との結合によってなり、水も空気も、生物
や樹木や石の結合離散の一過程を示すものである。そ

106-1.　胡湄『柳塘集禽図』（旅順博物館）

してそこには、逢瀬を楽しむ快楽と、やがて迫りくる
死への恐怖が共存するのである。その振幅の度合いを、
画家胡湄は墨色の調子を変えることによって表現した
のだ。墨色の幅の広さは、その二者の混在振りを表す。

　胡湄が、一方で、華やかな色彩の花鳥画を描いてい
たことを想起しよう。浙江省博物館で胡湄の『牡丹錦
雞図』を見たときには、その艶やかさに、真夏に打ち
上げられる花火を連想したが、これも胡湄の精神の中
に存在する、この世の華やかさとそこから生ずる陰の

106-2. 胡湄『柳塘集禽図』部分（旅順博物館）

部分の双方を理解する能力を有していたことの証明である。このせめぎ合いの問題を、画家の世界に還元すると、面白い事実に突き当たる。つまり、豊かな色彩感覚を持つ画家は、水墨画に於て、非常に幅の広い表現方法を取るということだ。日本で言えば、俵屋宗達、岩佐又兵衛、曾我蕭白、そして、伊藤若冲などがその代表である。

　一般に、日本の水墨画家群には、その墨色の幅が少ない者が多い。かつて、同僚と議論した雪舟の『破墨山水図』の評価の問題もそこに帰結する。私はその作品に高い評価を与えなかったが、同僚は「この作品の価値がわからなかったら、美術史なぞやる資格がない」と私を罵倒した。私はただ、一連の雪舟水墨画の中に、墨色に拠る豊かな空間と、物の色を感じさせる箇所が少ないという点を強調したかっただけなのだが。つまり、「生と死」のせめぎ合いによって生ずる、葛藤苦悩、悦楽快楽のぶつかり合い、混乱とその昇華の結果が見られないということに対して、不満を述べただけだ。

　芸術作品の鑑賞とは、先人の述べた事柄に追従するのではなく、あくまでもその作品と自分との対話の中で、自己の内部に新たな精神の波動を生じさせるものなのだ。これは、自己の探求の一過程であり、自己確立の手段でもある。突き詰めて言えば、人間力の増強であり、それは単に芸術作品と向かい合うだけでなく、この世に存在し、自分を取り巻く様々な事象に、自分がどのように反応するかということにもなる。雑草でも良い、石でも良い、虫でも良い、もちろん、人でも良い、向き合う様々な対象と、如何に自分が誠実に接することができるかということだ。「芸術鑑賞」「音楽鑑賞」「映画鑑賞」は、「人間鑑賞」「地球鑑賞」「政治鑑賞」でも良いわけだ。着飾って美術館を訪れるだけが「鑑賞」ではない。例えば、手元にある小さな辞書には、「鑑賞」は、「芸術作品の善悪を見分けて味わう」とある。つまり、一部の誰かが決めた国宝がすべて善いわけではないということだ。

　「善を見分ける自由は、すべて自分にある」ということだ。この点、以て銘すべし。そもそも、「鑑」は

「監」で、「人が水盤に自分の姿を映して見ること」から始まるのだ（図107）。自己を見詰めることなのだ。

　それはそれとして、胡湄の水墨画のあまりの美しさに撃たれた私は、その弟子の沈銓の数少ない水墨画作品を見るたびに落胆した。沈銓の故郷新市鎮のある浙江省徳清県にある博物館には、沈銓の水墨画『松月図』がある。1995年以来、数回観ているが、相変わらず感動を覚えない。この作品には、「乾隆乙亥新夏、七十四老人沈銓寫」と書かれている。乾隆20年（1755）の時点で、沈銓が74歳であったことを示す資料として、沈銓の生没年を特定するのに重要な資料となるのだが、今以て私にはこの作品が信用できない。先程述べたような、墨色の幅がなく、濃墨が荒々しく処々に打ち付けられている作品なのだ。沈銓、水墨の墨色の幅の表現が、さほど不得意であったとは思われない。例えば『雪蕉仙鶴図』などを見れば、「烘托法」は生かされ、芭蕉と石と鶴に施された濃墨は小気味よくBALANCEが取れ、色の幅はうっとりとするほど繊細で、寒さの中で、あらゆる存在が息づき春を迎える準備をしているさまが見事に表現されている。こちらは「乾隆己巳長至、呉興沈銓擬古」とあり、乾隆14年（1749）の作品である。

　沈銓の師匠の胡湄の水墨作品を数点観たが、胡湄の作品はほとんどが着彩画である。胡湄の作品調査は、とても面白いものだった。もともと、現存する作品はそれ程多くはない。所蔵先の博物館も、江西省とか雲南省とかいう場所にある。もちろん、上海美術館にもある。天津美術館や胡湄の地元の平湖博物館にもあるが、それらの小品は、概して疑わしいものが多い。

　画題である「鸕鷀」が、文学ではどのように扱われているか見てみよう。

王維「鸕鷀堰」

乍向紅蓮沒、　乍ち紅蓮に向かいて沒し、
復出清浦颺、　復た清浦を出て颺る、
獨立何襧褷、　独り立つ、何ぞ襧褷たる、
銜魚古査上。　魚を銜える、古査の上。

「紅の蓮に向かって潜ったかと思うと、清らかな水から飛び上がる。独り佇む姿の、羽毛の柔らかさ。古い浮木の上で魚を銜えている」

　「鸕鷀堰」とは、水を堰き止めて鵜を飼う場所。鸕鷀は、鵜のこと。

　あっけない程、平易で、詩の裏に何等かの寓意があるとは思えない。このわかり易さも王維の魅力か。しかし、情況描写には好都合。画家は、この姿を借りて、新たな心境表現と自分の技量を見せ付けるべきだ。

第10章

「烘托法」——あぶり出し技法

沈銓『雪梅群兎図』部分（橋本太乙蔵）

「烘托法」とは、諸橋轍次『大漢和辭典』では「外部を染めて白い模様をぬき出す法。又、文を作るとき、側面から事を敍して主旨を自然に顯出させる法」（7‐413「烘托」）とあります。中国の『漢語大詞典』（1991年）では、「中国画技法名」と、ちゃんと書いてあります。私は、2012年に杭州で行われた「中国現代絵画芸術国際学術研討会」で発表した「金陵画派と日本——烘托法との関連」で、初めてその言葉を使用しましたが、その後、多摩美の授業では学生達に「烘托法」の面白さを伝えました。

私は実見はしていないのですが、その図版COPYを見せると、学生達が一斉に強い反応を示すのが、胡湄『寒禽図』（図108）です。

この作品の寸法とか所蔵先などは一切不明です。大胆な構図と繊細な筆遣い、重く淀んだ空間と白く塗り残された雪、白梅と紅椿の鮮やかな色彩、なぜか若い学生達の心を掴むようです。「烘托法」を使用した胡湄の作品は、他には知りません（『柳塘集禽図』には、その一部が示されていますが）。しかし、胡湄の弟子の沈銓とか、その後の南蘋系の絵画にたくさんの「烘托法」が使用されているのを見ると、まったく無視するわけにはいかないようです。

日本では、「片隈」などと言うこともあるようですが、この場合、「片ぼかし」を意味すると思われますが少し曖昧です。「隈」には「かげ」という意味があります。これと、本来「ぼかし」という意味を持つ「暈」とを兼ね合わせたものでしょうか。「月の暈」は確かに「ボケ」ていますね。日本の場合、「隈取」は歌舞伎役者の顔面の色取りを指しますが、これも本来、正倉院御物などに見られる「繧繝彩色」の延長でしょうか。

中国の「烘托法」は、形態は似ていますが、本質が違います。持っている意味概念が違うのです。文学では、主題に辿り着くまでに様々な要素を配置し、周りから徐徐に中心にある主題を浮かび上がらせて行く方法です。絵画では、周りを黒く暗くし、主題を白く浮かび上がらせる方法です。つまり、描き出す対象の周

108. 胡湄『寒禽図』

りの空間に厚みや重量を与えることになるのです。究極的には、見えない空間にも、「気」の濃淡があるという認識にも繋がります。絵画表現では空間に、ムラムラが生ずることにもなります。

さて、物には、固有色があります。

大学時代に読んだ、GEORG SCHMIDT の『近代絵画の見かた』（中村二柄訳　現代教養文庫　1961 年）は、魅力的だった。絵画を様々な観点から分析し、技法の裏に潜む謎を解き明かすものであった。日本の美術批評や美術史研究のような、漠然とした印象批評や、口当たりの良い状況説明ではなく、科学的に絵画を研究する方法は、流石 BASEL 学派の流れを汲むものと感心したものだった。

SCHMIDT は、自然主義的な対象描写の六つの要素として、「物質性の映像・身体性の映像・空間の映像・描形の細部・解剖学的な正確さ・対象の色彩」を挙げています。これらが、西洋的写実主義の根底に横たわっていることは間違いありません。しかし、東洋にも独自の「写実主義」があるのです。写実の力は東洋にも十分あります。ただし、絵画表現での大きな違いは、「光」と「陰」の要素の扱い方です。「光」と「陰」の問題は別に取り上げるとして、「対象の色彩」について考えます。

中国、六朝時代、5 世紀に活躍した画家で画論家の謝赫は、その著『古画品録』の中で、絵画の制作に必要な六つの要素を述べています。「気韻生動・骨法用筆・応物象形・随類賦彩・経営位置・転模移写」の六つで、「画の六法」として、古来、有名です。この中の「気韻生動」は、中国独特の要素であり、「気が響き合えば、物事は、生き生きと動く」と訳しておきましょう。要するに、「精神が整っていなければ、良い絵画は描けない」といった画家の心持ちの重要性を第一義に考える、一種の精神論です。これに関する解釈は、様々で難しい。

それはさておき、「随類賦彩」、つまり、対象に付随する色彩を重んずる立場について見てみましょう。地球上の物には、それぞれの固有色が付随します。それを忠実に絵画で再現すれば、一種の写実主義に近づきます。中国、古典絵画の世界には元来、「写実」「形似」「写生」といった概念がありました。しかし、「雪」は「白い」などという、物の固有色を排除したのが「烘托法」なのです。

沈銓の「烘托法」

沈銓『雪梅群兎図』(橋本太乙蔵)(図109)

絹本着色。165.0 × 80.0㎝。

款記「丙申歳杪、南蘋沈銓寫」

印＝「沈銓之印」(白文方印)「南蘋」(朱文方印)

「呉興」(朱文方印)

　沈銓が1731年に日本に来る前、康熙55年(1716)
に描かれた作品です。堂々たる風格があります。私が、
沈銓絵画に興味を持ったのは、かつて、静嘉堂文庫に
勤めていたとき、秋の鑑賞会で、初めて沈銓『梅花双
兎図』(雍正9年1731)を見たときです。その描かれて
いる兎の毛並みの細密描写に目を奪われました。そ

109.　沈銓『雪梅群兎図』(橋本太乙蔵)

110.　沈銓『雪梅群兎図』部分 (兎)

の後、渋谷区立松濤美術館に移り、そこで沈銓『雪梅
群兎図』に接しました。両者を比較すると、明らかに
違う。筆法から構図を含めて、内包する絵画世界が明
らかに違う。私は、「南蘋試論──『雪梅群兎図』と
『雪蕉仙鶴図』」(古美術85号　1988年)でこの点に触れ
たのですが、詳細は別に。ここでは、『雪梅群兎図』
では使用され、『梅花双兎図』では使用されなかった
「烘托法」の意味を考えます。

　この絵に使われている「烘托法」を見ましょう。

　私の、狂歌・俳句を作るときの号は、「狂椿」です。
私は椿が好きですので、画中の花を寒椿と見るのです

111.　沈銓『雪梅群兎図』部分 (椿)

が、間違っているでしょうか。真っ赤な椿に白い雪が降りました。自然の姿の何と美しいことよ。雪は降っても、そろそろ春を予感させる野原です。黄色い水仙も咲き始めました。兎達は冬眠から抜け出して、外の新鮮な空気を、鼻を広げて吸い込む。嗚呼、久し振りの外の空気は旨い。ピクピク、いい匂い。見れば、葉に雪を残した黄色い水仙が、そこにはある。兎とはいえ、風流の心はある。思わず、その芳香を嗅ぎつける。クンクン、ハッハ。一羽は白い冬の装いを纏わず、茶色のまま。これは、高麗兎であるという指摘もあります。太い幹は枝を張り出し、先端には白梅を付ける。二羽の鳥も春の陽気に誘われて、枝の上で、恋の囁き。さあ、春が来ます（図110）。

でも、じっくり見てみるとオカシナことに気付きます。物には、固有色があります。赤い椿、白い梅、白と茶の兎、茶褐色の小鳥。では、白く降り積もった雪は、いったい何処にあるのか。胡粉が大量に要るだろうなあ。だが、ありません。白い雪がありません。あるのは雪の気配だけ。この場合、周りを黒く描いて、対象を白く塗り残し、その存在を知らしめるやり方です。そうです。「烘托法」を使用して、「白さ」を強調しているのです。西洋自然主義写実とは、遠い所にありますね（図111）。

この絵で言いますと、背景の空間の部分を薄暗く描き、塗り残した部分を白い雪に見立てているのです。すごい発想ですし、非常に手間隙のかかる技術が必要です。この技法は、沈銓の師匠の胡湄からも学んだだろうし、また、中国古来の伝統技法の一つでもあったのです。日本に伝来している、牧谿の弟子と言われる羅窓の『竹鶏図』（東京国立博物館）（図112）もその先例です。沈銓の使用した「烘托法」は、他の作品でも頻繁に使用されています。『雪中遊兎図』（京都、泉屋博古館）、『雪蕉仙鶴図』（北京、榮寶齋）などもそうです。沈銓絵画の「雪」が登場する場面は、ほとんど「烘托法」で表現されていると言ってよいでしょう。胡粉代が助かりましたが、それ以上に大変だったのは、手の込んだ「烘托法」の使用による「雪」の表現でした。画家の意地が窺えます。

112. 羅窓『竹鶏図』（東京国立博物館）

■参考文献
近藤秀實「南蘋試論─雪梅群兎図と雪蕉仙鶴図」（『古美術』85号　三彩新社　1988年）
近藤秀實「沈南蘋の足跡」（『古美術』93号　三彩新社　1990年）
近藤秀實「沈南蘋と長崎系画譜」（『近世日本絵画と画譜・絵手本』展図録。町田市立国際版画美術館　1990年）
近藤秀實「Shen Nanpin's Japanese Roots」（『ARS ORIENTALIS』19　The Univercsity of Michigan　1989年）
近藤秀實「沈南蘋周辺」（『多摩美術大学研究紀要』6号　1991年）

第11章

中国での調査報告——胡湄、沈銓、高鈞、高乾

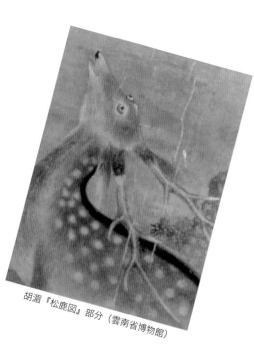

胡湄『松鹿図』部分（雲南省博物館）

日本に来日した画家達は「来舶画人」として一括りにされるが、もちろん、様々な画風を内包してのことだ。以下、沈南蘋画風と極めて近い、高鈞と高乾の作品を、中国での作品調査での報告書として掲げる。沈銓の師匠の胡湄の作品も紹介する。

江西省婺源博物館

江西省婺源博物館は小さな博物館であった。しかしこの博物館には、私にとって、大変興味ある作品が所蔵されていた。訪れたのは、2013年5月のこと。調査助手K女史と大変な旅をした。飛行機で上海から江西省の省都南昌へ。

南昌へは2008年に一度訪れていた。その南にある進賢で行われた「董源藝術國際學術研討會」に招かれて行ったのである。飛行機から見た江西省の地は赤く染まっており、一種独特の雰囲気があった。南昌の八大山人記念館を見学したが、ほとんどが複製品。進賢では、外国人は私ともう一人、中国在住の韓国人だけ。広大な部屋をあてがわれたが、ここで日本から持って来た目覚まし時計が壊れた。無理を言って、少し離れた町に時計を買いに連れて行ってもらった。小さな町であったが、印象深い場所だった。そこで、探し回ってやっと買い求めたのが、この時計。授業にも同伴し、現在は我が家で仕事に励んでいる（図113）。

113. 南昌市で買い求めた時計。今も現役

さて、南昌から婺源までの道程が大変だった。婺源は南昌からさらに北東に行った場所にある。婺源には、朱熹の祖籍がある。安徽省に近く、資源も豊

かで、かつて徽州 商 人が活躍した交通の要路にもあたる。まず、BUS の切符を買わねばならぬ。町に溢れる BIKE TAXI の後部座席に二人共乗り、市内に数箇所ある BUS 発着所に行き、どうにか切符を買い求めた。

BUS で、婺源郊外の発着所に着いた。今度は普通の TAXI で、市内に行くが、小さい町で、HOTEL もなかなか見つからない。珍しい外国人を好奇の目で見られながら（顔は同じでも、やはり、分ってしまうものらしい）、やっと一つの HOTEL に落ち着いた。博物館での見学調査は次の日の予定。夕食を摂りに町に出ると、さあ大変。数ある食堂の店先には、食用の 蛙 がたくさん籠に入れられてこちらを睨んでいる。私はとにかく、同行のK女史はまったくの蛙拒否症。食堂にも入れない。弱った。探しに探して、食べたのは粗末な菓子パンのみ。何たる晩餐。嗚呼。新造の廊橋が大きな川に架かり、LIGHT UP され、景色は美しかったというのに。惨憺たる夜だった。

ちなみに、我が家では、息子が蛙 FAN で、様々な GOODS COLLECTION がある。その息子の CHICAGO 大学卒業式のため AMERICA を訪れ、大学の卒業前夜祭を CHICAGO 博物館貸し切りで行った際、館内で見掛けた特別展示が「世界の蛙達」である。ORANGE や黄色の様々な色と形の蛙がこちらを睨んでいた。息子は現在 AMERICA に住むが、東京の我が家には、「蛙の本」がいっぱいあり、加えて、学生達が作った『鳥獣人物戯画』に登場する蛙関連の課題作品が山ほどある。ああそうか。私の息子は「近藤 圭」。「圭」に「虫」を付ければ、「蛙」になる。それで、息子は「蛙」（発音は違う）趣味になったのか。本来、「圭」は縦二本、横四本の直線による簡単な漢字で、古代の瑞 玉 を意味する。形は先端が三角に尖っている。率直で曲がりのない性格を表すともいう。息子は「圭」の玉もたくさん持っている。とにかく、「蛙」は面白い。ただし、息子の圭の専攻は、生物学ではなく宇宙物理と HEIDEGGER であった。

江西省婺源博物館では、大変親切にしていただいた。館長以下、学芸員も皆さん FRIENDLY であった。水

と緑の美しい婺源の地は、やさしい人々を育むのだろうか。

婺源博物館所蔵の胡湄の作品は、『芙蓉桂鷺図』であった。

以下、そのときの調査報告書をそのまま再現する。

胡湄「芙蓉桂鷺図」（図114）

絹本着色、129.0 × 53.0㎝。

114. 胡湄『芙蓉桂鷺図』（江西省婺源博物館）

画題の桂は丹、金木犀のこと。画面は白い花なので、銀木犀というか。またまた、「桂」が登場した。今度は、「木」に「圭」である。いやはや。

画面には、金木犀の樹が左下から右上に、斜めに大きく描かれ、葉先には満開の白い花を豊潤に着ける。金木犀は、丹桂、金桂とも言う。その白に呼応し、樹幹の後では豊麗な芙蓉の花が力強く存在を誇示する。たっぷりの胡粉の使用と、細密な筆の動きと、花弁の先の朱色との微妙な混合は、正しく南宋院体花鳥画の流れを汲むものである。樹幹を「没骨画法」による荒々しい水墨で表わしたのも、明代画院画家呂紀の得意とするところであった。この図での水墨表現は、また、土坡や枯れた下草、岩石にも使用される。画面下三分の一の場所に、やや剽軽な面持ちの白鷺を配置する。

しかし、この剽軽さは一般の院体花鳥画には、滅多に見られない要素であり、胡湄が独自に開発した境地となる。そしてこの作品は、構図・筆法・画題などの点に於て、沈銓絵画を研究する上でも重要なものとなる。樹木の枝には、二羽の色鮮やかな小鳥が配置されるが、この構図も沈銓が忠実に継承したものである。

胡湄と沈銓との師弟関係を示すものは、1930年刊の李濬之『清畫家詩史』と、1935年刊の孫振麟『當湖歴代畫人傳』くらいのものであるが、その中では、胡湄の弟子、つまり、沈銓の兄弟弟子として尤萃と李玥が挙げられている。尤萃の作品は、安徽省博物館に一点所蔵されており、李玥の作品は、これまた一点が東京国立博物館に所蔵されている。

沈銓絵画の祖型を、南宋院体花鳥画とその流れを汲む明代の呂紀などに置くことは当然ながら、清代に於て、浙江省平湖の地で胡湄が弟子達に与えた絵画上の特質を把握するのに最適の作品である。

ここで、李白の詩を一つ。

李白「白鷺鷥」

白鷺下秋水、　　白鷺、秋水に下り、

孤飛如墜霜、　　孤飛して、霜を墜すが如し、

心閒且未去　　心閒に、且らく未だ去らず、

獨立沙洲傍。　　独り立つ、沙洲の傍。

「白鷺が秋の水に降りて来た。孤り飛び来たるさまは、霜が降るようでもある。心静かにしつつ、しばらくの間去ることもなく、独りで沙洲の傍に立っている」

平坦な叙述で、格段の感動を覚えるものでもないが、この情景は、中国絵画でもよく扱われる内容なので紹介した。

周之冕『芙蓉白鷺図』（図115）

絹本設色。134.5 × 57.0㎝。

款記「萬暦辛丑秋暮、汝南周之冕寫」

印＝「周之冕印」（白文方印）、「腹卿」（白文方印）

萬暦20年（1541）の作。

周之冕は、明代後期の花鳥画の名手の一人であり、胡湄や沈銓の花鳥画も、この範疇から発展したとも言える存在である。日本の江戸時代の画史や画論に屢々登場する。彩色の妙や筆墨の確かさには、「古典と新奇」とが入り混じるものがあり、これらの要素を併せ持つ周之冕の絵画は、胡湄や沈銓、さらにその後に続く弟子達の根幹とも成り得るものである。

浙派の影響も指摘される周之冕の絵画であるが、確かにこの作品にも、その箇所が見てとれる。画面右、中程、突然、下に落ちんばかりの岩石が、所々点苔を交えながらくっきりとした水墨で描かれる。意表を突いた構図であるが、その下には、白鷺が驚き、身をすくめるように配置される。かなり大胆な構図だ。一般には、こういう部分を指して、浙派の影響云々というのだろう。白鷺のやや緊迫した状景は、おっとりしたものが多い彩色花鳥画と比較すると、珍しい画趣となる。

上方の枯れた葦は、存在感の薄い墨色で描かれ、

その途中には翡翠(かわせみ)が止まり、下方の白鷺の騒ぎを冷徹に注視している。上下に描かれる芙蓉は、描法も単純で、どことなく素気なく、正統派彩色花鳥画からの離脱を図る、空虚な感覚を湛える存在となる。

とにかく、緊迫した場面の表現は、また、沈銓の諸作品にも見られ、沈銓の学習領域の幅広さを示すものとなる。本作品は、1601年の制作となるが、質も高く、南蘋派の淵源を探る上でも重要な資料となるものである。

白居易の詩を一つ。

白居易 「白鷺」

<table>
<tr><td>人生四十未全衰、</td><td>人生四十、未だまったくは
衰えず、</td></tr>
<tr><td>我爲愁多白髮垂、</td><td>我、愁い多きが為、白髮垂(た)る、</td></tr>
<tr><td>何故水邊雙白鷺、</td><td>何の故か、水辺の双白鷺、</td></tr>
<tr><td>無愁頭上亦垂絲。</td><td>愁い無きも、頭上(とうじょう)亦(また)糸(いと)を垂(た)る。</td></tr>
</table>

「人生、四十歳、未だ全衰せず。しかし、私は愁いが多く、もう白髪だ。水辺の二羽の白鷺、愁いもないのに、どうして白い糸を垂らしているのか」

白居易は、自然描写になると、途端に平易になってしまう。親しみ易いといえば親しみ易いのだが。

高鈞 『柳馬図』 (図116)

絹本説色。61.5 × 41.5cm。

款記「乾隆戊辰九秋、爲蔭兄學長先生博粲、鸗浦高鈞」

印＝「高鈞之印」(白文方印)、他に朱文方印一印有り

乾隆13年(1748)の作。

沈銓と同時期に日本にやって来た画家とも言われるが、その根拠は乏しい。日本渡来時の記録も不確かで、それに関する中国側の資料も皆無に近い。だがその作品は、真贋はともかく、比較的多く日本に存在する。本作品は、中国本土に所蔵される高鈞作品の、極めて稀なものとなる。現在、私が確認する唯一の作品である。しかし、日本にある高鈞作品が、沈銓の画風とは、かなり遠いものが多いのに対し、この作品は、沈銓にかなり近似した画風を示すものである。

洞(うろ)を見せる二本の太めな古柳の樹幹の陰で、背

115. 周之冕『芙蓉白鷺図』(江西省婺源博物館)

116. 高鈞『柳馬図』（江西省婺源博物館）

中を白く表現された一頭の馬が姿を覗かせる。左前足に顔を近付け、擦り付ける状況の画面である。左上方の空間には、飛び行く数羽の小鳥が描かれる。画面感情は、あくまでも静謐、むしろ牧馬の孤独を表出するような演出である。馬と柳葉には彩色が施され、樹幹・下草・土坡は水墨による。この系譜は、趙孟頫の「画馬」に繋がるものであり、そしてそれを継承した沈銓の「画馬」にも通ずるものである。事実、画面上で展開される技術や画趣の表現方法からは、沈銓と高鈞との距離は極めて近いということが認識できる。今後の課題としては、南蘋派の一員としての高鈞の絵画を綿密に分析し、その同因子と差違の部分の抽出を行い、画家研究の精度を高めることの作業がある。この作品は、「九秋」（秋の３か月）に描かれている。

117. 沈銓『秋溪群馬図』（大和文華館）

沈銓『秋溪群馬図』（大和文華館）（図117）は1737年、高鈞『柳馬図』は1748年に描かれている。1733年、沈銓帰国後、様々な人々から注目を集めたが、高鈞もその画風を慕い、このような作品を描いたのだろうか。如何せん、中国本土に存在する高鈞の作品を他には知らず、比較検討がままならず、しかも出身地も特定できないのが歯痒い。

雲南省博物館

　中国での作品調査は、2013年8月に雲南省博物館でも行われました。

　雲南省の省都昆明は標高1,892 mの所にあり、8月であったにもかかわらず過ごしやすかった。そこでも館長や研究員から親切な扱いを受け、心地良い調査ができました。西洋人の旅行者も多く、食事も美味しい。美しい土地に住む人々は心も美しい。お目当ての作品の調査が終わった段階で、館員が数点の掛け軸を抱えて持ってきた。館所蔵の日本画であるが見てくれとのこと。ざっと見たが、ほとんどが大正・昭和の無名に近い画家の作品であった。

胡湄『松鹿図』（図118）

　絹本墨画淡彩。219.0 × 99.3㎝。

　　款記「胡湄」

　　印＝「飛濤」（朱文方印）、「胡湄印」（白文方印）

　画面中央部に、交差する松の太い幹を描き、その前に上方を見上げる剽軽な表情の鹿が登場する。鹿の見詰める方向、上方部には小枝に留まる二羽の小鳥がいる。これが鵲ならば通常の吉祥図となるが、ここではいささか怪しい。鵲は中国でよく見かける鳥で、吉報をもたらす鳥として喜ばれる。ただし、声はウルサイ。それを普通の鳥に置き換えたようだが、胡湄の演出としてもその意図するところは何処にあるか。通常の概念を外したところに胡湄の世界が表出されるものといってよい。胡湄独特の剽軽な雰囲気が顔を覗かせつつ、画面の構図は斬新且つ大胆で、清朝花鳥画の新機軸を開くものである。胡湄の彩色画には、一種の豊饒な色彩による華麗さがいつも伴うが、水墨画になると、どこかゆるやかで笑いを誘う魅力を持つ。胡湄の絵画世界の秘密を明らかにするのも今後の課題である。いずれにせよ、旅順博物館所蔵の『柳塘集禽図』と並ぶ、珠玉の水墨作品である。

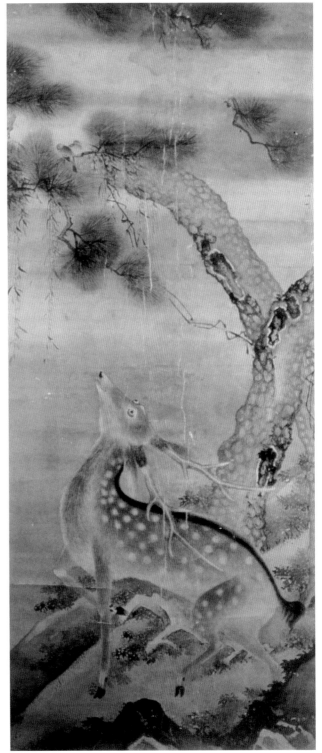

118.　胡湄『松鹿図』（雲南省博物館）

沈銓『松梅双雉図』(図119)

絹本設色。196.0 × 95.0cm。

119. 沈銓『梅花双雉図』(雲南省博物館)

款記「乾隆乙亥麦秋、南蘋沈銓、擬北宋人筆、時年七十有四」

印＝「沈銓之印」(白文方印)、「南蘋氏」(朱文方印)

構図は極めて特色のあるものであるが、筆致は細やかで丁寧。沈銓の本領を示すものである。画面右の中間部に、突き出た岩石が強調されて描かれ、その頂上に二羽の雉が留まり、下方を凝視する。最下部には小川の流れが見られ、中央部には竹・白梅・牡丹が描かれる。極めて豊麗華麗な世界の表出である。竹は佇立し、上方にまで突き進むが、そこには浮かぶが如くの松の枝が登場する。屈強な松が左右に枝を張り巡らしている。

意志力の強い水墨表現と、やや抑え気味ではあるが、十分に存在感のある彩色描法とが相俟って、不可思議な画面感情を醸し出す。一番遠くにあるはずの山塊が、画面下部にその頭をうっすらとのぞかせるのも、より幻想的風景となる。

乾隆20年(1755)、沈銓74歳のときの作品。「擬北宋人筆意」とするのは、沈銓絵画の目指す方向には、絶えず、宋代院体花鳥画に見られる細密描写による写実精神への追慕があったことを示唆するものである。水準の高い作品であるが、さらに同年に描かれた作品群との緻密な比較検討が必要となる。いずれにせよ、今後の研究に大きく寄与する作品であることは間違いがない。

高乾『錦上添花図』（図120）

紙本設色。188.0 × 91.8cm。

120. 高乾『錦上添花図』（雲南省博物館）

款記「辛酉桂月、浙西高乾寫」

印＝「高乾之印」（白文方印）、「其昌」（朱文方印）

乾隆6年（1741）の作品。画面下部に二羽の錦鶏、上方に二羽の小鳥。画面中央で両者を繋ぐのが、前方に大きく描かれた岩石。その背後から突き出るように配置された咲き誇るたわわな牡丹の群れ、萱草も見える。穏やかな画面感情で、極めて一般的な花鳥画の種類である。高鈞と同様、沈銓と同時期に長崎に渡ったとされるが、確かな証拠はない。

しかし、その画風には沈銓に近似するところもあり、款記にも「浙西高乾」とあることから、今一度綿密に検証されることが要求される。とにかく、現存の高乾の作品（ほとんどが日本にある）の表現と技術には、かなりの幅があることも確かである。

呂紀『夏景花鳥図』（図121）

絹本設色。172.0 × 108.0cm。

款記「呂紀」

印＝「四明呂紀廷振印」（朱文方印）

呂紀は、浙江省鄞県の出身。明代、弘治年間（1488 - 1505）の画院画家。諸家も指摘するように、沈銓はこの明代院体花鳥画の名手呂紀の系譜に繋がっている。もちろん、それは南宋院体花鳥画に始まることは言うまでもない。この作品の優劣はともかく、沈銓絵画の祖型を示す作品である。画面左下部から中央やや上に岩石が佇立し、その背後に芙蓉・梔子・牡丹が咲き誇りながら顔を覗かせる。取りわけ目立つのが梔子であり、一層大きく樹勢を誇る。その

121. 呂紀『夏景花鳥図』(雲南省博物館)

枝にはやや大振りの鳥が留まる。下部の地面には二羽の錦鶏がいる。岩石の表現に特徴があり、それは一種の陰影表現のようでもあり、通常の呂紀作品とは趣きを違える。

呂紀は江戸時代、日本でも高い関心を持たれていた画家であり、その系列に沈銓がいたわけで、これまた、沈銓に対する高い評価に繋がる理由となる。呂紀や辺景昭や周之冕などの花鳥画に対する愛好が、1731年来日の沈銓に対する高い評価の底支えをしていたわけである。

2013年8月には、雲南省博物館の調査を終え、次に浙江省に飛んだ。ここでは、大変大きな収穫があった。

浙江省徳清県博物館

呉琦『墨松図』（図122）

沈銓の弟子とされる呉琦の水墨画である。呉琦は沈銓と同郷である。沈銓の水墨画作品は少ないが、その内1点は徳清県博物館に所蔵されている。1995年、天津での調査でも呉琦の作品は見た。今次、その弟子の作品を調査し、彩色画による花鳥表現が特色の南蘋派にも一部水墨表現が行われていたことが確認された。

民間に所蔵される沈銓、及び弟子達の作品調査

今回は、沈銓の絵画の他に同じ出身地で沈銓の弟子であった童衡の作品を数多く調査することができた。童衡の作品は、師の沈銓よりも筆墨が強く、その色彩もやや淡白で一種の独自性を発揮するものの、その根幹には沈銓の絵画が強く認識されている。主題の選択とか、構図、形態描写などは、沈銓のそれを完全に踏襲している。なお、沈銓の『獅子戯児図』も調査した。これは、神戸市立博物館所蔵のものとほぼ同図のものであった。

沈銓使用印「家住 苕南餘不渓」の地理的位置の特定

沈銓の絵画には、「家住苕南餘不渓」の印が捺され

ているものが多い。とにかくこの場所を確かめるべく、最初に徳清県博物館を訪れ尋ねたが、若い館員の情報は不確かなものでしかなかった。諦めて館を出ようとすると、入口の傍らに一軒の文物商店がある。そこの主人に徳清を訪れた理由を話すと、「それなら知っている、明日、そこへ連れて行こう、なお且つ沈銓の故居があるからそこへも連れて行く」と言う。

ありがたいことだ。その日の夜は、彼の友人知人に声を掛け、それぞれ所蔵の沈銓関連の作品を持ってきて見せるようにと号令を掛けてくれた。しかし、状態の悪い物も多く、大半は、沈銓の弟子筋のものであったが、その行為には、本当に感謝している。

122. 呉琦『墨松図』（徳清県博物館）

123. 「餘不溪」の風景

124-1. 新市鎮

　次の日、地元の文学芸術界連合会（文連）の方々に
も会い、様々な情報を与えて戴いた。餘不溪は徳清県
の旧中心地である乾元にあり、そこにはその文字を
使った地名もあった。現在の徳清の町から車で小一時
間の場所にある。その町の一角には、確かに、「余不
弄」という地名があった。ここが「餘不溪」である
（図123）。

　次はいよいよ車で40分程の、新市鎮に向かう。そ
こには小さな沈銓記念館があり、沈銓の故居があると
いう。現地は私にとって初めてであった。小さな水路
が縦横に走るこぢんまりとした町である。その水路沿
いの民家の一角に沈銓関連の資料を展示する、いわゆ
る記念館があった。現地の地図を買い求め、次には沈
銓の故居を訪れ、沈銓の末裔である沈美玉さんに会っ
た（図124）。

　私の沈銓をめぐる旅は、この年（2013年）でやっと
一区切りついた。次は、沈銓の家系を詳しく調査する

124-2. 新市鎮・沈銓故居

124-3. 新市鎮・沈美玉さんと筆者

べく、さらに別の場所を訪れなければならないだろう。
「餘不溪」は、予想していた山間のひっそりした地、
いわば深山幽谷の佇まいとは大きく掛け離れた場所に
あった。とは言え、往時は現在より緑も豊かで、水も
清く、沈銓が故郷を追慕するにふさわしい地として、
「餘不溪」を選んだことには納得がいくものであった。

（「餘不溪」関連の詳細な地理、及び歴史的背景に関しては、
『湖州府志』等を駆使し、調べ上げ、論文にその一部を発表
しました。そちらを御覧ください）

■参考文献
近藤秀實「南蘋の実像とその影響」鼎談（『日本の美術』
　「宋紫石と南蘋派」　至文堂　1993 年）
研究誌『沈銓研究』（徳清県沈銓研究会　2008 年〜）
近藤秀實「2013, 南蘋漫遊」（『多摩美術大学研究紀要第
　28 号』　2014 年）

沈銓の弟子、同時渡来説に対する疑問

沈銓『雪蕉仙鶴図』部分（北京・栄宝斎）

沈銓の絵画は、日本で「南蘋派」を形成しましたので、「沈南蘋」とも呼びましょう。「南蘋」は沈銓の号でしたね。

ここで、沈南蘋来日当時、弟子で一緒に来日したとされる中国人画家を見てみよう。

ただし、こう言われるのも、日本の一部の資料だけであるが、その信憑性は疑わしい。とにかく、同時来日云々はともかく、その作品に沈南蘋絵画の要素位は確認できなければならないと考えるのだが。『中國美術家人名辭典』（兪劍華）には、高鈞は「清、號霽亭、浙江人、沈銓弟子、善畫。雍正七年（1729）與其師同遊日本長崎」、高乾は「清、字其昌、號萍蕘、浙江人、沈銓弟子、善畫、雍正七年（1729）與其師同遊日本長崎」とあります。出典はいずれも『支那畫家辭書』とある。雍正7年（1729）来日説は中国の文献にあるが、正しくは雍正9年（1731）であることは私が以前指摘しておいた。とにかく、高鈞、高乾は、沈銓と同時期に共に来日したという説明である。しかし、それは誤りであろう。江戸時代の長崎に於ける中国船の出入記録『唐船進行回掉録』にもその名は見えないし、彼等の日本での行動も一切不明である。ただ、通説はまだ根強く残っている。

古賀十二郎『長崎画史彙伝』では、「高秉鈞、または高鈞とも云う」として次の資料を掲げる。

『元明書畫人名録』（安永6年1777）　高秉鈞、字輔皇、花鳥。

『捃印補正』（享和2年1802）　高秉鈞、字輔皇、號霽亭。印＝「高印秉鈞」「輔皇」「高鈞印」

朝岡興禎『古画備考』（19世紀）　高鈞、號霽亭、南蘋弟子、同時渡來。

ただし、この中の高秉鈞については、江蘇無錫の人として、竇鎭『國朝書畫家筆録』（宣統3年1911自序）に、嘉慶朝「高秉鈞、工書、字錦庭、工醫、求治者應手輒愈、著有瘍科心得集、喜臨摹魯公爭座帖、能得神趣」とあるのが気になる。同姓同名か。無錫の高

秉鈞は、嘉慶朝（796－1820）の人、それも医者で著書もあり、書は顔真卿を学んだとし、絵を描いたとは記してない。来た来ないはさて置いて、我々美術史家はその作品の価値を知らねばならない。所詮、画家を語るとき問題にすべきは作品の質であろう。沈銓の弟子と言うなら、その作品に、沈南蘋の面影や片鱗があってもよさそうだが、日本にある高鈞の作品は、いずれも沈南蘋の作品からは遠く離れた所にあるものばかりである。これをもって、沈銓と同時にやって来たなどとは、どう考えても言えない。私は、二人が同時期に来日したという説は取らないが、実は高鈞と沈銓の作品との接点を示すものが中国にあったことは述べた。何等かの関係があったことは窺われる。

次に、高乾に触れておこう。

古賀十二郎『長崎画史彙伝』には、次のように掲げる。

> 『元明書畫人名録』　高乾、字其昌、號萍庵、花卉
> 翎毛。
> 『捃印補正』　高乾、字其昌。印＝「高乾之印」
> 「其昌」
> 『崎陽名畫録』　高乾、字其昌、號萍莽、南蘋弟子、
> 亦同時渡來。

これだけ同じ情報が流され続ければ、つい信じてしまうのが広告の常。やっぱり、やってしまった。

高乾については、面白い話がある。これをそのまま信じて良いかは別として、以下、紹介する（片仮名は平仮名に改めた）。

森蘭齋『蘭齋畫譜』（天明2年1782）
「繡江熊先生小傳」（抜粋）

> 居ること三年、南蘋西に歸る、先生別を悲み病を致と云、其後、高乾、字は紀章と云人、華舶に従て來て館内に入、直に譯胥を呼て彦之進に見んことを請、先生出て謁す、紀章日、予南蘋傳法の弟子高乾と云者也、沈夫子汝の精勤に刻苦なるを感じ、傳法の盡さざることを憾み、吾に命じて其法

を傳えよと也、即師の書翰ここにありとて懐より一書を出し與ふ、先生感泣拝戴す、而紀章にことあること南蘋にことあるが如く三年、終に其蘊奧を極盡せり、是に於て先生の名海内に遍く、四方來學ぶ者ほとんど千人に及と云。

この文面よると、高乾は、熊斐にさらに沈銓の画法を教えるべく来日し、3年は滞在したことになる。「予南蘋傳法の弟子高乾と云者也」と自己紹介している。しかも、沈南蘋からの書翰も携えていると言うのだ。ある研究者は、次のように述べる。

> 高乾は字を其昌といい、萍庵、含山と号した。浙江省崇徳県石小鎮の人。『春王双喜図』に付属する高乾の題詩には壬子（享保十七年）長崎において描いたと記されているから、画史の伝えるように南蘋に同行した来日したのであろう。さらに後に引く「繡江熊先生小伝」の記事を合せ考えると、南蘋とともにいったん帰国し、すぐに再び来日して熊斐に三年間画法を教えたこととなる。南蘋画のもつ写実性と色彩の鮮麗さには及ばないが、四人の中ではもっとも南蘋に近いといえよう。

高乾の絵が、最も沈南蘋に近いとは、私は考えない。

さても、悲しいのは研究者である。残された僅かな文献資料の記述に左右され、右往左往としてしまう。我が身に照らし合わせてもそれはわかる。

沈銓と同時に日本にやって来た弟子達という説をとり、辻褄を合わせようと必死に努力する姿は涙ぐましい。もし、事実がそうであったなら、という前提に立って論を進めていくのだが、肝心の作風に至って破綻をきたす。俗説よりも、作品そのもので日本に於ける南蘋画風の立ち位置を考えるのが、美術史研究者の役目だ。しかし、日本の文化は、由緒伝来という付属の部分を殊更に強調して、その価値をさらに高めようとする癖がある。本体より、装身具付属品を見る。虚飾に身を任す、虚飾の美に陶然とする癖がある。それも文化ではある。

沈銓の弟子達について見てみよう。

以下、鶴田武良『宋紫石と南蘋派』（至文堂『日本の美術』326　1993 年）から該当部分を抽出し、私の批判を加える（番号は筆者）。

①沈南蘋は来日に当って弟子を伴って来たと伝えられる。また、帰国の後、再び招かれたが、南蘋自身は来航せず、代わりに弟子を送ったということを安西雲煙（1806‐1852）は『書画展観略記』に書き留めている。

②長崎に来舶した沈南蘋の弟子として、高鈞、高乾、鄭培（ていばい）、梁基（りょうき）の四人の名が伝わっているが、長崎での日本人との交遊については伝わるところがないし、伝存作品も梁基の十五点は例外で、数点しか知られない。また、他の来舶画人は、長崎で描いた作品には、中国の年号を用いても「崎山の客舎に於いて」と記すことが多いのに、四人の作品にはそれがない。

③また、四人の作品には沈南蘋の特色である写実性がうすく、日本的な情感を持っていて、沈南蘋と四人ではその画風にかなりの隔たりがあったと考えられる。

④それが四人を日本で有名にしなかった原因ではなかろうか。伝存する沈南蘋の作品の多いことと、日本での高い評判を考えると、南蘋が伴って、また代わりに送った四人の名が、当時の長崎においてさえあまり知られず、来日の百年余り後には伝聞というかたちでしか伝わらなかったことは不思議と言えよう。

以下、私の批判である。

①史料批判が必要であろう。即ち、伝聞であったとするならば、その根底が崩れ去ってしまう。中国側にこれに関する記事はない。

②ここで浮上する高鈞、高乾、鄭培、梁基の四人が、来日した沈南蘋の弟子であるという説は、中国でも、一般的な図録解説などで用いられ、兪剣華編『中國美術家人名辞典』でも、高乾、高鈞は、「雍正七年（1729）、與其師同遊日本長崎」とする。沈南蘋の雍正 7 年（1729）来日説は、中国側の資料では見られ

るものの、誤りであり、正確には雍正 9 （1731）年であり、このことは当時の長崎に於ける外国船出入記録である『唐船進港回棹録』にはっきりと示されている事柄である。同辞典では、鄭培は、「沈南蘋（銓）弟子。善花鳥、嘗從其師遊日本長崎、亦有名於時」とあり、沈銓と同時来日説を採る。ただし、梁基に関しては、記載されていない。

③沈南蘋の画風とその弟子達との間に、かなりの隔たりがあったとするのは、何を意味するのだろうか。師匠の画風を継がない弟子とは、当時の状況を鑑みると、かなり反逆的でもある。では、沈銓はなぜ敢えて、彼等を同伴して来たのか。その目的は何なのか。考えれば考える程、五里霧中となる。スマン、解決を先送りにして。つい、官僚答弁になってしまって。

帰国後の沈銓

沈銓は、1731 年に来日、1733 年に帰国します。

このことは、江戸時代の出入国記録『唐船進港回棹録（とうせんしんこうかいとうろく）』に記録されております。

「享保十六年、三拾七番南京、陳朗亭、本年十二月初三日帯亥牌進港、高友聞、丑九月十八日回棹、沈衡齋、給南京乙卯牌、該年壹次」とあります。享保 16 年辛亥は、西暦 1731 年です。丑は癸丑（みずのとうし）のことで、享保 18 年、西暦では 1733 年となります。沈銓は南京仕立ての船で来日しました。船主は陳朗亭、1733 年帰国の際には、沈銓に 1733 年の再来日を認めた PASSPORT が与えられましたが、沈銓が再び来日した痕跡はありません。なぜでしょうか。その理由は、わかりません。沈衡齋（shēnhéngzhāi）とは、沈銓のことです。

「南蘋は、日本での評判に気を好くして、帰国後も日本に作品を送り続け、果ては工房で弟子達に沈南蘋風の作品を描かせた」という説があります。確かに、現存する沈銓作品は、帰国後の年記が書かれたものが多く、質も若干落ちるものもあります。沈銓の弟子が、沈南蘋の署名をし、それを日本に送ったという可能性もあります。しかし、沈銓が弟子に命じてそれを行わ

せたという証拠はありません。世が世ならば、沈銓は「名誉棄損」の訴訟を起こしていたかもしれません。中国側で沈銓に関して書かれた詩文には、金銭に疎く、穏やかな性格であったとするものばかりです。一個人の人格を無視して、FAKE NEWS を流すのは、以ての外、政治家はともかく、少なくとも研究者の取る態度ではないと思います。

　沈銓故居のある新市鎮が属する徳清県には、徳清県博物館があります。1995 年、周教授と訪れたときは、旧中心地である城関鎮（乾元鎮）にあり、その博物館は、探し当てるのが難しい程質素で小さな博物館でした。二人で小さな道路を巡り巡り、やっと見付けました。小さな門をくぐり抜けると、そこには庭があり、樹木の傍らに陶片が山積みになっていたのが印象的でした（後で調べると、比較的有名な徳清窯のものであったのです）。昼の食事は、館員の章海初（zhāng hǎi chū）さんに連れられて、町の小さな食堂に出掛けました。こういう所の食事は最高。食事後の昼休みには、館内で卓球に興じます。そして、午後も調査です。そのとき、沈銓の故居のことは一切知らず（知ったのは 18 年後です）、同時に調査した曾鯨の描いた『胡爾慥（hú mǐ zào）』が、やはり沈銓の故居のある新市鎮出身で、彼の家が沈銓故居の近くにあったということも、もちろん知りませんでした。歴史は巡る。研究も巡る。我々、貧乏な研究者にとっては、このような事実に遭遇することが、何よりの幸せなのです。

　夕食には、館員の章海初さんの家に招かれ、地元料理を戴いた。そのとき、沢庵漬（たくあんづけ）が出たのには、びっくりしました。かつて、この地に日本軍が進攻したときの置き土産だったのだろうか。それとも、昔からこの地にあったものか。一瞬、様々な疑問が頭の中をよぎりましたが、敢えて質問はしませんでした。沢庵さん、ご返事を。防風氏（fángfēng shì）伝説を聞いたのも、この家でした。防風氏（ぼうふうし）は海洋民族であり、日本人はその子孫であるという、面白い話を聞きました。そうすると、日本の沢庵漬（たくあんづけ）は江戸時代に発明されたものではなく、防風（ぼうふう）氏によって日本にもたらされたことになるのか、そんな古代にそもそも大根があったのか、色んな妄想が働

きます。大根の歴史も調べなければ。大根さん、ご返事を。旅では、出会う人々から様々な興味ある話を聞きます。これも、旅の醍醐味。近くには、確かに、防風氏（ぼうふうし）の遺蹟なるものもあり、数年後に訪れました。そして、「12 月 8 日の一つ目小僧」を、学生達と調べたとき、またまた防風氏（ぼうふうし）が登場したのにも驚きでした。章海初（しょうかいしょ）さんの家での夕食時、可愛い女の子がいましたが、今や立派な大人でしょう。その後、新しく大きくなった徳清県博物館は、現在徳清県武康鎮にありますが、そこには、童衡の作品も数点所蔵されています。

　童衡、号は僊潭（せんたん）。僊潭は新市鎮の別名である。彼も新市鎮出身で、沈銓の弟子である。

　『松鶴図』（天津博物館蔵）には、「僊潭童増寫」「童塏

125.　童衡『柏鹿図』（広州市美術館）

補景」とある。童塏は、江蘇華亭の人。萬暦年間に活躍したとされる。但し時代が合わない。息子の童錦・童銓も画家として活躍したが、皆、鈎勒花鳥画を得意とした。この周辺の研究はこれからである。

童衡の作品は、中国にかなりある（図125）。また、沈天讓は、沈銓の族子と言われ、沈銓風の絵を描いた。

沈南蘋『獅子戯児図』

2017年のことです。CHRISTIE'SのAUCTIONの、東京での下見の会で、三点目の沈銓『獅子戯児図』に遭遇しました。紐育のAUCTIONでは、相当高値で取引されたようです。

大変MODERNで、風変わりな表装を纏ったこの作品は、大阪の藤田美術館から出たもの。藤田家の、昭和4年（1929）の売り立て目録には、沈銓『老松雙鶴図』（着色絹本、竪六尺四寸、巾三尺二寸）が載り、まったく同じ表装です。こちらには、「乾隆甲戌三秋南蘋沈銓寫」と年記が見えます。乾隆19年（1754）の作となります（図126）。

一方、同じ表装を纏った『獅子戯児図』（絹本着色。194.4×97.7㎝）は、「乾隆癸酉春王南蘋沈銓寫」と年記があり、「沈銓之印」「南蘋氏」「衡齋」「家住苕南餘不溪」の印が捺されています。乾隆18年（1753）の作となります（図127）。

そして、神戸市立博物館蔵の沈銓『獅子戯児図』

126.　沈銓『双鶴図』（旧藤田）

127.　沈銓『獅子戯児図』（旧藤田）

（絹本着色。196.2 × 96.7㎝）は、「乾隆丙子秋南蘋沈銓寫」とあり、「沈銓之印」「南蘋」「家住茗南餘不溪」の印が捺されています。

　これは、乾隆 21 年（1756）の作となります（図 128）。中国、個人蔵の『獅子戯児図』には年記がない（図 129）。この 4 点を時系列で追えば、旧藤田の『双鶴図』、同じく旧藤田の『獅子戯児図』、神戸市博物館の『獅子戯児図』となります。中国、個人所蔵のものは、どう捉えるのか。実は、未だ結論が出せ得ていません。悪しからず。

　沈銓の絵には、西洋画の影響が見られるという説がありますが、これは、皆、西洋画 COMPLEX 信者の謂いであります。私は、その説には同意しません。と

にかく、光と影の概念が見られない立体表現には、西洋絵画の影響云々を言う必要はありません。中国には、元来、「隈取」などで立体表現を行う技法が備わっていたからです。

　郎世寧（ろうせいねい）（1688 - 1766）は、本名 GIUSEPPE CASTIGLIONE、JESUS 会の伊太利人宣教師。絵が旨く、中国絵画の伝統と西洋絵画の伝統を折衷させました。雍正年間（せい）（1723 - 1735）から乾隆年間（けんりゅう）（1736 - 1795）北京に滞在し、皇帝に気に入られ、一種の宮廷画家の扱いを受けました。さて、郎世寧が、北京に到着したのは、康熙 54 年（1715）です。最初は、基督教（きりすと）の布教活動に熱意を示すものの、それには多大な困難が伴い挫折しそうになったのですが、幸い絵が巧みであった

128.　沈銓『獅子戯児図』（神戸市立博物館）

129.　沈銓『獅子戯児図』（中国・個人蔵）

ために生き延びることができました。宮廷で優秀な建築技師、あるいは画家として活躍を始めました。乾隆帝のお気に入りとなったのです。あたかも、郎世寧の影響を沈銓が受けたというようなことを示唆する解説がまかり通っています。嘆かわしい。

　沈銓の絵画には西洋絵画の影響があると、まことしやかに伝えられますが、それに対する反論を一つ。以下、まず、当時の社会状況を考えてみます。

　作品の完成度の極めて高い、沈銓『雪梅群兎図』は、康熙55年（1716）に描かれています。これにも西洋絵画の影響があるというのでしょうか。影響があるという論者は、ほとんどが宮廷画家郎世寧のことを念頭において語っています。日本に来る前の沈南蘋の活動の場は、浙江省北部の、故郷である新市鎮の周辺、徳清や呉興、あるいは師匠胡湄の故郷平湖の周辺だったでしょう。揚子江の南の地域です。帰国後は、もう少し活動範囲が広まったと思えるのですが、いずれにせよ江南の地域。時には、杭州や蘇州にも出かけたでしょうが、確たる証拠は見つからない。揚州での文雅の集まりに顔を出して、同じ画家の崔鏏と人物画談義に及んだことは、記録されています。

　いずれにせよ、北京まで出掛けたという記録もない。

　揚子江南の浙江省北西部で活躍していた沈南蘋に、北京で行われていたところの郎世寧主導の西洋画法に触れる機会はあったのだろうか。おそらく、皆無に近かったであろう。何せ、郎世寧は宮廷画家扱い、いわば門外不出の西洋画法であろう。郎世寧が、たとえ市中に工房を構えていたとしても、そこから容易に技術が流出するとは思えない。とにかく、1715年に北京に達した郎世寧が宮廷画家として迎え入れられたとしても、その技法はおそらく秘伝中の秘伝であり、それが流出し、1年の間に沈銓の所まで届き、それを基にして1716年の『雪梅群兎図』が描かれたなどということは、到底考えられません。沈銓の絵に立体的表現の要素が見られるとしても、それは中国伝統の写実法、とりわけ南宋院体花鳥画で完成された所の「中国写実法」の発展的継承であると考えた方が良い。

　「写実」＝「西洋画法」という、安易・短絡的な解釈は用をなさない。「光と影、解剖学的正確さ」その他の「西洋写実主義的自然主義」要素など、微塵も感じられないのです。如何。

猫の金色の瞳

130.　沈銓『牡丹猫石図』（鎮江市博物館）

沈銓『牡丹猫石図』（鎮江市博物館）（図130）に描かれる猫は、金色の目に縦に長い瞳です。これと、傍らに咲き誇る牡丹は、正に栄華の真最中。要するにこれは吉祥図の一つなのです。1995年、周積寅教授と作品調査をしたときに、珍しい作品に遭遇しました。揚子江沿いの都市、鎮江のことです。私は、「猫」を飼育したことがありませんから、「猫」についてはあまり詳しくないのですが、出された作品に画かれた「猫の瞳」が、片方金色で、且つ縦に細められているではありませんか。館員によると、「猫の金目」は稀にですが存在するとのことでした。縦の細目は、「吉祥図」を象徴するものです。

中国では、「猫」の吉祥図案がしばしば使われるのですが、理由はこうです。一日で、一番「陽の気」が強い時間、即ち、「正午」には「猫」もその太陽の光のあまりの眩しさに、目を細めるというのです。要するに、「猫の細目」は「陽気の盛んなこと」の象徴であり、極めて好ましい一日での「栄華の頂点」の状態を示しているわけです。

正午になると、確かに天空の頂点に「太陽」が存在し、「陽の気」が燦燦と地表に降り注ぎます。最近は、真冬でも日除け傘を持ち歩いている人々を見掛けますが、これはたぶん世に存在する「邪気」を防ごうとする自己防衛策なのでしょう。強い「陽気」に弱いのは、なにもDRACULAだけでなく、「シミ」に敏感な御婦人達も同じです。

ついでに、虎にも及んでみましょう。

「虎」は、東亜細亜にも生息しているようです。画題としてもよく取り上げられます。

沈銓『喜報三台図』（浙江省博物館）（図131）は、母子虎の図です。やはり瞳は縦に細い。

虎（甲骨文字では、🐅）の母親が、足を舐め（猫みたい。虎もネコ科か。日本でも、見たことのない虎の絵を描くときには、頻繁に猫の所作を観察して仕上げただろうな）、瞳を縦に細めている。下の方には、三匹の小虎がいます。沈銓自ら、『喜報三台図』とその題名を記したわけは、この絵が「吉祥図」であることを物語っているのです。虎は、人間に危害を加える猛獣ですが、一転して、富

131-1. 沈銓『喜報三台図』（浙江省博物館）

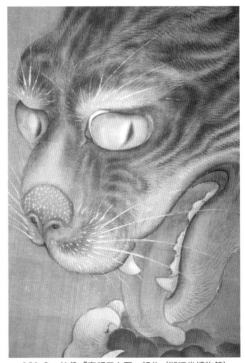

131-2. 沈銓『喜報三台図』部分（浙江省博物館）

131-3. 沈銓『喜報三台図』部分（浙江省博物館）

132. 年画『金虎』

133. 沈銓『耄徳洪基図』部分（広東省博物館）

を竇す象徴としても扱われたのです。特に、「年画」に登場する金銭絡みの、『金虎』は、学生にも人気が高いものです（図132）。

「三台」は、この場合、「三つの星」を意味します。三つの星は、紫微星を守る、上台星・中台星・下台星です。これは、大尉・司徒・司空、つまり三つの官位に当てられ、その出現は、つまり、立身出世を意味することになります。

ただし、私は、「正午の猫の瞳」の実体を把握しているわけではありません。事の詳細は、どうぞ動物学者にお尋ねください（責任放棄とおっしゃらずに。私は、INTERNETで検索する趣味は一切持ち合わせていない旧人類なのです。それを「狂気」とおっしゃるのは筋違い。「気」は確かなのです。「正気」です）。

ついでに、沈銓『耄徳洪基図』（広東省博物館）（図133）を紹介します。これも一見風変わりなのですが、吉祥図の一つなのです。眼も金色のようですね。「耄」（mao）は老人のこと、長寿を意味する「猫」（mao）と

同音、「徳」（de）は、「得」（de）と同音、「洪基」は大きな事業の土台、「洪」は大きなこと、「基」（ji）は「吉」（ji）と同音、そして、「鶏」（ji）とも同音。「田鶏」は「殿様蛙」。つまり、「老猫」が見事に、大きな「吉」、この場合「殿様蛙」を仕留めたのです。残酷ですが、目出度し目出度しの場面である。蛙は可哀そうだが仕方がない。先日は、我が家の近辺で猫が鼠を仕留めた光景に出くわした。これも仕方がない。

「金色の眼」に魅せられた後、常州に移動し、常州市博物館で調査を行った。当時、常州のお菓子（点心）は、なぜかすべて美味しかった。館員の方は詩人であった。会話が楽しく、そこの「南蘋」の「南天」の絵が、一際「赤さ」を増した。調査の旅は、作品と人々との出会いの場でもあるのです。

沈銓──「鳥達」の物語

沈銓は「鶴」の絵をたくさん描いています。鶴は「吉祥図」の一つです。

以下、沈銓『雪蕉仙鶴図』等について見てみましょう。その前に、白居易の詩を。

白居易「池鶴二首」

高竹籠前無伴侶、　高竹籠前、伴侶無く、

亂雞羣裏有風標、　乱雞羣裏、風標有り、

低頭乍恐丹砂落、 低頭し、乍ち恐る、丹砂の
落つるを、

晒翅常疑白雪消、 翅を晒せば、常に疑う、
白雪の消ゆるかと、

轉覺鸕鷀毛色下、 轉、覚ゆ、鸕鷀の毛色の
下なるを、

苦嫌鸚鵡語聲嬌、 苦だ嫌う、鸚鵡の語声の
嬌なるを、

臨風一唳思何事、 臨風、一唳、何事を思う、
悵望青田雲水遥。 青田を悵望するに、雲水、
遥なり。

「高い竹籠には伴侶もいないが、乱れた雛群の中
では、風標がある。頭を低れると、丹砂が落ち
はしないかと心配し、羽根を広げれば、白雪が消
えるかと心配する。ますます、鸕鷀の毛色の下品
なるを知り、鸚鵡の嬌声が嫌になる、風に臨ん
で一鳴きし、何を思うのか。青田の雲水の、遥か
なるを悵望するのだろう」

［語注］風標＝高尚な風格。

まあ、何とお高く留まった鶴さんなんだろう。皆下
品、私だけが上品といったところで、どうにもなるも
のでもないと思うのだが。マア、好き好きだ。

池中此鶴鶴中稀、 池中の此の鶴、鶴中の
稀なり、

恐是遼東老令威、 おそらく是れ、遼東の
老令威ならん、

帶雪松枝翹膝脛、 雪を帯びる松枝に、膝脛を
翹げ、

放花菱片綴毛衣、 放花の菱片に、毛衣を綴る、

低廻且向林間宿、 低廻し、且らく向かう林間の宿、

奮迅終須天外飛、 奮迅し、終に須らく天外に
飛ぶべし、

若問故巢知處在、 若し故巣を問うて処在を
知るも、

主人相戀未能歸。 主人、相恋いて、未だ帰る
こと能わず。

「池中にいるこの鶴は、鶴の中でも稀なものだ、
おそらくは、遼東の丁令威であろう、雪の積もっ
た松の枝で、膝や脛を翹げ、花開く菱の辺りに毛
衣を綴る、低廻し、しばらく林間に宿すも、やが
ては奮迅し、終には天外に飛ぶだろう、故巣を問
うてその場所がわかったとしても、主人と相慕う
仲なので、未だ帰るに帰られずにいる」

［語注］老令威＝丁令威。漢の人。仙術を学んで、鶴に化
して天に昇った。

健気で可愛い鶴。どこか気取った鶴。そうではなく、
愛嬌を内に秘める鶴もいる。

私が、鶴の絵で一番好きなのは、沈銓の『雪蕉仙鶴
図』だ。

沈銓『雪蕉仙鶴図』（北京・榮寳齋）（図134）

絹本設色。171.0 × 56.8㎝。

款記「乾隆己巳長至呉興沈銓擬古」

印章＝「沈南評」（朱文方印）、「衡齋」（朱文方印）

乾隆14年（1749）の作品。1995年秋10月、北京・
故宮博物院での調査を終え、瑠璃廠にある栄宝斎で
調査をした。この作品は、以前、東京の展覧会で観て、
大変興味のあるものであったが、実際に間近に観て
益々好きになった。授業では学生達に必ずこれを見せ
ます。絵画芸術の真骨頂作品として。「無声詩」の代
表作品として。

師匠の胡湄の得意とした「烘托法」を用いて、重く
湿った空間を薄い墨色の濃淡で示し、固有色の白は、
白鶴と蠟梅と寒椿に胡粉を着けるだけ。芭蕉の葉に積
もった雪は、単なる塗り残し技法（烘托法）で白さを
強調する。丹頂鶴の頭部の朱色は一際映え、切れの良
い濃墨の使用も、脚、尾羽、首、さらに上方の芭蕉の
一部にまで及び、見事な緊張感を保つ効果を示す。画
中に三角形構図を使用し、上方に向くVECTOR効果
も素晴らしい。絶妙なのは、枯れた蠟梅の葉に付着し
た雪の表現である（図135）。「烘托法」がここまで微
妙な息遣いを表現した例は数少ない。半眼開いて佇む

134. 沈銓『雪蕉仙鶴図』（北京・榮寶齋）

135. 沈銓『雪蕉仙鶴図』（部分）（蠟梅に雪）

136. 沈銓『雪蕉仙鶴図』（部分）（鶴の眼）

鶴の表情は、学生達にも大人気である（図136）。私は、学生達をからかって言う、「この姿は、君達が私の授業を聞いているときの姿だよ」と。正に、居眠り中の姿である。伊藤若冲が沈銓の影響を受けていることは疑いがないが、若冲の『動植綵絵』の「梅花群鶴図」（図137）の、一羽の鶴の表情を見ると、こうまで似るのかと不思議でならない。動物観察は得意な二人

137-1. 伊藤若冲『動植綵絵』「梅花群鶴図」（宮内庁・三の丸尚蔵館）

137-2. 伊藤若冲『動植綵絵』「梅花群鶴図」部分（宮内庁・三の丸尚蔵館）

138. 黒川亀玉『芭蕉孤鶴図』（東京国立博物館）

である。たまたま、その着眼点が偶然に一致したのか。そうではあるまい。精神の RELAY である。学び取ることにより、何等かの DNA を、自ずから共有することになったのである。胡湄と渡邊華山_{わたなべかざん}の例もそれに該当するように。

黒川亀玉_{くろかわきぎょく}『芭蕉孤鶴図_{ばしょうこかくず}』（東京国立博物館）（図138）も、同工異曲の作品と言ってよかろう。これには、「蕉陰僻羽圖、擬沈南蘋筆、亀玉」とある。沈南蘋を学んだとする。黒川亀玉『柳蔭野馬図』（神戸市立博物館）（図139）も謎の作品である。DNA は、時空を超え

139. 黒川亀玉『柳蔭野馬図』（神戸市立博物館）

て、他に伝達するものなのか。これには、「擬沈南蘋
筆、商山處士亀玉」とある。黒川亀玉（1732－1756）
は江戸の人。

「鸚鵡」と「鶏」

胡湄『白鸚鵡図』、伊藤若冲『鸚鵡図』（BOSTON 美
術館）（図140）、戸田忠翰『白鸚鵡図』などたくさんの
「鸚鵡図」がありますが、スイマセン、沈銓の「鸚鵡
の絵」は知らないのです。どこかにあるかもしれませ
ん。

鸚鵡は、よく人語を真似る。羽も美しく、人からは
重宝がられるが、所詮囚われの身であることには変り
がないのです。

『禮記』「曲禮上」

鸚鵡能言、不離飛鳥、猩猩能言、不離禽獸、今
人而無禮、雖能言、不亦禽獸之心乎。
（鸚鵡は能く言えども、飛鳥を離れず、猩猩は
能く言えども、禽獸を離れず、今、人にして礼な
ければ、能く言うと雖も亦た禽獸の心ならずや）
「鸚鵡は人の言葉を真似ることが旨くても、鳥で
あることには変わりがない。猩猩は人語を解すが、
所詮、禽獸である。人間も礼を失えば、巧みに話
せたとて心は禽獸と同じである。気を付けなさい」

猩猩は想像上の動物。人語を解し、その声は子供の
泣き声に似ると言う。また、ORANGUTAN を指すこ
ともある。人間は、言葉巧みであっても、人たる「礼
と実」がなければ意味を成さないという戒めである。
私も、本当にそう思う。

白居易「雙鸚鵡」

緑衣整頓雙棲起、	緑衣、整頓し、双び棲起す、
紅嘴分明對語時、	紅嘴、分明なり、対語の時、
始覺琵琶絃莽鹵、	始めて覚ゆ、琵琶の絃、莽鹵なるを、
方知吉了舌參差、	方に知る、吉了の舌、參差たるを、
鄭牛識字吾常歎、	鄭牛の識字、吾、常に歎じ、
丁鶴能歌爾亦知、	丁鶴の能歌、爾、亦、知る、
若稱白家鸚鵡鳥、	若し、白家の鸚鵡鳥を称せば、

140. 伊藤若冲『鸚鵡図』（BOSTON 美術館）

lóng zhōng jiān hé jiě yín shī	
籠中兼合解吟詩。	籠中、兼ねて合に吟詩を
	解すべしと。

「二羽の鸚鵡は、緑衣を整頓して起き、紅の嘴で
はっきりと語り合う、琵琶の絃音も粗率なるを知
り、九官鳥の舌の不揃いであることを知る、鄭
玄の家の牛が文字を識っていたことは感歎すべき
であり、丁令威の鶴が歌を能くしたことも知る、
若し我が家の鸚鵡を称するとすれば、籠の中で、
まさに詩を吟ずることを解すとする」

[語注] 莽鹵＝粗率。吉了＝九官鳥。參差＝整わない。鄭牛＝後漢、鄭玄の牛。丁鶴＝丁令威の鶴。白家＝白居易の家。

二羽の鸚鵡は美しい。緑の羽と紅い嘴。二羽の語り口は琵琶の音より素晴らしく、九官鳥より滑らかである。鄭玄の牛が文字を知り、丁令威の鶴が歌を能くしたならば、さぞや、我が家の鸚鵡は、私に倣い詩を解するだろう。白居易、自分の飼っている鸚鵡にべったりである。相当誇らしく思っていたことだろう。だが、それとは違う状況の鸚鵡像を語る。そのときは、悲しい。

白居易「鸚鵡」

lǒng xī yīng wǔ dào jiāng dōng	
隴西鸚鵡到江東、	隴西の鸚鵡、江東に到る、
yǎng dé jīng nián zuǐ jiàn hóng	
養得經年嘴漸紅、	養い得て年を経、嘴、漸く紅なり、
cháng kǒng sī guī xiān jiǎn chì	
常恐思歸先剪翅、	常に帰らんことを恐れ、先ず翅を剪り、
měi yīn něi shí zàn kāi lóng	
每因餒食暫開籠、	毎に食に餒うるに因りて、暫く籠を開く、
rén lián qiǎo yù qíng suī zhòng	
人憐巧語情雖重、	人、巧語を憐れみて、情は重んずと雖も、
niǎo yì gāo fēi yì bù tóng	
鳥憶高飛意不同、	鳥、高飛を憶い、意、同じからず、
yīng sì zhū mén gē wǔ jì	
應似朱門歌舞妓、	応に似る、朱門の歌舞の妓に、
shēn cáng láo bì hòu fáng zhōng	
深藏牢閉後房中。	深蔵牢閉、後房の中。

「隴西の鸚鵡が江東にやって来た。長く飼われて
嘴も紅くなった。逃げ帰ることをおそれ翅を剪
り、食に飢えるので時々は籠を開く。人はその語
の巧みさを重んずるものの、鳥は高く飛びたく、
気持ちは別々である。まさに富豪の家に囲われて
いる歌舞の妓女そのもの。後庭に蔵して牢閉され
ているようなものである。自由が欲しい」

[語注] 隴西＝甘粛省南東の地。江東＝揚子江の下流、江
蘇省・浙江省の地。朱門＝朱塗りの門。富豪をいう。
後房＝奥の部屋。

白居易の詩は、美貌のあまり終生後庭に閉じ込められた宮女達を彷彿とさせる。この詩は、杜甫のそれを

踏まえているかのようだ。

杜甫「鸚鵡」

dù fǔ   yīng wǔ

yīng wǔ hán chóu sī
鸚鵡含愁思、　　鸚鵡、愁思を含み、

cōng míng yì bié lí
聰明憶別離、　　聡明、別離を憶う、

cuì jīn hún duǎn jìn
翠衿渾短盡、　　翠衿、渾て短く尽き、

hóng zuǐ màn duō zhī
紅嘴漫多知、　　紅嘴、漫りに多く知る、

wèi yǒu kāi lóng rì
未有開籠日、　　未だ籠を開くの日有らず、

kōng cán jiù xiù zhī
空殘舊宿枝、　　空しく残す、旧宿の枝、

shì rén lián fù sǔn
世人憐復損、　　世人、憐れむも復た損う、

hé yòng yǔ máo qí
何用羽毛奇。　　何ぞ用いん羽毛の奇なるを。

「鸚鵡は悲しみの心を抱いている。その聡明さは別離の時を忘れない。緑の羽根も尽きはて、紅の嘴（くちばし）だけが、多くの言葉を覚えている。しかし、籠は何時まで経っても開かれず、もと住んでいた枝だけが彼方に空しく残っている。人は、可愛がってくれるが、私は傷ついている。羽根が美しいなんて何の役にも立たない。どうしてくれる」

　杜甫の詩としては、余韻がなく、私はあまり好きになれないが、鸚鵡の立ち位置だけは、如実に物語っている。しかし、所詮、人間に飼われる鳥獣や虫も、自由を束縛された囚われの身であることは間違いがない。美しさも、さしたる才能もない我々庶民が、国や権力者に囚われているのは何の因果か。前世の行いが悪かったのか。養鶏場の鶏のように、卵や肉を供給するために生きているのか。籠（かご）の中の自由をせいぜい精一杯楽しめというのか。しかし、孤立したCAGEの中では、他者の存在を横に感じながら喧嘩もできない、愛を囁くこともできない。詰まる所、ただただ無関心を装って、毎日、与えられた餌にありつくだけだ。

　DIVIDE & RULE。要するに、喜怒哀楽の表現発露も失われ、感情表現を完全に殺（そ）がれているのだ。食べて、寝て、卵を産むだけ（もっとも、私は、その卵を享受しているのだから、罪深い。キット、あの世では、鶏地獄で炎を吐く鶏に焼かれることだろう。焼き鳥、変じて、焼き人か。嗚呼）（図141）。

　しかし、それはあくまでも偽りの姿だ。試みに彼等

を野に放ってみよ。あちらこちらで喧嘩を始めるだろう。たまには、愛の囁きもある。時を告げ、陽に当たり、土をほじくり返して虫を探し、水を飲み、まどろみ、陽が落ちたら、眠りにつく。きっとよい夢を見るだろう。「鶴夢（かくむ）」ならぬ「鶏夢（けいむ）」である。ただし、狐や鼬（いたち）に襲われなければ。何ともはや、複雑だ。生きるって。鶏さん、ありがとう。

　鸚鵡は、漢、禰衡（173 - 198）の「鸚鵡賦」以来、才能の豊かさや表面の華美があるばかりに、かえって囚（とら）われの身となり、窮屈な生涯を過ごした人物の象徴として捉（とら）えられてきた。しかし、絵画の「鸚鵡図」でそこまで踏み込んで表現したものは、少ない。いわゆる花鳥画で、その心の内奥に潜む憂愁を曝け出し、見事に表現したものは、少ない。

　画家には画家の世界がある。我々は、その作品を見るとき、過大な要求は止めて、歴代の詩人の残してくれた詩文を思い出し、それを補えばよいのだ。

　ただ、鷹や鸚鵡が、華やかな止まり木に結わえられ、悲し気な表情をしている図はたくさんあり、外にもまだたくさんある、詩人杜甫の詩が、彼等の心情を明らかにしてくれる。我々は、これらの詩を読んで、絵画の「鸚鵡図」「鷹図」に対峙しなければならない。中国では、詩と絵画が相関関係にあることを知るべきだ。

　沈銓は、「鶏」の絵も描きましたが、その作品は少ない。1995 年、中国滞在中の作品調査では、浙江杭

141. 『地獄草紙』「鶏地獄」（奈良国立博物館）

州市文物研究所で一点見た位のものでした。それに反し、「鶴」の絵は、限りなく多い。「鳳凰」も結構多いのですが。

北宋の詩人林逋（967–1028）は、梅と鶴を愛しました。彼は、林和靖の名で知られています。杭州西湖の孤山に住んだと言われています。梅は松竹梅の「歳寒三友」の一つとして、寒さや困難に耐える高節の士の比喩として扱われ、鶴は例の「鶴は千年、亀は万年」のように長寿の象徴として使われ、「仙禽」として瑞山・仙山の周りを飛びます（因みに、「仙禽」という日本酒を私はよく飲みます）。要するに、仙人の相棒です。確か、「DRAGON BALL」には「鶴仙人と亀仙人」が出ていましたね。中国の年画にもたくさん登場します。とにかく目出度い場面に使われるのです。

「鶴鳴之士」は、「用いられずして野にある賢人」として『後漢書』や『資治通鑑』で用いられ、「鶴鳴之歎」は「用いられずして野にある歎き」を意味します。そのか細い声と清潔な感じの鶴が、どこかで嘆いているなんて思わず涙を誘います。私なら、居直って「鶴鳴之歓」として鶴と共に静かに暮らしたい。それを実行したのが、林和靖だったのです。

「鶴鳴九皐、聲聞天」（鶴は、奥深く知られざる所で鳴いても、その声は天に達する）、つまり、君子は世から深く隠れていても、その存在は天にまで届いているという意味。林和靖の自負でもあったでしょう。私は、鶴の鳴き声を実際には聞いたことはないのですが、TELEVISIONの番組ではよく耳にします。

沈銓『百鶴百鹿図屏風』（出光美術館）（図142）の場合。「鶴」は「仙禽」、「鹿」は「禄」と同音で、立身出世の象徴。そこに「仙桃」が加わります。正に幸せ全開。とにかく、いっぱいの鶴が飛び回り、いっぱいの鹿が歩き回るほどですから。当時の人々は、このような絵を前にして、至福の喜びを感じたことでしょう。日本では今でも、床の間に「松と鶴」の掛軸を吊るす人がいます。これは、中国でも同様。「年画」によく登場します。

沈銓の故郷である浙江省新市鎮では、沈銓の鶴の絵が刺繍化され、北京OLYMPICの際、各国代表団へのお土産として用いられたというので、人々の注目を集めています。

伊藤若冲は、素晴らしい。「松と鶴」の常識を打ち破り、鶴の代わりに「鸚鵡」「鸚哥」「孔雀」を登場させたのです。芸術の発展的継承とはこのようなものです。伊藤若冲『動植綵絵』には、その例がたくさんあります。鶴は相国寺に伝わる、明の文正の『双鶴図』を基にしたものがありますが、これまた大変素晴らしい。もちろん、伊藤若冲は独自の「鶴図」もたくさん描いています。

一方、伊藤若冲は、鶏を愛し、たくさんの鶏図を画きました。この話は有名です。

そこで、鶴と鶏の対話です。

白居易「池上鶴」

池上有鶴介然不羣、烏鳶雞鵝次第嘲噪、諸禽似有所誚、鶴亦時復一鳴、余非冶長、不通其意、因戯與贈答、以意斟酌之、聊亦自取笑耳。

（池上に鶴有り、介然として群れず、烏鳶雞鵝、次第に嘲噪す、諸禽、誚る所有るに似たり、鶴、亦、時に復た一鳴す、余、冶長に非ず、其の意に通ぜず、因って戯に与に贈答し、意を以て之を斟酌す、聊か亦、自らの笑を取るのみ）

「池の辺りに鶴が独り佇んでいた。烏や鳶や雞や鵝鳥がうるさく囃し立て、鶴の悪口を言っているようだ、私は公冶長とは違って鳥語を解さないが、その意味を斟酌し、ほんのお遊びに、言葉にしてみた。どうぞ、お聞きください」

［語注］介然＝堅固なさま。孤立しているさま。冶長＝孔子の弟子の公冶長。

以上は前言、続いて対話が始まります。これが面白い。

「雞贈鶴」（鶏が鶴に贈る詩）

一聲警露君能薄、　一声、露を警むる君の能は薄く、

五德司晨我用多、　五徳、晨を司る我が用多し、

不會悠悠時俗士、　会せず、悠悠たる時俗の士、
重君輕我意如何。　君を重んじ、我を軽んずるは
　　　　　　　　　　　如何。

「一声で露を警しめるが、君の実際の能力は少な
く、五徳を備え、晨を司る私の方が働きが多い
ことは明らかだ。俗世間の、のほほんとしたお
坊ちゃん連中が、君を重んじ私を軽んじるとは、

いったいどうしたものだ。まったく理解できない
のだ。プンプン」

「語注」五徳＝雞の五徳。文武勇仁信。不會＝不會得。理
　解できない。悠悠＝のんびりしたさま。とりとめのな
　いさま。時俗＝俗世間。

鶏は、「五徳」を備え、なおかつ、毎日の刻を告げ
るのに、鶴はその鳴き声で、松の露を震わせるくらい

142.　沈銓『百鶴百鹿図屏風』（出光美術館）

160

で、何の役にも立たないと、自分の役割を自慢する。要するに、鶏の方が、実用性に富むという威張り。

鶴が反撃します（ところで、鶴と鶏は、実際に喧嘩するのでしょうか。東京では、烏とムクドリの追っ掛けっこをよく見掛けるのですが）。

「鶴答雞」（鶴が鶏に答える詩）

爾　爭　伉儷泥　中鬭、　　爾、伉儷を爭い、泥中に鬭い、

我　整　羽儀松上棲、　　我、羽儀を整え、松上に棲む、

不可遣他天下眼、　　　他の天下の眼をして、

却輕野鶴重家雞。　　　却って野鶴を軽んじ、家雞を重んぜしむべからず。

「君は、伴侶を巡って、泥の中で闘い、私は、美しい羽を整え、松の上に棲む、天下の眼をして、野鶴を軽んじ、家雞を重んずることなどないように」

［語注］伉儷＝連れ合い。配偶者。羽儀＝立派な風采。『易經』、「其羽可用爲儀」。

鶴は俗世間の煩わしさから離れ、独り静かに松の上に棲んでいるのだ。どうぞ、私の自由な気高さを慮り、鶏のように人間供に飼育され、日常のゴタゴタに紛れる存在ではないことを考慮し、今更鶏を重んずることのないよう、くれぐれもお願いします、という鶴の希望。ただ、鶴の弱点は、現実の姿やそこで鍛えられる強さを知らないことだ。いつも、彼方を夢見てボーっとしている。

鶏に関しては、私は実際に鶏をヒヨコから育てた経験を三回もつ。それも、東京武蔵野市の我が家の庭で。蚯蚓やその他の餌をやり、鶏も我々に馴染んだ。抱きあげたときの、その胸元の羽毛の美しさは譬えようもなく、その愛嬌ある眼は、それなりに慈愛に満ちていた。私は鶏を愛した。

私は、鶴を飼ったことがなく、実際に愛情を降り注ぐ対象は鶏である。「市隠」である私は、本来ならば、「鶴夢」を見なければならないのだが、実際の私が見る夢は、「鶏夢」だ。つまり、現実直視の「愛」の実行の方が、私自身を鍛えるのにふさわしいと気付いた

143. 伊藤若冲『動植綵絵』「芦鵞図」（宮内庁・三の丸尚蔵館）

のだ。「空想」だけでは少々弱い。たぶん、白居易は鶏を愛したことがないんだろうな。その点、伊藤若冲の勝ちだ。私と同じ。フフフ。

ところで、伊藤若冲は、その他、『動植綵絵』「芦鵞図」（図143）も描いていますので、チョイと、寄り道して、彼等の対話を聞いてみましょう。

「鵞贈鶴」（鵞が鶴に贈る詩）

君因風送入青雲、　　君、風に因り、青雲に送入され、

我被人驅向鴨羣、　　我、人に駆られて、鴨羣に向かう、

雪頸霜毛紅網掌、　　雪頸、霜毛、紅網の掌、

請看何處不如君。　　請う看よ、何の処か、君に如かざるや。

「君は風に乗り、青雲に飛び、我は人に駆られて鴨の群れに入る、雪の頸、霜の毛、紅網の掌、どう見ても、君に劣る訳ではないのに」

確かに鵝鳥の言う通り、双方共に身なりは鶴と一緒。雪のように白い首、羽毛は霜のように白い、赤い網のような掌を持っている。ただ、鵝鳥は翼の力が弱くて、自由に空が飛べない。鶴は悠悠と大空に舞うのに、鵝鳥は地上で鴨の群れのほうに追いやられるだけ。鵝鳥は鴈の飼育変種ともいう。しかし、鵝鳥にも救いの手は差し伸べられる。次を見よう。

「鶴答鵝」^{hè dá é}（鶴の鵝に答える詩）

右軍歿後欲何依、^{yòu jūn mò hòu yù hé yī}　右軍の歿後、何に依らんと欲す、

只合随雞逐鴨飛、^{zhǐ hé suí jī zhú yā fēi}　只、合に、雞に随い、鴨を逐いて飛ぶべし、

未必犧牲及吾輩、^{wèi bì xī shēng jí wú bèi}　未だ必ずしも、犧牲、吾輩に及ばず、

大都我痩勝君肥。^{dà dōu wǒ shòushèng jūn féi}　大都、我の痩は君の肥に勝れり。

「王羲之の死後は、何に頼るつもりか。雞に随うか、鴨を追って飛ぶのか。犧牲としても吾輩には及ばない。我は痩せていても、君の肥えているのに勝るのだ」

［語注］右軍＝王羲之。鵝鳥を好んだ。

鶴さん、何時まで経ってもその高慢ちきは直らないのね。その点伊藤若冲は、鶴も鴛鴦も鵝鳥も、皆等しく描いた。この点、伊藤若冲の勝ち。フフフ。でも、鵝鳥も書聖と言われる王羲之からは徹底的に愛されたわね。フフフ。因みに「天鵝」とは「白鳥」を意味するのよ。知ってましたよね、鶴さん。TCHAIKOVSKYの場合、つまり、「天鵝湖」なのよ。フフフ。鶴さん、あまり威張らないで。フフフ。

日本の南蘋派

代表的な二人を紹介する。

熊斐（1693‐1773）、本名は神代彦之進。長崎の人。唐通事の家に生まれ、滞在中の沈南蘋の身の回りの世話や、通訳を行う傍ら、沈南蘋の画法を学び、帰国した沈南蘋に代って、日本人画家に南蘋画法を教えた。子の繍山・繍澔、従子の繍浦も絵を善くした。門下に鶴亭、宋紫石らがいる。鶴亭を通して、伊藤若冲は沈南蘋の画法を学んだと思われる。

熊斐『鯉魚跳龍門図』（長崎歴史文化博物館）（図144）。ご存知、「登龍門」の物語。鯉が黄河の龍門を登れば、龍になるという話。立身出世の願いを込めた吉祥図。熊斐は、あり余る技術を駆使し、水中に躍る鯉の姿を水越しに描き、身を露わにした鯉の姿を凛々しく描き、波の飛沫の雄々しさと桃の花の華美を対比させる。

宋紫石（1715‐1786）は江戸の人。本名は楠本幸八、字は君赫、号は雪溪・霞亭。長崎で熊斐に学び、江戸に戻ってからは宋紫石と名乗った（図145）。著『宋紫石画譜』。熊斐、宋紫石、二人共、「烘托法」を善くした。もちろん伊藤若冲も。

144‐2.　熊斐『鯉魚跳龍門図』部分（長崎歴史文化博物館）

144‒1. 熊斐『鯉魚跳龍門図』（長崎歴史文化博物館）

145. 宋紫石『聯珠争光図』（神戸市立博物館）

■参考文献
『唐船進港回棹録』（關西大學東西學術研究所　1974年）
宮田安『唐通事家系論攷』（長崎文献社　1979年）
中川忠英『清俗紀聞』（東都書林金蘭堂　1799年）

唐通事

『今歳咄』（安永2年1773）

　唐の雀を献上するに、一羽たらぬゆへに、日本の雀をまぜて上げた。殿様御覧なされ、「コレハ珍しいものじゃが、日本の雀が一羽見へる」と御意なされり。雀「ハイ、わたくしは、通辞でござります」。

　江戸時代、鎖国制度の下、日本にやって来ることができる外国は、HOLLANDと中国だけであった。HOLLAND人は長崎「出島」の居留地に、中国人は長崎市内に設けられた「唐人屋敷」に住んだ。もちろん、その出入りは大変厳しい（図146）。

　唐通事とは、江戸時代、長崎を中心に活躍した通訳のこと。代々の世襲制で、もとは中国から渡来した「華人」（中国人）の者が多い。

　その唐通事に属する者が熊斐でしたね。沈銓の傍らに侍った。その期間は9か月程という。その間画技を学び、沈銓帰国後は熊斐が長崎を訪れる日本人画家達に南蘋画風を伝授した。歴史の偶然と言うか、神の思し召しと言うか、天の采配と言うか、僅か二年余の沈銓日本滞在の中、熊斐との出会いがなかったら、日本で南蘋画風はあれ程までに広がらなかったであろう。

「沈」と「沈」

　私が授業で、1731年、日本にやって来た中国人画家沈銓を「しんせん」、あるいは沈南蘋を「しんなんぴん」と言うと、学生達は一斉に怪訝な顔をする。先生、また悪い冗談を言う、わざと間違った振りをしているんじゃないかと。とにかく、あの先生は、「カブトガニ」のことを、わざと「キャブトガニ」と呼んだりする変人だから（CANの米国と英国の違いを指摘しているのに過ぎないのだが）。

　さて、「沈」と「沈」である。私も、中国絵画史を学ぶとき、「沈周」（1426–1509）が出て来た。文学方面では、「沈佺期」（？–713）、「沈徳潜」（1673–1769）らがいることを知って、「沈」を「しん」と呼ぶのは、およそ人名に限るだろうと察した。敬意を表したのだろうか。「沈没」は「ちんぼつ」である。『中日大辭典』（大修館書店）を見ると、「沈・瀋」の場合、「shen」は「姓・地名・しずく」に用いられ、「沈」は「沉」の異体字として用いることもあるとする。「沉」、つまり「沈」の場合は、「chen」である。「人名」の「沈」、いわば、呼び慣らわしであるが、こういう例は他にもある。たとえ

146.「唐人屋敷」

ば『山海經』。近頃は「さんかいきょう」とも呼ばれるが、「せんがいきょう」は依然、まだ使われている。

❖

羊の絵

　沈南蘋の「羊」の絵は、吉祥図の一環として描いたと思われますが、私は実際に作品を見たことはありません（紛本はありますが）。しかし、沈銓の故郷新市鎮には、軟らかく煮た羊肉（yáng ròu）の入った麺があり、いつもそこで食事をします。愛想のいい店主のオバサンとも顔馴染みになっています。知人友人達と、そこで朝食、昼食をとり、その際、ツマミとかの残ったものは夕食まで保存しておいてくれます。だから、再度行って食べます。ワンワン。とにかく、貧乏人の私にはありがたい。店の名前は「仙潭生湯面館（xiān tán shēng tāng miàn guǎn）」、ちいさな水路の傍らにあります。古風な建物です。天井が高くて気持ちが良い（図147）。郷土の先輩、元時代の趙孟頫も、「羊」の絵を描いています。だから、きっと沈銓も「羊」の絵を描いたことでしょう。あっそうか、もう一つ良い店があります。地元名産

の「焼餅（shāobing）」の店です。一度食べたら忘れられない。新市鎮（shēn shì chén）の街には、大きな駱駝（らくだ）の塑像が佇立していますが、これも元時代の名残でしょうか。でも、沈銓は「駱駝」の絵は描いてません。人には好みがあるということでしょう。現実に、一緒に新市鎮を訪れた学生の中には、「羊肉」が苦手な者もいましたし。しかし、「美大」の学生でも「美大の肉」が嫌いという例もあるものなんですね。こういうことです。丸々太って大きな「羊」が「美」。「美大」はそのもっと大きなものとなる。いやはや、とんでもない所に奉職してしまったものだ。結局、私は、老いた牧羊犬として務めを終えたわけか。ワンワン（先程もメーメーでなく、ワンワンと言った意味がわかりましたね）。

　新市鎮には、以前日本軍が進攻し、建物を撤収した記録も残っています。心が痛みます。当時の兵隊さん達が、果たして沈南蘋のことを知っていたのか、そして、さらに近くの湖州の陸心源（1834‐1894）（彼の蔵書は日本の静嘉堂文庫に収められている）のことを知っていたのか。2017年には、私は、陸心源の故居を訪ね、末裔に会った。

　とにかく、不思議な縁である。まだまだ幾つかの縁があるが、本題からは外れるため敢えてCUT。またいずれ。

147. 新市鎮・麺屋

第 **13** 章

お猿さんの絵画

伊藤若冲『猿猴摘桃図』部分

伝毛松『<ruby>猿図<rt>máo sōng yuán tú</rt></ruby>』（東京国立博物館）（図148）

絹本着色。45.8 × 36.6㎝。

148. 伝毛松『猿図』（東京国立博物館）

　毛松<rt>もうしょう</rt>は、南宋時代（1127 - 1279）初期の画院画家。

　当時、日本から中国に持ち込まれた日本猿を描いたものと言う。緻密な筆遣いで毛を描き、その表情にも独特の幾分悲し気な雰囲気が漂っています。背中を丸めた姿にも哀愁が感じられます。背景も何も描かれていない、いわば舞台装置の一切ないこの画面で、これだけの詩情を表現できる、これが中国写実絵画の真髄<rt>しんずい</rt>です。

　「猿」は人間に近いし、ときには害も及ぼしますが、一方、そのおどけた愛嬌のある仕草も画題として扱われます。日本では12世紀の『鳥獣人物戯画』が有名です。学生達にも大人気。そもそも擬人化というのは、何かが人間に憑依した様子を表したものとも言えます。同時に両方の性質を併せ持つこともあります。外見がすり替わったものの、本質は元のままとか、厳<rt>いか</rt>めしい人物を諧謔<rt>かいぎゃくてき</rt>的に表すにのも便利です。いわば、戯画

150. 伊藤若冲『猿猴摘桃図』(個人蔵)

は風刺画の一手段としても有効なのです。

牧谿『観音猿鶴図』(大徳寺)、沈銓『樹下双猿之図』(長崎歴史文化博物館)(次頁図149)、伊藤若冲『猿猴摘桃図』(図150)、これも学生達に大人気。課題作品「改変改作」でも素晴らしい作品が続出しています(著作権の問題があるので、それらをここで紹介できないのが残念)。

伊藤若冲『猿猴摘桃図』は、「月を捉る猿」と「桃を摘む猿」とを重ね合わせたものです。もちろん、伊藤若冲の発案です。「桃と猿」の組み合わせは、孫悟空が西王母の庭から仙桃を盗む話にも因みます。「月と猿」「猿猴捉月」は、猿の浅智恵を戒めたものです。中国でも以前、上海で ANIMATION が制作されました。その映像を多摩美の学生達に見せましたが、大好評。ANIMATION に国境なし。「猿猴捉月」は、仏教説話に登場します。身の程知らずの浅知恵を戒めると

きに使うというのです。

『摩訶僧祇律』

　　佛告諸比丘、過去世時、波羅奈城有五百獼猴、樹下有泉、井中見月、共執儒枝、手尾相接、入井取月、枝折一齊死（こちらでは井戸となっている）。

猿達が月夜に、池の水面に映っている月影を取ろうと枝からぶら下がり、いざそれに届かんとするとき、全体の重みで枝が折れ、猿達は水面にポチャン。月影はグチャグチャになり、ついでに猿達も溺れ死んだという話。

伊藤若冲の作品は、決して死を予測するようなものではない。現実謳歌。そこで、私も「溺れ死んだ」などという残酷な表現は、授業で使用することをやめた。学校の授業とは、教師と学生達が新たに何かを作り上げる貴重な現場なのです。

最後に、猿に因んだ様々な吉祥図を紹介します。

「輩輩封侯」(図151)

「輩輩」は群がり集まること。この場合、輩出として考えた方が良い。「輩」と「背」は「bei」の同音。「侯」と「猴」は「hou」で同音。親「猴」が子「猴」を「背」中に負い、代々「侯」に封ぜられることを願ったもの。「侯」とは、大名、諸侯のこと。即ち、立身出世することを願う吉祥図です。

151. 輩輩封侯

「封侯掛印」(図152)

「印」と言ってもシャチハタの印鑑ではなく、「印綬」と言って、役人の身分を示すもの。役人は、「官印・公印」を「綬」で身に掛けていた。これも官僚になることを願ったもの。

149. 沈銓『樹下双猿之図』（長崎歴史文化博物館）

152-2. 沈銓『柏鹿図』（旅順博物館）

152-1. 爵禄封侯
「禄（ろく）」と「鹿（ろく）」が同音のため、鹿も猿と同様に、吉祥図として用いられることが多い。

152-3. 封侯掛印

153. 霊猴献寿

今の日本で言えば、難しい国家公務員試験に合格することを願ったものでしょう。

「霊猴献寿」（図153）
『西遊記』では悟空が、西王母の庭から仙桃を盗む。その仙桃は食すると不老不死とか何千年の命を授かるというもの。ここでは、長寿を願う吉祥図となっている。

「馬上封侯」（図154）
「馬上」は、「間もなく」「直ぐに」という意味で、現代でも日常的によく使います。「馬上回来」（もうすぐ帰る）とか。この場合、馬に乗って駆けているわけだから、SPEED は速い。それに乗る「猴」。さらに

154. 馬上封侯

上には、「蜂」が飛んでいる。「蜂」と「封」は同音の「feng」。わかるでしょ。要するに、早く「侯」に封ぜられたいということ。「侯」はかなりの高官で厚禄の身分。日本でも以前使用されていた、「公・侯・伯・子・男」の爵位です。そりゃとっても高い身分なのですよ。やはり、庶民感覚で言えば、立身出世の願望なのでしょうね。当時は、官僚全盛だったのでしょう。

「猿」の物語

中国では、「猿猴」と二文字で表すことが多いのですが、「猿」は「猨」が本字で、「手長猿」を意味します。角川書店『新字源』には、次のように説明があります。

〔猿〕形声。犬と、音符袁（もと爰と書き、のちに袁に改めた。ひっぱる意→爰・援）とから成り、枝などをひきよせて木によじ登る動物、「さる」の意を表す。

白川静『字統』には、「猿猴」の語源は、詳しく書いてありません。あまり興味がなかったのでしょうか。

ところが、白川静は『字訓』で俄然頑張ります。ここが白川静の素晴らしいところです。日本のことも決しておろそかにしないのです。中国の人には意味不明な点もあるかも知れませんが、日本には、日本の状況があったのです。

〔猿・猨〕霊長類さる科の獣。古くは山神の使者としてはばかられ、多くの忌詞があって、「やまのひと」などとよんだ。また「まし」ともいい、〔万葉〕には助動詞「まし」の借訓に「あら猿を」「標結は申を」のように用いる。平安期以後、歌では「まし」「ましら」を用いる。「さる」は神の名にも「猨田彦大神」「猨女君」のように用いられ、「戯る」の意をもつようである。のちの猿楽などは、その伝統によるものである。

岩の上に古佐麼（小猿）米焼く米だにも喫げて通らせ山羊の老翁　［日本書紀107］

痛醜く賢しらをすと酒飲まぬ人をよく見ば猿にかも似る　［万葉集344］

（以下略）

国語の「さる」「まし」はいずれも語源が明らかでなく、その二つの語の新古も知られない。確かに、「戯る」は「戯れ言」「戯れ事」など「戯れる」と使い、「悪戯っ子」となる。当然、「猿」は、人間にとって「悪戯っ子」の存在である。私の妹は島崎藤村『夜明け前』の舞台に登場する岐阜県中津川市の恵那山の麓で暮らしているが、家の前のスモモ（李）の木が実をたわわに付けると、早速、猿の家族がやって来て見事に取り尽し、食べてしまうと言う。たまには熊もそれに加わるそうだ。

これも、マア、一種の食物連鎖の一環でしょう。廣瀬鎮『猿』（法政大学出版局「ものと人間の文化史」34 1979年）には、次のように説明されます。

　あちらこちらに残るサルの頭の黒焼きの作り方で普通のものは、まずサルの頭を二つの鉢の中に入れて鉢をあわせ、まわりを土でボタモチのように包み、ヒビ割れしないように紙をかぶせて縄でしばる。これを田んぼの小屋で焼くというものである。これには頭一つに半俵から一俵の炭を使ったとか。二四時間ほど焼くと匂いがしなくなるので頭をとり出し、骨も肉も一緒に砕く、灰だからうまいものではないが、薬としての効き目は確かにあったという伝説が伝わっている（略）。

　サルの頭の黒焼は脳病の特効薬として漢方薬点などで売られているが、すこぶる高価である。

何のことはない。人間も猿を食べていたのである。私の妹の家の付近には猪も出ます。もちろん、鼬や鼠や狐も。まるで伊藤若冲の世界。猪は作物を食い荒らすのですが、人間も負けずに牡丹鍋で彼等に対抗し

ます。これも一種の食物連鎖でしょう。

中国では、「猿」は詩の中にも数多く登場します。

唐、白居易（772‐846）、「送蕭處士遊黔南詩」

能文好飲老蕭郎、　文を能くし、飲を好む老蕭郎、

身似浮雲鬢似霜、　身は浮雲に似て、鬢は霜に似る、

生計抛來詩是業、　生計、抛ち来りて、詩は是れ業、

家園忘却酒爲郷、　家園、忘却し、酒を郷と為す、

江從巴峽初成字、　江は巴峽より、初めて字を成し、

猿過巫陽始斷腸、　猿は巫陽を過ぎて、始めて腸を断つ、

不醉黔中爭去得、　酔わずんば、黔中に争でか去り得ん、

磨圍山月正蒼蒼　磨圍、山月、正に蒼蒼。

「我が老蕭郎は文を能くし、酒を好む、身は浮雲に似て、鬢は霜に似る、生計を投げ捨て、詩を業とし、家園を忘れて、酒を郷としている、長江は巴峽から巴の字になる、猿は巫陽の地を過ぎて腸を断つ、酒に酔わずして、黔中に行けるものか、磨圍では山月が蒼蒼と輝いている」

［語注］生計＝暮らし向き。生活の方法。家園＝故郷。巴峽＝字江。三峽の一。ここから長江が屈曲して巴の字の形になる。巫陽＝巫峽の南。黔中＝四川省重慶府彭水県。

平易だが含蓄がある。言葉一つ一つに、それなりの詩情が込められており、相対的に読者にその感情が、よく染みわたる。

唐、王昌齢（698‐757）、「盧溪別人詩」

武陵溪口駐扁舟、　武陵の溪口、扁舟を駐む、

溪水隨君向北流、　溪水、君に随い、北に向かい流れる、

行到荊門上三峽、　行くこと、荊門に到り、三峽に上る、

莫將孤月對猿愁。　孤月を将って、猿愁に対すること莫れ。

「武陵の河口に舟を停める。河の水は、君と共に北に流れる、行くこと荊門に至り、そこは三峡の近く、孤月を相手に猿愁に接するなんて、お止めなさい、それでは、あんまり寂しすぎるではないか」

［語注］武陵＝湖南省常徳県。扁舟＝小さな舟。荊門＝湖北省荊門県。

やはり、長江（揚子江）の上流は、渓も深く、山が迫り、流れも早く、両岸の悲しげな猿の声を聞くと、旅愁が増すものか。残念ながら、私はまだ行ったことがない。いずれの日にか。

唐、李白「早發白帝城」

朝辭白帝彩雲間、　朝に辞す、白帝、彩雲の間、
千里江陵一日還、　千里の江陵、一日にして還る、
兩岸猿聲啼不住、　両岸、猿声、啼いて住まず、
輕舟已過萬重山。　軽舟、已に過ぐ、万重の山。

「朝早く、巫山の彩雲が白帝城にたなびく頃に発った。江陵に至るまでの千里を、一日で下ってしまった。両岸には猿の声が啼いて止まず。小さな私の舟は、あっという間に重なる山々を駆け抜けた」

この詩は、日本でも有名で、高校の教科書に載っているのではないでしょうか。

揚子江の上流、急流に舟に乗るが、迫りくる両岸からは、ただ悲しげな猿の声が聞こえるばかり。ゴーゴーと流れる川の大きな波の音に混じって、猿の声だけが特別大きく響く。心細いやら、THRILL満点やら。しかし、揚子江流域に住む猿っ

てどんな猿でしょうかね（君達得意のINTERNETで調べなさい）。でもやはり、極めつけは例の「断腸」でしょう。

後漢の蔡琰（177‐？）の「胡笳十八拍」が有名ですが、ここでは、その内容を伝える『世説新語』の「黜免」に登場する話を紹介します。

桓公入蜀、至三峽中、部伍中有得猨子者、其母緣岸哀號、行百餘里不去、遂跳上船、至便即絶、破視其腹中、腸皆寸斷、公聞之、怒、命黜其人。

「桓温が蜀に入り、三峡に至った。部隊の一人が子猿を捕まえた。その母猿は岸伝いに泣き叫びながら追い掛け、百里行っても去らない。母猿はついに船に飛び乗ったが、そこで息絶えた。腹を割いて見ると、（あまり泣き叫んだので）腸はずたずたに千切れていた。桓温はその話を聞き、その部下を罷免した」

現在は、DAMが建っている三峡も、かつては昼なお暗い、急峻な川（揚子江）が流れる物寂しい場所だったのでしょう。その舞台背景での「母子猿」の話は、一層悲しみを増します。猿さん、かわいそう。同情します。

第14章

伊藤若冲の「若冲」とは

沈銓『双鶴捧寿図』部分（長崎歴史文化博物館）

155. 伊藤若冲『果蔬涅槃図』（京都国立博物館）

伊藤若冲は、最近やっと広く知られるようになりましたが、以前はそうでもなかった。展覧会に出品されていても、人々が足早にその前を通り過ぎる姿を何度も見ました。やはり、一種の「狂気」を感じ取っていたのでしょうね。普通の人は、「狂気」に触れることを避けていたのでしょうね。しかし、私はそのような「狂気」には、元々免疫がありました。

明治21年（1884）には、『絵畫叢志』、大正15年（1926）には、二つの記事・論文で取り上げられています。昭和に入っても、様々な人が取り上げています

伊藤若冲のこと

156-1. 伊藤若冲『葡萄図』部分 (相国寺・承天閣美術館)

156-2. 伊藤若冲『芭蕉図』部分 (相国寺・承天閣美術館)

が、爆発的な人気を勝ち取るまでには行きませんでした。大衆は理解できなかったのです。その観点では、ある意味孤高の画家であったと言ってよいでしょう。

20代後半から、「狂椿」を名乗っている私です。免疫がある。もちろん、多摩美の学生も大丈夫。免疫があると言うより、彼等は元々○○ですから（○○の部分は、伏字です。お好きな言葉を選んでください。例えば「優秀」「天才」「美男」「美女」「寛容」「崇高」など。ただし、「狂気」「鈍感」「野人」「凡人」「奇人」「変人」などの言葉はいけませんよ）。多摩美に奉職してから、30年間ずーっと、伊藤若冲の作品を授業で扱って来た私です。

伊藤若冲 (1716 - 1800) は、本名は伊藤汝鈞、字は景和。若冲は号です。別に、斗米庵、斗米翁などの号があります。京都、錦小路の青物問屋に生れました。錦小路は現在でも繁盛し、様々な食材が集まっています。新京極に位置し、訪れるといつも修学旅行生で溢れかえっています。『果蔬涅槃図』は有名ですね。あ

の、大根がお釈迦さんで、横たわっているやつです。野菜には通暁していたのでしょうね（図155）。

長男でしたが、家督を弟に譲り、自分は画業に専念しました。鶏や虫や花や鳥や獣や魚をたくさん描きました。一般的な山水画や人物画は多くありません。晩年は、京都の南、深草の黄檗宗石峯寺の境内に妹と住みました。その寺に、若冲は石造の五百羅漢を残しました。面白いものです。是非ご覧ください。伊藤若冲のお墓は、この石峯寺にあります。

京都、相国寺の承天閣美術館には、鹿苑寺（金閣寺）大書院の『葡萄図』『芭蕉図』が移築されています。何時行っても観覧できますので、是非どうぞ。素晴らしい作品です（図156）。華道家の中川幸夫さんは、その「芭蕉」の絵の前で長い時間を過ごしたそうです。日本では珍しい、「風を感じさせる芭蕉の絵」と仰っていました。私も大好きです。「葡萄」も最高。

そもそも、現在、宮内庁に所蔵されている『動植綵

絵』三十幅も、伊藤若沖自身が相国寺に寄進したものです。後に、明治の廃仏毀釈のときに、財政逼迫に陥った相国寺が、明治22年（1889）、当時の宮内省に献上し、下付金を受け取ったとされます。

2007年、20年ぶりに相国寺で展観された『動植綵絵』を、多摩美の大学院生達と観に行ったのですが、一人の学生が、あまりの凄さに圧倒され、「気分が悪くなった」と言う。じゃあ、興奮の熱冷ましに、奈良の静かなお寺に行こうと、車を飛ばし、室生寺に行き、やっと、平静を取り戻しました。

その学生、例の伊藤若沖の「狂気」のカメハメハに圧倒され、吹っ飛んでしまったのでしょう。若沖さん、罪作り。他の韓国の留学生二人は、屈強な体躯の男子学生で、その「狂気」に対してどうにか堪えていました。一人は、戦車の操縦士を務めたとか。人間、体力です。

伊藤若沖の作品に関わって、30年余、まだまだ若沖の作品には解明すべき点がたくさんあります。私は、ただただ、若沖の作品の素晴らしさを学生達に伝えることを使命としてきました。残念ながら、私は未だ伊藤若沖に関する研究論文を書いていません。一介の伝導師として、伊藤若沖のことを学生達に伝えて来ただけです。トホホ。嗚呼。御免。

「無名」と「若沖」──『老子』より

伊藤若沖と同時期、それもご近所さんで、伊藤若沖より人気のあったのが、円山応挙です。

金持ちの商家からのひっきりなしの注文に応じて、これまた素晴らしい絵を描いていました。

京都の南には、例の黄檗宗宇治萬福寺があります。ここを訪れては、熱心に中国文化に触れていた人が、池大雅です。池大雅も最初は貧乏だったようです。しかし、妻の玉瀾と共に奮闘努力し、だんだん名を成してきました（図157）。

池大雅（1723-1776）の名の一つとされる「無名」は、『老子』「聖徳」第三十二に、「道常無名」（道には常に名がない）とある。伊藤若沖（1716-1800）の号の一つで

ある「若沖」も、『老子』「洪徳」から来ている。

『老子』「洪徳」第四十五

大成若缺、其用不弊、大盈若冲、其用不窮、大直若屈、大巧若拙、大辯若訥、躁勝寒、静勝熱、清静爲天下正。
「大成は缺くるが若し、其の用は弊かず、大盈は冲しきが若し、其の用は窮らず、直は屈するが若し、大巧は拙なるが若し、大弁は訥なるが若し、躁は寒に勝ち、静は熱に勝つ、清静もて天下の正を為せ」

様々な訳があるが、ここでは、美大生向けにわかりやすく説明したものを紹介する。

その理由は、私の授業は東洋美術史であり、この授業の目的は、学生達が大好きな伊藤若沖の号の「若沖」の由来を紹介し、併せて、その言葉を基に伊藤若沖の「桝目画」の意味を解明することにあるからだ（例によってまず、『新釈漢文大系』［明治書院］の訳を紹介する）。

157. 伴蒿蹊『近世畸人伝』1790年「池大雅」

真に大成した人物は、一見欠けた所があるように見えるが、その徳を用いればつまずき倒れるような失敗をすることがない。真に徳の盈ち満ちた人物は、一見からっぽのように見えるが、その徳を用いれば窮地に陥ることがない。真にまっすぐな者はかえって一見曲がっているように見え、真に巧みな者はかえって一見下手なように見え、真に雄弁な者はかえって一見訥弁のように見える（以下略）。

学生達にはこう言う。授業で扱う伊藤若冲の「桝目画」を念頭においてのことである。意見誘導と言ってしまえばそれまでであるが、私の説明。「いっぱいあるということは、ZERO に等しいこともあるんだよ」。簡単である。かつて、敬愛する華道家中川幸夫さんはこう言った。「一輪挿しというが、五本でも一輪だよ、百本でも一輪だよ」

この場合、要するに、数の多寡で目を眩ませられることなく、物の本質で対象を評価することが必要であるということ。因みに、中川幸夫さんは小さくて背中が曲がっていた。おかげで、先の大戦中には徴兵されることなく命を取り留めたが、若いとき、高松工芸学校に試験の手続きを取るため学校を訪れたときには、門衛から「お前のような者は受験する資格もない」と即座に門前払いを喰らったそうだ。見掛けによる安易な判断の虚しさを感じたことであろう。

さて、「若冲」という号（雅号）は、売茶翁（1674-1763）旧蔵の「注子」（煎茶用の水指）に書かれた、相国寺の僧大典の文章に由来すると言われる。

売茶翁は、高遊外とも名乗り、肥前蓮池の人。少年の頃、薙髪し、化霖（黄檗宗の僧。福建省福州三山の人。寛文元年 1661 に来日、崇福寺に住す）に師事した。後、京都で市内にて自ら茶道具を背負って席を設けて「茶を売った」のです。いわば、移動喫茶店です。

とにかく、「売茶翁」の名はここから来ます。亀田窮樂・浦上玉堂らとも交遊がありました。伊藤若冲は、売茶翁の像を描いています。人物像をあまり描か

なかった若冲にしては、珍しいことです。売茶翁からの伊藤若冲宛の書もあります。伊藤若冲の『動植綵絵』に対して送ったものと言われています。売茶翁の「丹青活手妙通神」（赤や青を自由に駆使し、生き生きと描く若冲の作品は、神にも通ずる）というその言葉は大変重要です。

何せ、学生達に若冲の「桝目画」や一連の作品を見せたとき、彼等がよく口にする言葉が、「神は細部に宿る」なのです。学生達も、伊藤若冲の絵に「神」を感じているのです。「天の意志」が地に降って、若者達に感動を与えたことになるのです。優れた作品は、それを観る方の資格を選ばない。作品そのものが、観客の心に潜む感性の言葉を見事に引き出すからである。心が豊かであれば、それだけ引き出されるものも多いというわけです。

私にも、座右の銘というのがあります（もっともこれ一つ位しかないのだが）。

登山家の長谷川恒男の言葉です。何かの雑誌に載った記事の一部だと思うのですが、以下の如くです。

プロセスこそ大切なのです。なぜそんな危険を冒すかといえば、自分を見つめることで、自分の存在理由を知りたいからです。とくに本を読んだわけじゃないのに、ギリギリのところに身を置いて帰ってくると、心の底から言葉が自然にあふれてくるのです。

世の中に蔓延る「論語読みの論語知らず」の表面的把握者より、学生達の感性の方が明らかに勝っていると思うのです。学生万歳。しかし、知性というのは、豊かな感性の上に築かれてこそ、その輝きを増すのです。私の授業の最初に学生達に投げ掛ける言葉、「君達に知性と理性と美貌は求めない、求めるのは豊かな感性と優れた技術である」は、若いときにその後半部分を鍛えれば、前半部分は自ずから必要に応じてくっ付いてくるものだということ。毎年入学して来る学生達の成長ぶりを実感しての結果でもある。

私は、以前、学生達と一緒に『老子』や『論語』を

読んだ。お菓子を食べながらの読書会である。中国人留学生も加わって、中国語で読んでもらったが、やはり、『老子』は宇宙を対象にする哲学であり、人智に中心を置く『論語』より、解釈は難しい。『論語』は人口に膾炙したくらいだから、滑らかに言葉が運び、文章も短いから、標語としても覚え易い。しかし、『老子』は違う。内容も濃く、深遠な所があり、使用される言語も特殊であった。とにかく、双方を中国人学生に中国語で読んでもらって比較できたことは、十分楽しかった。

『老子』の文章は確かに、「玄」とか、「虚」とか、「無為」とか、「天道」とか、確かに何やら怪しい雰囲気を持つ。派生する言葉の、「玄米」「玄人」「虚無」「虚偽」「虚妄」「空虚」「無職」「無色」「無人」なども、「暗くて空虚」なものが多い。人間の闇、ひいては、宇宙の暗黒に根差す思想か。明らかに『論語』の世界とは違う。

我々の遥か彼方に存在する暗闇の宇宙。変化し続ける宇宙。その、僅かに地球と接する部分に存在する「天」。地表の気象の変化、かつてはすべて「天」の意志に基づいて作用していたが、21世紀はそれに人智を加え、変化させようとしている。歪みが生じている。正に、「天」に対する反逆である。

『老子』「恩始」第六十三

爲無爲、事無事、味無味、大小多少、報怨以德。

「無為を為し、無事を事とし、無味を味わう、小を大とし少を多とし、怨に報いるのに徳を以てする」

「なにも為さないということを為し、なにも事がないということを事とし、なにも味がないということを味とする。小さいものを大きいものとして扱い、少ないものを多いものとして扱う。怨みには徳でもって報いる」（蜂屋邦夫訳）

何やら、言葉遊びみたいだが、いったいどういう意味だろう。今一度、東洋の思想・哲学を見直したいものである。こういうものは、幼少期から馴染ませておいた方が良いと思うのだが。『論語』だけは、昔から暗誦してきたようだ。

『老子』「無源」第四

道冲而用之、或不盈、淵乎似萬物之宗。

「道は冲にして之を用いるも、或しく盈たず、淵として万物の宗に似たり」

「道は冲っぽで、いくら注いでも一杯になるということがない。それは奥深くて万物の生れ出る大本のようだ」（福永光司訳）

『老子』「運夷」第九

持而盈之不如其已。

「持して之を盈すは、其の已むに如かず」

「満水状態を無理につづけようとしても愚の骨頂」（福永光司訳）

『老子』「顯德」第十五

保此道者、不欲盈、夫惟不盈、故能敝復成。

「此の道を保つ者は、盈つるを欲せず、夫れ唯盈たず、故に能く蔽るるも復成すなり」

「この道を体得している者は、充ちたりとはしない。そもそも満ち足りようとしないから、壊れてもまたできあがる」（蜂屋邦夫訳）

『老子』「益謙」第二十二

曲則全、枉則直、窪則盈、弊則新、少則得、多則惑。

「曲なれば則ち全く、枉なれば則ち直し、窪なれば則ち盈ち、弊なれば則ち新なり、少なれば則ち得、多なれば則ち惑う」

「曲がった木は役に立たないので、伐られることもなく、その天寿を全うすることができる。人も身を曲げてへり下っておれば安全である。尺取虫が身をまげるのは伸び進まんがためである。人も身をまげ屈すれば真直に目指す方向に進むことができる。窪地には水がみちるものだ。人もへり下って低くなっていれば、人望が集り、満ち溢れ

るようになる。道は循環するもので、秋・冬に葉が枯れ落ちても、また春になれば新しい芽が出て来るように、古くなりすたれれば、必ずまた新しい生命がよみがえって来る。少しなら確実に手に入る。たくさんだと、どれもこれもと惑って、結局どれも手に入らぬということになる」（阿部吉雄・山本敏夫訳）

明治書院本のこの部分の訳は、私にはどうも受け入れ難い。他の訳を探してみる。つまり、「人もへり下って低くなっていれば、人望が集り、満ち溢れるようになる」の部分である。「へりくだる」とか、「人望があつまり」などいうのは、あまりにも卑近な言い様。「虚無」を尊ぶ「老子」の思想に似つかわしくない。

そこで、蜂屋邦夫訳注『老子』（岩波文庫。2008年）の相当部分。

曲がっているからこそ全うでき、屈まっているからこそ真っ直ぐになれ、窪んでいるからこそ満ちることができ、破れているからこそ新しくでき、少なければこそ得られ、多ければこそ迷うもの。

箴言に近い部分は、簡略に訳した方が良い。訳者の思い入れが強ければ強い程、実体から遠ざかってしまう可能性がある。そもそもこの部分、本当に「老子」の言葉なのか。何かお説教っぽくて好きになれない箇所である。

それはともかく、全体として価値観があまりにも真っ当で、学生達と読むと、こちらの身がつまされて気恥ずかしくなるような訴求力を持っている。哲学として強いのだ。

宇宙の真髄を鋭く抉る「老子」の哲学であるが、そして、不思議なことに芸術に理解の深い皇帝達が「道教の一部」として心酔し、やがて彼等は国を滅ぼしたのは、皮肉と言えば皮肉である。唐の玄宗や北宋の徽宗がそうである。国の頂点に立った皇帝は、『老子』を読んで、心ひそかに「天の意志」と通じ、それを支えた官僚役人は、厳しい競争に打ち勝つために、組織の形勢維持に便利な人生哲学の『論語』を必死になって読んでいたのか。

『老子』「俗薄」第十八

人道廢有仁義、智惠出有大僞、六親不和有孝慈、國家昏亂有忠臣。

「大道廃れて仁義有り、智恵出でて大偽有り、六親和せずして孝慈有り、国家昏乱して忠臣あり」
「大道が廃れたために仁義という次善のものが説かれるようになった。智恵が出て来てから、ひどい偽りも行われるようになった。一族が不和になったので、親孝行の存在が目立つようになって来た。国家が混乱したので忠臣の姿が浮かび上がって来た」

以て銘すべし。

「若冲」とは、「いっぱいあるということは、何もないことと同じ」と私は言う。そして、学生の質問。「じゃあ先生、試験の成績、100点でも0点でも同じということね！」。私、しばし絶句、そして私は答える。「マア、そりゃそうだけど、対社会的にはちょっとね」。

やはり、私は厳しく接しなければならないのだ、安易に妥協してはいけないのだ。彼等も熾烈な入学試験競争を生き抜いてきた身だ。能力はある。ここで手綱を緩めてはいけない。大学では強く鍛えねばなどと思う（本音は、たとえ0点得点者でも、それに代わる何物かを必ず持っているものと思うし、入試競争だけが、この世の真実ではないと思うのだが）。いずれにせよ『老子』が好きな私だが、現実の社会に搦め捕られ、つい張られた蜘蛛の巣にひっかかってしまう、哀れな存在が私であるのだ。トホホ。しかし、伊藤若冲「池辺群虫図」（図158）の蜘蛛の巣は美しい。一層「花と蝶」の関係となり、この世を楽しむか。エエイ、浮世は素晴らしいのだ。これでいいのだ。

158. 伊藤若冲『動植綵絵』「池辺群虫図」（宮内庁・三の丸尚蔵館）

伊藤若冲『鳥獣花木図屏風』
桝目画

伊藤若冲『鳥獣花木図屏風』（図159）
<small>い とうじゃくちゅう　ちょうじゅう か ぼく ず びょう ぶ</small>

　紙本着色。六曲一双。各 168.7 × 374.5㎝。

　米国に売られて行ったこの作品は、その後何度も日本で公開されています。私は、米国に売られて行く前に作品と接し、大きな感銘を受けました。この機会を与えて下さった小林忠教授には、本当に感謝しております。この作品を知ることにより、私の人生観は大きく変化しました。偉大な作品です。

　最近、日本に買い戻されたようですが。重要文化財や国宝の指定を受けていなければ、外国とも自由に売買できるのでしょうか。

　とにかく現代人は、日本でその作品の魅力に接することができることは、この上ない幸せと申せましょう。この作品を、30年以上、学生達に紹介し、学生達の素晴らしい反応の結果も、課題作品として数限りなく私の手元にあります（紹介できないのが残念です）。

　屏風が二つで、一つの屏風は六つの部分で形成されているので、「六曲一双」と言われます。片方ずつに4万3000個の桝目が描かれ、合せて8万6000個の桝目があります。

　一個の桝目が、12㎜程（私は、最初の頃は「モザイク画」と呼んでいたのですが、誤解を生ずるため、その後は「桝目画」と呼んでいます。概念がまったく違いますので）。

　気の遠くなるような仕事に、またも、一部の美術史家は、工房作で弟子達にも制作に加わらせたなどといいます。安易な、多人数での「工房制作論」をほのめかすわけですが、伊藤若冲ならば、すべてを個人で仕上げる熱情と技術を持っていたであろうことは、学生達の課題作品の「桝目画」制作の一端を見れば納得できるでしょう。学生達は、その課題で「桝目画」に挑戦し、見事に若冲の世界に迫っています。

　伊藤若冲を授業で扱うときのTHEMEは、「若冲の平等思想」というものです。従って、私のこの『鳥獣花木図屏風』講義もその一端に組み込まれます。

　かつて2001年に計画した、中川幸夫さんと学生達とのCOLLABORATIONでは、この伊藤若冲の世界の一部を表現したかったのです。そのときのTHEMEは、「花さん、鳥さん、虫さん、こんにちは」でした。『鳥獣花木図屏風』をはじめとし、『動植綵絵』の「池辺群虫図」「蓮池遊魚図」「芍薬群蝶図」「薔薇小禽図」「群鶏図」「群魚図」「貝甲図」「秋塘群雀図」、その他を包含し、人も、花も、虫も、鳥も、獣も、貝や魚も、皆一緒に、この生を楽しもうという発想です。

　多摩美の美術館で全館を使い、中川幸夫さんと学生達とのCOLLABORATIONを計画しました。僅かながら予算も付き、学生達と何度も中川さんのAPARTMENT HOUSEに行き、何時間も相談し、中川さんが大きな写真PANELを美術館に持ち込み、計画を

159. 伊藤若冲『鳥獣花木図屏風』（出光美術館）

練ったのですが、残念ながら途中で中止となりました。仔細は省くとして、この年、2001年には、例の紐育世界貿易中心 BUILDING での TERRORISM がありました。

　現実には、気候変動や弱肉強食の食物連鎖などもあり、ことはそうは簡単に運ばないのですが、理想郷を提示するのが、絵画の特権でもあります。伊藤若冲は、それを思う存分発揮したのです。FABRE の『昆虫記』に相当する、対象への親近性と、細やかな観察眼が感じられます。「仮想現実」を見事に表現したのは、HIERONYMUS BOSCH や PIETER BRUEGHEL などです。世界には民族芸術も含めて、様々なその種の作品があります。

　伊藤若冲の「桝目画」は、美大の学生には、圧倒的な人気でした。盗聴に来ているムサビの学生を見つけると、真っ先に「ムササビ」（違うという説もありますが）の図を出します（図160）。「君達の RIVAL 校のムチャチャビ」と言ってはからかいます。彼等は激怒します。そこで、私はこう言います。

　「実は私は、隠れムサビ FAN で、水尾比呂志先生がムサビの学長のとき、わざわざ鷹の台（東京都小平市）の彼の研究室に行って、TRADE を申し出たくらいなのよ。ムサビが好きなのよ。しかし、多摩美を愛してる」。学生達、茫然。そこで、私は「愛について」

160.　伊藤若冲『鳥獣花木図屏風』（ムササビ）

161.　伊藤若冲『百犬図』（個人蔵）

とうとうと語るのだが、今回は省略。これはこれで面白い。学生達も納得する。また、別の機会に。私の「愛人」論についてです。

　ところで、前にも触れましたが、全部で8万個以上にも及ぶ桝目を一つ一つ丹念に描くなどは、到底一人ではできない、きっと工房の弟子達に指示をし、手伝わせたのであろう、などと言う人もいますが、それは違う。学生の課題作品で、わずかな期間に3000個位の非常に完成度の高い作品を提出して来る姿を見ると、若冲が一人でやったということは十分に考えられます。凡人には苦痛と思える仕事が、伊藤若冲にはまさに快感。こんな楽しい仕事を、他人なんかにやらせてたまるか、という心境だったと思う。とにかく彼は、一種の宗教観・世界観を表出するために、動物や鳥や花を登場させ、宇宙の調和を図ろうとしたのだから。おそらく、陶然としていただろう。

　画面が表出する雰囲気には、幼少期に観たDISNEYの『BAMBI』に共通するものがあります。なぜか、あの映画は鮮明に記憶に残っている。そして、伊藤若冲『鳥獣花木図屏風』もまさにその類です。記憶が定かでないのですが、『101匹わんちゃん』という映画もありましたか？　それより先に伊藤若冲『百犬図』が江戸時代、寛政11年（1799）に描かれているのです（図161）。若冲は、DISNEYと共通するDNAを持っていたのかしら。彼等宇宙人にとっては、それもあり得ることだろう。

　そう言えば、伊藤若冲の「桝目画」の感想文によくあるのが、「伊藤若冲は、SEURATやSIGNACの点描画を知っていたから、それをHINTに桝目画を描いたのだろう」とか、「西陣織の下絵をHINTに描いたのだろう」とか、「京都の町が碁盤の目になっていたから」とか、「仏教の曼陀羅を基に描いた」とかいうものです。今度は、私が激怒します。いずれも、私は否定します。学生は、伊藤若冲を知る前にSEUR

AT や SIGNAC を知ってはいたのだろう。だが、伊藤若冲は、西洋の彼等より 100 年も前に活躍していたのです。到底、知り得ません。

こういう場面に出くわすと、温厚な私も激怒します。貧しい知識で物事を間違って判断するとは悲しいことだと。しかし、振り返って見ると、それは学生達の責任ではない。彼等の使用した美術の教科書の内容が問題なのです。美術の教科書にも検定があるとすれば、それを許可する側の人間が、あまりにも西洋志向であることの証左です。私が言いたいのは、東洋、西洋を問わず、誰が偉い、何が偉いなどという評価が必要なのではなく、すべてこの世に存在する者は平等であるという観点から、教科書を作るべきだということ。「平等意識」の発揚。そして、このことを示したのが、伊藤若冲の絵画の世界であるということだ。人々は、すべて自由人でありたい。

学生達の好きな「曼荼羅絵図」でも、中心が大きくて周辺が小さく描かれている。この場合、やはり、中心、真ん中が偉いんだろうな。伊藤若冲『鳥獣花木図屏風』でも、確かに、中央に「白象」や「鳳凰」が大きく描かれている。しかし、それを構成する「1 ㎝四方の桝目」は、屏風の周辺の装飾部にとっても同様に使用され、すべてが等価値を持つ。

「まるで細胞が、全体と細部を形作っているかのようである」と表現した某 CULTURE CENTER の中年受講者がいた。つまり、我々の身体も小さな細胞の集積によって成り立っているというわけだ。私も、それに賛同する。確かに、目に見えない爪先の細胞と、ベタベタと塗り付け化粧する顔面の細胞とは、共に、身体を形成する重要な細胞であろう。一つ欠けても体を成さないのだ（図 162）。

とにかく『鳥獣花木図屏風』の、種類は違っても大きさは違っても、互いに仲良く生きるという姿は、宮沢賢治の『セロ弾きのゴーシュ』や鳥山明の『DRAGON BALL』の「天下一武道会」の観客や、映画『STAR WARS』の ALIEN BAR や宇宙防衛軍の構成にも現れます。他人を攻撃し、征服することにより、一時の快感を覚えるなどということは、本能というよ

り、人間の罪過であります。

侵略戦争など、これも愚の骨頂です。戦争は人間の本能であるという人もいますが、動物は自分の TERRITORY を守るために闘うことはありますが、自己の信念や宗教心、ささやかな欲望に基づいた闘いなどありません。所詮、人間が「国家」などという概念方式に固執する結果の悲劇だと思います。それを「本能」だと言うのはおこがましい。

鳥や獣に人智がないということには、私も同意しま

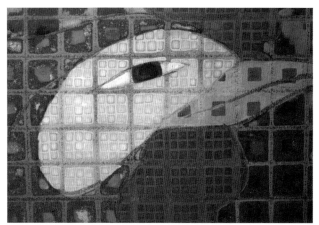

162-1.　伊藤若冲『鳥獣花木図屏風』（桝目画部分）

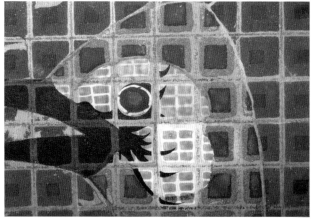

162-2.　伊藤若冲『鳥獣花木図屏風』（桝目画部分）

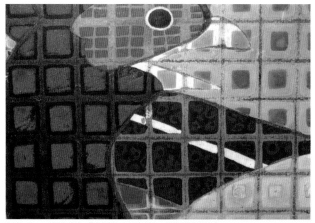

162-3.　伊藤若冲『鳥獣花木図屏風』（桝目画部分）

162-4. 伊藤若冲『鳥獣花木図屏風』（桝目画部分）

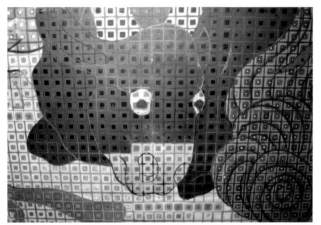

162-5. 伊藤若冲『鳥獣花木図屏風』（桝目画部分）

162-6. 伊藤若冲『鳥獣花木図屏風』（桝目画部分）

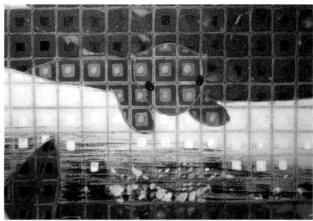

162-7. 伊藤若冲『鳥獣花木図屏風』（桝目画部分）

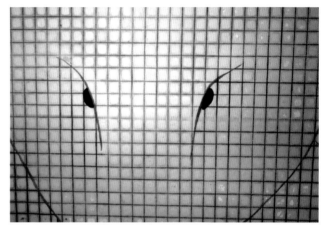

163. 伊藤若冲『鳥獣花木図屏風』（象の目）

す。それに、優れた芸術作品もないことは確かです。人間には、人間の役割があるのです。しかし、他の動物・植物も自らの形態の美を誇る造形を生み出す力を持ち、無生物でも美しい輝きを放出させる魔力を持っています。雲や水は運動変化の妙を示してくれます。皆さん、一歩外へ出てみてください。そこにある蜘蛛の巣の造形。私のような不器用な人間には到底及ばない、神秘の力の作用としか思えないものです。

ただ、人間のように、そこに喜怒哀楽の感情を秘めさせることはできない。伊藤若冲は、彼等を擬人化しつつ、何を語らせようとしたのでしょうか。これは、今、考え中です。悪しからず。深遠です。高遠です。早く、広々とした平遠の境地に達したい、その前に私の寿命が尽きてしまう。嗚呼。チーン。

ところで、「獣」の方に「驢馬」はいるのですが、「馬」がいないのはなぜでしょう。中国では、昔から「名馬図」がたくさん描かれ、画家達がそれぞれ腕を競ったものですが。謎です。

164. 『普賢菩薩像』（東京国立博物館）

165. 伊藤若冲『鳥獣花木図屏風』（麒麟）

166. 伊藤若冲『鳥獣花木図屏風』（鼠）

驢馬は、蘇軾（東坡）が驢馬に乗っている絵が有名です。

中央にいるのは「白象」です。私はあらゆる「象の絵」の中で、この絵が一番好きです。へそ曲がりな私ですが、象が中央にいるからといって嫌うわけではありません。とにかく、目が可愛い。トロットロッ、フワッフワッ、中身が濃厚、ジュワーッ。絶品最高です。「象の目」です（図163）。背中に豪華な敷物を載せているので、本来、誰か偉い人が載るのでしょうが、敢えて載せないのはなぜか。これも謎。仏教で言えば、「普賢菩薩」が載るべきでしょう（図164）。「象」は仏教発祥の地印度でも重要な存在ですが、中国でも漢字の元になった動物でしたね。何せ、「象形文字」なのです。おわかりですね。麒麟も最高（図165）。こちらは「麒麟麦酒」を思い出してください。他意はありません、他のMAKERを排除しているわけではありま

せん。「札幌」でも、「朝日」でも、画面に登場していれば、等しく取り扱います。所詮、私は、麦酒はあまり嗜みませんから。

ネズミもカワイイ。私の干支でもあります。中国では、「老鼠」とか、「老虎」とか言って、「老」を頭にくっ付けて称するのが、一般ですが、私も、70歳をすぎ、正真正銘の「老鼠」となってしまった。「忍者TURTLES」の地下鉄に住む「老鼠」も、心なしか「老子」に似ていましたね（図166）。もちろん、兎

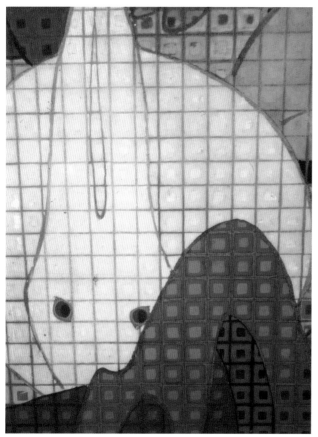

167. 伊藤若冲『鳥獣花木図屏風』（兎）

168. 伊藤若冲『鳥獣花木図屏風』（虎）

169. 饕餮

も愛らしい（図167）。誰か、「卯年」の人いませんか。「寅年」でも、「申年」でも、「未年」でも、「酉年」でも、「辰年」でも、「午年」（まさか驢馬年とは言うまいが）でも、「戌年」でも、「丑年」でも、「巳年」でも、「亥年」でも（ああ疲れた）。とにかく、ほとんどが、この桝目画には登場しているのです。

やや寂しげな「虎」もいます（図168）。虎も古来、霊獣として崇められ、色んな場所に姿を現します。甲骨文字では、頭に宝冠を付けています。霊獣の「象徴」です（ゾ〜ではありません、トラです）。人を威嚇するかのような「饕餮」（図169）にも用いられています。中国の「地方志」を読むと、村に虎が現れ、人々や家畜に被害を与えたという話が出て来ます。その点では、害獣とも言えますが、一方、人々は、「虎」を邪悪なものを寄せ付けない守り神とか、財をもたらす恵みの獣として、共存しました。例の「年画」の「金虎」も人気でしたね。お金を齎す、幸運の象徴、いわば、吉祥図の一つとして用いられます。学生達が好むわけだ。

ところで、2019年10月現在、関西電力関連の「金品授受」をめぐって、私の妻（米国人）が新聞を見て質問しました。「金品授受」の「金」って一体何ぞやと。私はそのとき、こう答えました。「お金、つまり銭のことだよ。それと品物のことだよ」と。ところが、数日後の新聞報道では、「金」は「ゴールド」と片仮名表記がなされているではありませんか。もう、面目丸つぶれ。日本語はややこしい。関電の偉い人達、どうしてくれるのよ。私が妻に、深々と頭を下げれば済むのか。私の場合、極めてささやかな失態であった。彼等の場合、まさか、本当に「金の延べ棒」授受ではあるまいが。大岡越前守、遠山の金さん、どちらでもいいから、取り敢えず宜しく。時代劇FANにはタマラン場面になります。金さんの桜吹雪は舞うか。庶民は消費税で混乱中。これもタマラン。世の中、忙し過ぎる。嗚呼。とにかく、再発防止のために万全な努力を。安全安心な社会を。戸締り用心、火の用心。詐欺用心。私の場合、嘗てささやかな賄賂を拒否し、仕事を干された経験があるが、この話は後日ゆっくりと。

鳥達の会話

与謝蕪村『鳶鴉図』（図170）、その主題を『荘子』「列禦冦」から取ったという指摘がありますが、この場面は、荘子が死に臨んだとき、弟子が、「吾恐烏鳶之食夫子也」（私は、師匠の体を烏や鳶が食い荒らすのを心配する）と、粗末な葬式では烏や鳶に食い荒らされてしまうのを懸念する場面です。もちろん、荘子は、烏や鳶や螻や蟻に食われて結構、その方が却って、神羅万象に照らし合わせて、公平であると弟子達に諭しますが、与謝蕪村のこの絵にはそぐわない。

やはり、直接「鳶」と「鴉」に語りあって貰いましょう。その方が、関係性が明らかになります。ちょいと、「鶴」が仲立ちしますが宜しく。

最初に、鶴と鴉が対話します。

白居易「池鶴八絶句」
「烏贈鶴」（烏が鶴に贈る詩）

與君白黑太分明、	君と白黒太だ分明なり、
縱不相親莫見輕、	縦え相親まざるも、軽んず莫れ、
我每夜啼君怨別、	我、毎に夜に啼き、君、別れを怨む、
玉徽琴裏忝同聲。	玉徽、琴裏、同声を忝くす。

「君とは白黒がはっきりしている、相親しむことなくとも、互いに軽んずることは止めよう。私は夜に啼き、君は別れを怨む。琴曲で玉徽が、琴曲の中では、同声となっているのだから」

［語注］烏夜啼＝楽府、清商曲辞の名。南朝宋、王義慶の作。王義慶が罪を受けて廃せられたとき、烏の夜啼くを聞き、明日、赦さるべしと言った。果たして赦に遇い、この曲を作ったという。梁の簡文帝、周の庾信、唐の李白等に歌辞がある。／別鶴怨＝楽府、琴曲の名。商陵の牧子は、妻を娶って五年も子がなかった。父兄は新しい妻を娶らせようとした。牧子の妻の悲嘯を聞き、悲しんだ牧子がこの曲を作った。／玉徽＝玉で作った、琴の側辺にある標識の円点。／同聲＝楽府雑曲歌辞の名。後漢、張衡作。婦人が閨房に仕えて過のないようにと願う心情を述べ、以て臣子の君に仕えることに喩えたもの。

黒い私と、白い鶴とは、それ程親しくはならなくても、互いに軽んずることだけは止めよう。

共に、琴曲の中では、重要な役割を持っている身分なのだから。双方、文学や、楽

170. 与謝蕪村『鳶鴉図』部分（京都・北村美術館）

曲上で、重要な位置を占めていることを誇ろうと。しかし、鶴はその謂いが気に入らない。そこで、鶴が烏に答える。

「鶴答烏」（鶴が烏に贈る詩）

吾愛棲雲上華表、　吾、雲に棲むを愛し、
　　　　　　　　　　華表に上り、

汝多攫肉下田中、　汝、多く、肉を攫みて
　　　　　　　　　　田中に下る、

吾音中羽汝聲角、　吾が音、羽に中り、汝が
　　　　　　　　　　声は角、

琴曲雖同調不同。　琴曲、同じと雖も、
　　　　　　　　　　調は不同なり。

「私は雲の中に棲み、華表に上がることを愛す。君はいつも田の中に下りて、肉を攫んでいる。私の音は羽に中り、汝の音は角である、琴曲は同じといっても調は同じではないよ」

［語注］華表＝華表鶴帰。漢、丁令威が、死後、鶴に化して故郷に帰り、城門の華表（門・柱識）に止った故事。『捜神後記』、「丁令威、本遼東人、學道於靈虚山、後化鶴歸遼、集城門華表柱、時有少年、擧弓欲射之、鶴乃飛徘徊空中、而言曰、有鳥有鳥丁令威、去家千年今始歸、城郭如故人民非、何不學仙冢纍纍、遂高上沖天」。／羽＝五音（宮・商・角・徴・羽）の一つ。最も澄んだ音。五音の一つ。／角＝五音の一つ。

鶴は気位が高いのか、烏に激しく反論する。私は雲の中に住み、時として華表に上る。高潔な身分。君は田の泥の中で、餌の肉を啄む、下賤の者。音楽に於ても、私の「音」は「羽」であり、君の「音」は「角」なのだ。同じ「五音」に属するといっても、私の「音」の方が優位なのだと、烏を貶める。

次に鶴と鳶との対話です。

白居易「池鶴八絶句」
「鳶贈鶴」（鳶が鶴に贈る詩）

君誇名鶴我名鳶、　君、鶴と名づくるを誇り、
　　　　　　　　　　我、鳶と名づく、

君叫聞天我戻天、　君、叫けば天に聞え、我
　　　　　　　　　　は天に戻る、

更有與君相似處、　更に君と相似の処有り、

飢來一種啄腥羶。　飢え來れば、一種、腥羶
　　　　　　　　　　を啄む。

「君は鶴と名せられ、誇らしげ。我は鳶と名付けられるだけ。君、叫べば天にまで聞こえ、我は飛んで天に向かって戻るだけ。随分違うとはいえ、ただ、飢えた時には、同じように腥羶を啄むのだ。このことだけはかわらないよ」

［語注］聞天＝『詩經』「小雅」「鳴鶴篇」、「鶴鳴于九皋、聲聞于天」。／戻天＝『詩經』「大雅」「旱麓篇」「鳶飛戻天、魚躍于淵」。／腥羶＝なまぐさいもの。

鳶は、烏に謙りつつ、鶴に逆襲する。烏の知恵はスゴイ。君も私も、所詮、飢えれば、生臭い肉を食う身分なのだ。だから、貴方だけ、それ程威張るのはお止めなさいと。その点では同じ部類なんでしょと。この場面、烏より鳶の方がしたたかである。では、それに鶴が、どう答えるか。

「鶴答鳶」（鶴が鳶に贈る詩）

無妨自是莫相非、　自是を妨ぐる無きも、
　　　　　　　　　　相非する莫れ、

清濁高低各有歸、　清濁、高低、各、帰す
　　　　　　　　　　る有り、

鸞鶴羣中彩雲裏、　鸞鶴羣中、彩雲の裏、

幾時曾見喘鳶飛。　幾時か、曽て喘鳶の飛ぶ
　　　　　　　　　　を見たる。

「自ら是とするのを妨げはしないが、相手を非とする莫れ、清濁、高低、それぞれに依って立つ所があるもの。鸞と鶴の群れ飛ぶ、彩雲の中に、喘ぎ鳴く鳶を見たことがない」

　自分がそうだからと言って、相手まで巻き込むな。所詮、我々は棲む所が違うのだ。我々鶴は、そもそも高級な部類に属すのだ。烏如きが、下賤の身分で身の程知らずなことを言うものではないと。やはり、鶴はどうしようもない程高慢ちきである。ここで、鳥達に色々語らせる、白居易の真意は何処にあるのか。残念ながら、私には今、そこまで立ち入る時間がない。

　だけど、鶴って何となく人の心を惹くものを持っていますよね。画題の中から、鶴が排除されてしまったら、東洋の絵画は、途端に寂しいものになりますものね。しかし、伊藤若冲は、「鳥語」を解する公冶長（こうやちょう）の如く、様々な鳥達と会話を続けましたね。あっそうか。DOLITTLE 先生のように「獣語」も解しましたね。我々は、画家達の使用する「絵画語」を理解しなければなりませんね。別に「語学検定試験」があるわけでないし、自由に学べばいいんですよ。対象に寄り添って。夏目漱石は、「絵画語」を理解しました。

夏目漱石『草枕』（明治 39 年 1906）（『漱石全集』岩波書店　1956 年）

　横を向く。床にかゝつてゐる若冲（じゃくちゅう）の鶴（つる）の圖（づ）が目につく。是は商賣柄丈（しょうばいがらだけ）に、部屋に這入（はい）つた時、既に逸品（いっぴん）と認めた。若冲（じゃくちゅう）の圖は大抵精緻（せいち）な彩色ものが多いが、此鶴は世間に氣兼（きがね）なしの一筆（ひとふで）がきで、一本足ですらりと立つた上に、卵形（たまごなり）の胴がふわっと乗（の）つてゐる様子は、甚だ吾意を得て、飄逸（へういつ）の趣（おもむき）は、長い嘴（はし）のさき迄籠（こも）つてゐる。床の隣りは違ひ棚を畧して、普通の戸棚につゞく。戸棚のなかには何があるか分らない。

　最後の「戸棚のなかには何があるかわからない」の部分は、文章上、必要がないと思われるが、驚嘆すべきは、この文章が、幕藩体制に代わって明治政府となった、39 年後に書かれたということである。旧仮名遣いは、別として、その感覚たるや、正に現代人に通ずる。いや、本当は逆で、夏目漱石や二葉亭四迷らが文学を通して形作った思考方法や表現手段が、その後の日本の近代を支えて来たとも言える。何も、「富国強兵」や「国家神道」だけが、この国を作ったのではない。文学や芸術も大いに、その変革に参与しているのである。文中、「世間に気兼ねなし」の部分は、伊藤若冲が、筆の赴くままに自由に描いたということだろう。しかしこれは、夏目漱石の心理を思わず述べた箇所とも言える。元来、伊藤若冲は、絵を描く時には、世間体のことなど気にしない。その点では、「超俗」の人だったのだから。

伊藤若冲の「ムラムラの空間」
「余白」とはなにか？

「余白の美」という甘ったるい表現に対する反論です。

近年、「余白の美」などという言葉が、美大生の間で流行っています。時代の趨勢でしょううか。日本人は「白」が好きです。白色の乗用車（なぜ、白色の貨物車は少ないのか）、ワイシャツ（WHITE SHIRT）、純白のWEDDING DRESS（これは世界共通か）、家電用品（これも、ほぼ世界共通か）など。とにかく、何も手を付けていない所に様々な意味を付与して、勝手に楽しむという便利な方法の一種が、「余白の美」の効用。

「白」とは、白川静によれば、「頭顱の形で、その白骨化したもの、されこうべの象形である。ゆえに白の意となる。偉大な指導者や強敵の首は、髑髏化して保存される。ゆえに伯（覇＝はたがしら）の義となる」となる。頭顱とは頭の骨、されこうべの意味。

私は、「余白」ではなく、「空間」という言葉を使う。空間は哲学的概念を表す言葉、「余白」は視覚的効果を狙った美術的造語であろう。

『大漢和辭典』では、「餘白」は「字を書いた紙の空白で残っている部分」とある。「空」の語義語源は諸説あって難しい。皆、その意見があやふや。何時の日か、スッキリと解明されることを願います。「間」は元来「閒」。白川静によれば、「初義は、門中に肉を置いて祀り、安静を祈願する意」となる。いわゆる「にくづき」である。因みに、天空の「月」は、中の二線の右が離れ、肉の「月」は中の二線が左右に接していたのですが、当用漢字では、すべて「月」としたという説明が、他の辞書にはありました。しかし、再び『字統』に戻り、「肌」の項目を見ると、「肌」となり、中の二線の右が離れているではありませんか。私は、門外漢なので、この結末は専門家にお任せすることにしましょう。

中国では、見えない空間にも気は存在するという。「陰と陽」の強弱濃淡が天空にも存在し、ひいては、我々の身の回りの空間にも存在するという認識で

171. 伊藤若冲『猿猴摘桃図』（ムラムラ空間）

ある。中国では、そのことを絵画で表現するのに、日本人の好むところの、清浄潔白を重んじ、手付かずに置くところの「余白の美」などという方法はとらない。堂々と、絵画空間に気の濃淡を墨の濃淡で表すのです。中国絵画の空間表現に使用される「ムラムラ」は、中国思想哲学の根本にある「気」の存在の象徴なのです。不可欠な要素なのです。

もちろんこの方法は、一般的に日本人の好みには合わない。そこで伊藤若冲は考えました。空間を「ムラムラ」で表現することは、たぶん、日本人には、即座にはわかりにくいだろう。

だったら、その空間の区切られた一部だけをDESIGN的に処理し、いわば、一種の装飾的美の方向に持って行こうと。見事に成功しました。『猿猴摘桃図』です。枝で区切られた空間の一部だけをやや濃いめに描き、他の場所との区別を行ったのです（図171）（167頁、図150も参照）。

172. 与謝蕪村『夜色楼台図』部分（個人蔵）

画家の場合、中国人の空間表現・認識方法を理解し、自らの世界でそれを表現する者もいる。

学生達に示すのは、中国では、牧谿『観音猿鶴図』『羅漢図』、日本では、俵屋宗達『蓮池水禽図』、岩佐又兵衛『源氏物語』等です。

与謝蕪村の『夜色楼台図』（図172）や『鳶鴉図』、その他の作品にも、数多くの「ムラムラ空間」が登場します。与謝蕪村も、中国の絵画空間表現法を、十分、理解していたのでしょう。「ムラムラ空間」の表現法としては、「烘托法」も用いられていました。空間に厚みを持たせるには最適の方法です。

沈南蘋から若冲へ

伊藤若冲『猿猴摘桃図』は、学生達に圧倒的に人気がある作品の一つです。

私も、この作品を語ることによって、中国の空間表現の特徴や、細密描写の技法や、CUBISME や、中国の故事を語ることができるのです。正に、若冲サマサマである。もちろん私も大好きです。そもそ

も、『猿猴摘桃図』とは、『猿猴捉月図』の CARICATURE でしたね。

画面に注視しましょう。まず、「猿と桃」です。さあ、これは何を意味するか。皆さん、おわかりでしょう。そう、女仙人の筆頭西王母の庭から、永遠の命を授かる仙桃を盗み出す孫悟空の話です。そうすると、「猿が月の美しさに感動し、月を取ろうという無理な希望を抱いた」場面設定から、「食用になる、それも長寿を保証する美味しい仙桃を掴み取ろうとする猿達の場面」に変更されます。現実面でもありそうな光景に転用しました。若冲は深い。秀逸な PARODY を作り上げたのです。

次に、技法を見てみましょう。猿の顔には、繧繝彩色が用いられ（図173）、人工的美の極致を示します。正倉院御物「香印坐」の彩色と近似します。一方、体毛は細密描写で一本一本描き分ける。伝（ATTRIBUTE）毛松『猿図』に先例がありましたね。

とにかく、究極の「抽象と具象」、「人工と自然」との COLLABORATION でもあります。

次に、桃は沈南蘋風の「怪しい雰囲気を持つ」桃

173. 伊藤若冲『猿猴摘桃図』（猿の顔）

174. 沈銓『双鶴捧寿図』部分（桃）

（図174）。バーミヤンの桃ではなく、「熟れて芳香を放つ、中年女性の魅力」（ここで、学生達の CHECK が、即座に入ります。「センセーったら！」）である。1731年、日本にやって来た沈南蘋の作品に、桃は数多く登場します。『双鶴捧寿図』（長崎歴史文化博物館）（図175）、『百鶴百鹿図』（出光美術館）、その他ですが、鶴の頭の大きさに較べて、桃の実の何と大きいことか。頭の上に落ちたら相当な SHOCK を受けるだろう。正に、「仙桃」である。とにかく桃は偉い。「年画」にも屢々用いられる。長崎の市中で見かけました（図176）。

　沈南蘋の系統を引く長崎派の画家達が、その後しばらく、桃の絵ばかり描いていたのは、故無しとは言えない。その存在感に圧倒されたのであろう。ついでに虎の絵を数多く描いたのも、沈銓の影響かも知れない。

　さて、私の授業の究め付けは、伊藤若冲の「CUBISME」論である。教室に向かう道の傍らをウロウロ歩き、適当な葉っぱを持参し、PROJECTOR で SCREEN に大きく映し出す。あるのだ、一枚の葉の表の中

175. 沈銓『双鶴捧寿図』（長崎歴史文化博物館）

心に縦に走る葉脈の左右がまったく違う色調の葉っぱが。だが、伊藤若冲の描く葉っぱは、それを忠実に写したものではない。葉っぱには、裏と表がある。それを1枚の葉で表現するために、沈南蘋は葉っぱに捩れをいれた。若冲もそれは屢々使用している。しかし、若冲はこう考えた。同時に概念認識の絵画化、つまり、「表側の見えている横顔の眼だけでなく、裏側にも眼はあるはずだから、それも表側にくっ付けて描いてしまおう」と。アレである。そう、PICASSO の『泣く女』効果である。

　つまり、西洋の「CUBISME」より先に、伊藤若冲は、その概念を絵画化していた、というのが、私の説

176. 寿老人

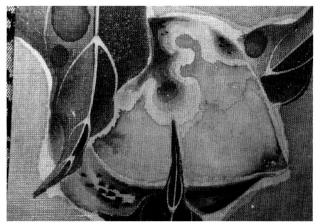

177. 伊藤若冲『猿猴摘桃図』(桃)

である。ただ、「CUBISME」という言葉を安易に使ってしまった感もある。私は、元来、GEORGES BRAQUE が好きである。では、同じ「CUBISME」作家の GEORGES BRAQUE と若冲との共通点はあるかと問われると、返事に窮する。まだ明確な答えは導き出せていない。あるいは、学生の注意を喚起する姑息な手段であったかも知れない。反省。要するに、この場合、「概念の問題」であることを語りたいだけである。

「一枚の葉があれば、表と裏がある。表だけ見せている葉っぱの裏側に違った表情を持つ部分がある。所詮、表と裏が相俟って葉っぱは存在するわけだから、描くならいっそ、表と裏を同時に描いてしまおうという、思い切った決断の結果、若冲は一枚の葉に走る中央の葉脈を対称軸に、表と裏とを半分半分描いてしまった。太陽の光に当たり、ツヤツヤと輝く表の部分が半分、その裏にある幾分色の褪めた、しかも虫食いや病気の跡がある部分が半分」

正に、人生そのもの。「陰と陽」。これを描いたのである（図177）。イヤ、すごいことをやる若冲。中国伝来の、一枚の葉に捩じりを入れ、表と裏とを同時に見せる方法も若冲はよく使うが（沈南蘋もよく使用する）、

発想がここまで来るとは、マイッタ。若冲万歳。世の中すべての現象が、最初に概念ありきで、その後存在が決定されるわけではない。様々な事象現象を抽象化し、一つの概念ができ上がるのである。具体から抽象へ、抽象から具体へ。人生、この繰り返しである。人類が誕生し、芸術家、あるいは芸術家の卵達（これは、現代風の謂いであるが）が誕生した。芸術家達は、身の回りの存在から感じたことを、様々な手段で表現してきた。音楽、絵画然り。難しい概念や観念を、如何に表現するかに力を注いできたのだ。君達もそうだろう？

若冲は、一枚の葉っぱには表があり裏がある。表が綺麗でも裏は病んで斑点があることを知っていた。表を描けば裏は見えないが、所詮、共存している。表と裏の同時存在は、「陰と陽」の共存でもある。尾形光琳『紅白梅図屏風』もそうだったね。ハイ、それでは今日の授業はこれで終わり。また来週。

学生達は感想文を書き、その後、STAGE に置いてある CARD READER に学生 CARD をくっ付け、出席を取る。その間、学生達の好きな ECCENTRIC OPERA の音楽を流す。学生の数は多いし、時間がかかる。その TIMING を狙って、駆け込み乗車をしようとする者には、もちろん、駄目 SIGN を出す。学生達によると、「ピ逃げ」というのがあるそうだ。CARD READER で最初に出席をとる授業の場合、CARD READER に「ピッ」とカードをかざし、出席を登録したらすぐに「逃げ」る（退席する）学生がいるのだ。嗚呼。如何せん。

第15章

エピローグ――成仏と輪廻転生

中川幸夫『花狂』新居義久撮影

虫さん、鳥さん、獣さん、一緒に往生しましょう。そして、花さんも

　私は、仏教の「輪廻転生」とか、「六道」とかいうものを、実はあまりわかっていない。人間であることは確かだが。仏教において「六道」とは、「地獄・餓鬼・畜生・阿修羅・人・天」の六つの世界を意味します。有情（SATTVA。衆生。一切の生物）のものは、死後、その業（KARMA。この世に於ける善悪の行為）によって、生まれ変わる世界が決まるのです（転生）。

　その結果、死後、生まれ変わるとき、その業に応じて、行くべき世界が決まるのです。いつまでたっても、この六道の間をぐるぐる回るのです（輪廻）。例えば、虫の嫌いな君が、無闇に虫を苛めて罪過を増すと、来世は、自分が虫になることさえあるのです。眼の前を飛んでる蚊も、誰かの「転生」の結果であるかも知れません。虫が善行を積むと（どんな善行か知りませんが）、来世には人間になることができるのでしょうか。この因果関係が、私にはわからない。専門家に聞いてください。

　学生達も知っている「山川草木悉皆成仏」という言葉は、「あらゆる物には仏性があり、事と次第によっては、天国に行けるよ」という風に、私は解釈するのですが、ある偉いお坊さんは、「みんな仏さん」であると、既に「仏」になっているものと解釈しています。

　私は仏典に精しくないのでわかりませんが、前後の文脈と関係なしに、「山川草木悉皆成仏」を私なりに読み解くと「山や川、水と岩、草や木、雑草や美しい花など、物言わぬが、森羅万象に存在するものには、すべて仏性が備わっている」ものとなります。「成仏」しているという結果ではなく、「成仏」できるという可能性を示したものであると解釈したいのですが。それも、花さん自身、岩さん自身に尋ねてみないとわからない。

　人間がどうのこうのという問題ではない。すべてが平等なのだ。思い上がった人間が決めつけるものではない。物自身の声を聞き、そこから新たに思考を深めるのだ。北極の氷河氷山の声を聞くべきだ。動物達の苦痛の声を聞くべきだ。もちろん、現代に生きる人間の声を。もっとも、「山川」などの自然物は、譬えを

強調するための装飾かもしれませんが。だって、「有情」ではありませんもの。「無情」も「成仏」できるというスゴイ力かもしれません。とにかく、仏教では、この六道の世界から離れ、「極楽浄土」の世界に行くことを「往生」とか「成仏」とか言います。

学生諸君の中には、基督教信者とか神道信者もいると思いますが、今日は、伊藤若冲の絵画の示す世界を理解するために、仏教の世界から読み解いてみます。

「君達は小っちゃい頃、おじいちゃん、おばあちゃん、あるいは両親から、『食事が終わってすぐ横になると牛になるよ』と、言われたことありませんか。私が小さい頃の食卓は、畳の部屋で卓袱台を使っていました。畳の部屋ですから、食事が済んだら簡単に横になれます。お腹がいっぱいになり、昼間の遊びの疲れもあり、横になるとついウツラウツラと、それこそ天国です。すると、とたんに叱られます。『そんな行儀の悪いことをすると、牛になるよ』と（今の学生達がこの話を知っているのは不思議です）」

私は幼少のそのとき、誤解していたようです。「牛が横になって、ダラダラと涎を垂らし、みっともない。そんな姿になるよ」と、単に行儀の悪さを指摘するお叱りの言葉だとずっと思っていました。その真意は、行い（この場合、行儀）が悪いと、仏教で言えば、「そのような悪い行いをすると、来世で畜生になってしまうよ」との戒めの言葉であったろうと気付きました。

「六道の輪廻転生」「因果応報」でしょうか。要するに、来世は「虫けらめ」や「コン畜生」と蔑まれる「畜生道」や、「この餓鬼」と叱られる「餓鬼道」や、「地獄に行け」などの「地獄」など、すべて、軽蔑の対象の世界に転生するからお止めなさい、という警告だったのです。「六道」の中、「人間道」以外の他の世界に住む者達に対しての蔑みの言葉は、数限りなく豊富にある。

大体、「蔑む」という言葉自体が、仏教の教えに似合わない。卑近な「蔑み」は、人間（自分）は偉いという思い上がりであろう。他者を軽蔑し、貶めるのに快感を覚えるのであろう。慈悲より、憎しみ優先である。GENOCIDEや外来種撲滅運動など、それらの例は枚挙に暇がない。「蔑む」対象は、自分では飼えない生物を池に放った人間であるはず。方向が間違っている。とにかく、そもそも人間は業が深い。掻い掘りで殺された生き物達は、立つ瀬がない。

確かに人間は業（身・口・意でなす善悪の行為。これを因として善悪の果報を生じる）が深いから、その加減により、来世で行く所は様々であろう。「天道」に行って空中飛遊の楽しさを味わえたとしても、所詮、「六道」の世界に居る身だから、必然的に命の終末を迎えなければならない。「阿修羅」の世界で、絶えず怒りと争いの中に身を置けば、疲れきってしまうだろう。

「餓鬼」になって残飯を漁ったり、「地獄」に行って業火に因って身を苛まれたり、「畜生」となって人間にこき使われたり食べられてしまう、やはりそれより、人間界の方がまだましだと人々は思っているのだろう。

GOURMET番組で、美女が大きな口を開けながら、血の滴るようなSTEAKを、「ウットリとした表情で食べ、後に満面の笑みを見せる」のは、GOYAの絵の一部や、「峠のあばら家の人食い婆さん」を彷彿とさせないか。生きたままの魚介類を熱い湯や油に放り込むのは、地獄の釜茹でに近いのではなかろうか。たとえ死んで解体されていても、敢えて命を絶ってのことである。もちろん、VEGETARIANが食べる野菜や果物でさえ、本来持つ命を奪って人間の生命維持に供するための犠牲になっているのだ。精進料理でさえ、植物の命を食べているわけだ。こう考えると、そもそも我々人間は、「六道」の世界に住んでいることの再認識を余儀なくさせられる。つまり、「業が深い、罪の深い存在」なのだ。

私は、かつて好きだった川釣りをキッパリ止めた。家族で楽しく泳いでいる魚達に餌をチラつかせ、その一員を釣り上げるなど、家族崩壊の元凶だ。「お父ちゃーん」と泣き叫ぶ、残された家族の声が聞えたのである。だから、TVの「釣り番組」も嫌いだ。魚達が農薬に汚染されずに悠々と泳ぐ姿を楽しむのが、人間の立場だ。そこで、俳句か和歌でも作れば、ちょっとは文化的かな。千切れて池に残されたテグスで、白鷺の脚ががんじがらめになることもないし。新聞の

「釣り情報」も嫌いだ。SAFARI なんて、とんでもない。人間の罪深い「業」は、極力少なくしましょう。自分達の一時的な欲望で、地球を汚すのは止めましょう。

こうした、汚辱に塗れた世界、つまり穢土から脱却することを、仏教では「往生」とか「成仏」と言い、それが実現できると、「極楽浄土」に住めるのである。そこでは、戦争や人々との諍いもなく、平和に穏やかに暮らし、永遠の命を授かるのである。今でも大勢の人達が、「極楽浄土」で暮らしているはずだ。

「極楽浄土」では、言語は共通のものが使われているのだろうか。「天国語」という共通言語があるとすれば、どうやって習得するのか（日本の学校教育のように、語学を試験科目の一つとして、何年間も学ばせても、会話もろくにできないという惨めな結果を生じさせることはないとは思う、これは「人間界」のことなのだから）。たぶん、そこでは、人間が本来持つ基本的能力、「心と心が通じ合う力」（これは人間に限ったことではなく、すべての生き物に備わった能力だと思う）を基にして、瞬時にして相手と通じ合う何等かの方法が存在するのだろう。「以心伝心」か。

私はそこで学生達にいつもこう言う。「君達、今私が見せた作品に何等かの興味関心を持つ点があったら、はるか将来、随分先のことだと思うが、あの世に行ったとき、大勢の人達の彼方にその画家の姿を認めたら、近寄って『あなたの作品を観て感動しました。ところであそこで描かれていたあの部分は……』というような質問をするとよい。相手がどんなに昔の人でもよい。そこでは時間を超越し、個と個とが本音で話せる場が提供されているのだから、是非。これが絵画鑑賞の極意である」と。

私には、大きな理想がある。かつてこの世に存在したあらゆる生き物が、時空を超えて存在する世界があり、そこでは互いに生きて来た過程での喜怒哀楽を話すことができる、ということである。この場合、あらゆる宗教の人々が自由に楽しく語ることができる世界である。ちょっと難しいかな。マア、いいや。ここで、虫達が「極楽浄土」に行けるかどうか考えてみましょう。

私は、大学院修士課程のとき、東洋美術史専攻で少々仏教美術を齧ったが、本当に少々であった。授業では、『別尊雑記』（12世紀）や『覚禅鈔』（13世紀）などの、日本の儀軌や、釈迦仏の図像的変遷の歴史とか、蓮とか邪鬼の意味する話は聞いたが、「輪廻転生」での「虫さん」や「畜生さん」の話は終ぞ聞いたことがなかった。『大蔵経』という仏教の経典を集めたものを紐解いて、図像学的に合致する箇所を拾い集めたりしていたが、私は虚しかった。現実の私との接点が感じられないのだ。仏の慈悲の光は、この世の隅々まで行き届いているはずだ。なのに救われない部分が数多ある。当時の私がそうである。

争いを戒める一方で、荘厳な武器で身を固める。防衛本能か。質素を重んじ、表面的な華美を嫌うはずが、豪華な装飾品を身に纏い艶然とした表情で我々を見詰める。お臍 LOOK もある。これはいったいなんだろう。俗人である私には、及びもつかない世界である。あるとき、そうだ、これは特定の人のためだけに用意された、特殊な環境の中での仏教の教えの伝達手段だと思った。

確かに、仏教彫刻は芸術作品としても素晴らしいものがある。観る人々に感動を与えるだけの底力を十分に持っている。奈良、秋篠寺の「伎芸天」の像の前では、若い女性がいつも涙をハラハラと落している。多摩美の学生達にも、それは技芸の主であるから、必ず観るようにと勧めている。もちろん、何か心に響く豊かな内容をその像は秘めているのだ。それがいったい何なのかは、図像学を離れた所での、芸術的鑑賞の領域で解明されるべきだ。

実は私は、その大学院では、授業そっちのけで、大学一年生のときからの同級生尾崎正明君達と奈良に仏像を頻繁に観に行っていた。時には、彼の叔父さんに借りた乗用車「いすゞベレル（或いはフローリアンだったか）」に乗って東名・名神高速道路を駆け抜けた。時には大垣乗り換えの鈍行の夜行列車に乗った。イヤア楽しかった。若かった。もちろんそのときは、将来多摩美で感性豊かな学生諸君との30年間を過ごすなんて考えてもいなかったし、伊藤若冲の世界に触れたこともなかった。そんな私が、伊藤若冲によって、仏教のあるべき姿を知ったのだ。さて、虫さん達はどうなったのでしょう。

以下、細川涼一『逸脱の日本中世』の「虫類成仏と中世人の死生観」を下地に、虫さんを語ってみよう。『日本霊異記』（弘仁年間810−924成立）には、「輪廻転生」「因果応報」の数々の例が挙げられる。身近な舞台を設定し、人々に、仏教の効能を教えしめた。源信（942−1017）『往生要集』（985年）は、「厭離穢土」「地獄の思想」を強調した。

1052年に仏教では、「末法」（仏法はあるが世の中は混乱し、悪化する）の時代に入ると言われていた。人々は、それを予感し、地獄を恐れ、浄土に行くことを願った。藤原頼通の宇治平等院建立はその象徴である。源信は、この世を「穢れた世界」とし、そこから離れ、「浄土」に行くことを願う「欣求浄土」を勧める。「穢れ」とか「地獄」とか、人間の心の中に住む「暗部」に注目し、人々を良き方向に導くための言説を立てたが、凡庸な人々は、かえってその「心の闇」に取りつかれてしまい、千年以上を過ごしてしまった。

他国を侵略し、暴虐の限りを尽くす人間集団を源信はどう見るのか。人々は、戦地で「無間地獄」を見ると言うが、源信の説く「本当の地獄」はさらにひどいのか。「愚痴」や「無慚」（自らの罪を恥じる心のない）の固まりである現世。「通勤地獄」の満員情況は、「穢土（江戸）」の象徴の一端なのか。しかし、それから免れている特権を持つ人々もいる。彼等は、「穢土の支配人」たる特権を、誰から与えられているというのか。

しかし、それも、所詮、「人間界」での一時的凌ぎの方便に過ぎない。束の間の夢であろう。「地獄の閻魔様に仕える邏卒」が心の安定を保持しているとは到底思えない。彼等は強大な力の下で、毎日、罪人を引っ立てている「獄卒」なのだ、彼等に本当の救いはあるのか。「因果応報」はあるのか。六朝時代、慧遠と戴逵の問答の再現である。色々考えるとわからなくなる。

では、虫達は、どうなるの。「虫っけら達」は。人間界に存在する、「愚痴」や「無慚」の人々は、源信によると、来世では「畜生道」に堕ちると言う。ということは、「通勤地獄」の人々は、実際にはまだ「真正の地獄」には堕ちていないことになる。ああ、よかった。だが、一部の人々は、既に現実に「畜生道」に存在する。すれ違いざま、肘や体がぶつかると、「こん畜生」である。「畜生共、かかってこい」は、喧嘩の常套文句。子供は可哀そうだ。人混みにまみれてもたもたしていると、「この餓鬼め」と罵声が飛ぶ。そもそも、弱者を救おうなどという慈悲心などすっ飛んでしまっている。「慈悲」「慈愛」を失った人間は何処へ行くの。源信さん、お答えを。

やはり、「廃仏毀釈」をして「教育勅語」の登場ということも考えられるのか。そう、「道徳の心」です（でも、「道徳経」って、そもそも老子のものなのよ。孔子じゃない。皆さん、『老子』も勉強しましょう）。現代人は、「地獄の邏卒」か「地獄の先兵」になることも多い。心改めなければ。金の亡者になっている者も多い。アッそうか、「受験地獄」「借金地獄」なんてのもあったか。皆さん、既にこの世で、様々な地獄を経験してしまっているのですね。

でも、もっとすごい「本当の地獄」を見てみたいという好奇心に応えたのが、「地獄図」です。「業火」によって燃え盛る邸宅に押しかける様々な動物。蛇もいます。百足もいます。源信は、「畜生道」に存在する生き物として、「獣類・禽類・虫類」を挙げましたが、例によって、「虫は、その存在を無視」されます。虫は、甚だしい過少評価を受け、具体的に取り上げられたのは、僅かに、蚰蜒（げじげじ、多摩美八王子校舎共通教育棟ではよく見かけます）、蟻蛾、蟒蛇（おろち、大蛇）の三種だけです。私の好きな「蝶とか蜻蛉は、ムシされている」のです。それ等が存在を明らかにされるのには、もう少し時間が必要でした。世の中は進歩する。

源信『往生要集』が人々に読まれた後、仏教では、「末法思想」が出現します。つまり、仏教の教えはあるものの、修行やそれに伴う成果が得られない、一種のこの世の終わりが来るという、恐怖に苛まれる暗黒の思想です。どうしてこのような思想が組み立てられたのかは、私には、わかりません。慈悲の心に富む仏教だったら、永遠に幸せな心を持たせ続けてくれれば良いのにと、思わず「愚痴」が出てしまいます（オッと、気を付けなければ）。

この「末法」の時代は、1052年に始まるというの

が当時の説。人々はあわてた。どうにかしないと、私はこの混乱の人間世界にとり残されてしまう。早く浄土に行かないと。そのため、一心不乱に阿弥陀仏にすがるわけです。金持ち貴族の関白藤原頼通は、宇治に平等院を建て、その中で西方浄土に行くべくお祈りを捧げました。名前がイカシテいる。「平等院」とは。

つまり、人間以外の動物や虫達は、「畜生道」に属し、明らかに人間より低い地位に置かれていたのです。我々は、それぞれの「人の前世」が何であったかは知りませんが、とにかく、今は「人間界」にいます。別のものから「転生」しているのでしょうか。ひょっとすると、前世は「餓鬼」、あるいは「地獄」で苦しんでいた罪人であったかもしれません。餓鬼道や地獄では、どのような功徳を積むと、別の世界に「転生」できるのでしょうか。

虫や魚や獣達は、どのような功徳を積むと「転生」できるのでしょうか。動物や虫達が難しいお経を唱えるのでしょうか。そもそも、漢文が読めるのでしょうか。本能と食物連鎖で生きているもの達です。私には、わかりません。所詮、私は凡庸な人間ですから。釈迦仏に、直接お聞きなさい。あるいは、仏教に詳しい人にお聞きなさい。たぶん、偉いお坊さんたちは、既に喝破しているでしょう。虫達の綺麗な音色が、経典そのものだと。魚や鳥達の艶やかな動きが、経典そのものだと。祇園で遊ぶばかりが経典の教えに近付く方法ではないのですよ。

さて、京都や奈良の貴族達が熱狂的に仏教に心酔し、「極楽往生」をひたすら願っている一方、金のない貧乏な庶民達はどうしていたのか。ただただオロオロするばかり。仏にすがるにも金がない貧乏人は、この世に置いてけぼりになるのか。何時の世も、金次第なのか。

これではいけない。本来の仏教の姿から離れてしまう。この世に住む「衆生」（人間やその他一切の生物）を救済するのが、御仏の広い心、つまり「慈悲」であるのだと気付いて、そちらの方に力を注いだのが、いわゆる鎌倉新仏教だったのです。奈良や京都の特権階級の御用達仏教から、日本全国、津々浦々に住む民衆に対して直接の救済の道を切り開いた僧達がいたの

です（当時は、本寺の許可なく民間で仏教の教えを説くことはできませんでした）。

一部の僧達は、まず自らの身分を社会の底辺出身であるとして、いわゆる下から目線で人々の苦悩と対峙しました。「だって先生、東大寺を中心とする全国に置かれた国分寺も、国民のことを考えてのものでしょ」という声も聞こえてきますが、「それは国家という体制を維持するための機能装置であり、民衆の悲痛な叫びを吸い上げる情報機関ではなかったのですよ」と私は説明する。

親鸞（1173 - 1262）は、「煩悩具縛の我等は屠沽の下類」であるとしました。（訳は省略。親鸞は当時の社会観を認識したうえで発言したが、やはりまだ仏教というより印度辺りの階級差別意識に囚われている。しかし、社会の特権者ではない立場から視点を持つには有効な行動であった）

日蓮（1222 - 1282）は、自らを「栴陀羅の子」としました。（これまた、印度の階級制度CASTEでの四姓外の賎民。何かの下に何かを置き、それより上とかそれより下とかいう括りは、人間がよくやる手法である）

叡尊（1201 - 1290）は、西大寺再興に力を尽した律宗の僧でしたが、奈良、般若寺付近で非人や癩（ハンセン病）の人の救済保護を行いました。彼の弟子忍性（1217 - 1303）も貧民難民を救済しています。立派な人達です。貴族救済でなく社会的弱者を自ら救済するなんて、普通じゃできませんもの。

時宗を興した一遍（1239 - 1289）は、それまでの浄土経通例の「厭離穢土」とか「欣求浄土」、「あの世（浄土）とこの世（穢土）」とかの対立構造をなくし、「妄執」（執念。迷いの心）を捨てれば、「この世がそのまま浄土になる」と説き、世間の人々に「念仏札」を与え、往生を約束しました。各地を訪れ、「念仏踊り」などをしながら、布教しました。

鎌倉時代には禅宗も流行りますが、その当時は、武士階級が自己救済的な観点からその信仰に入ることが多かったようです。しかし、社会の底辺に残された民衆や「虫けら達」は、どのように救済されたのでしょうか。彼等は禅などやってる時間も知識もないのに、とつぶやくでしょう。

私が、学生達に伊藤若冲の世界を語るとき、一番心に響いたのは以下の例です。この点に関しては、この資料を与えて下さった細川涼一氏にただただ感謝するばかりです。

鎌倉時代、正嘉２年（1258）、奈良唐招提寺に於て、釈迦念仏会の本尊として清涼寺式釈迦如来を造立しました。後に、その胎内文書から「必ずこれらの衆生より始めて一切衆生皆々仏となさせ給え」との願文が発見され、以下の名前が挙げられていたと言われています。

「獣、鳥、魚、螺、蜘蛛、蚤、蝨、百足、蜻蛉、蟻、蚯蚓、蛙、蚕、蟹」

まるでJULES RENARD『博物誌』とかJEAN HENRI FABRE『昆虫記』の世界。そして、伊藤若冲の『動植綵絵』『鳥獣花木図屏風』、ひいては、宮沢賢治の『セロ弾きのゴーシュ』とか、鳥山明の『DRAGON BALL』の「天下一武道会」の観客席風景ではないか（学生から早速BRAKEが掛かります。「先生、行き過ぎです」。ハイ、スイマセン）。

私の見立てはこうです。伊藤若冲は前に挙げたFRANCEの昆虫学者達に先行する、優れた観察力を持った人物であったと。しかも、文章ではなく絵画という手法を使って、人間以外の衆生が、静いなく仲良く共存している世界を表出したのです。これは、一種の仮想世界・理想郷ですが、伊藤若冲はこれを絵画で表現したのです。博物学的観点とは違い、世界の「令和」を願っているのです。

私が、強調したいのはこの点です。世間には、伊藤若冲の作品は、当時日本で流行していた博物学の影響を受けて描かれたことを強調する説明者もいます。しかし、彼等は作品そのものに対峙せず、表面だけサッと眺めて判断するから、そういうオッチョコョイなことを言うのです。伊藤若冲の場合は、緻密な観察の手続きを経て、本質を抉り出し、それを芸術的表現の高みにまで昇華させているのです。単なる博物学的視点からではありません。

とにかく、伊藤若冲の絵の世界では、生き物すべてが、童心に帰ったような表情と仕草を示します。邪悪な心がないのでしょう。いわば、「童心説」です。学生達には、白ネズミと灰色ネズミ、ウサギの赤い目も人気です。伊藤若冲は、この地球上で生きる者達の平等意識を表現しました。当世のように、差別区別意識が増長する風潮への頂門の一針にもなる警告を発していたのです。

私は、「伊藤若冲の平等思想」といった内容を、高名な若冲研究者にぶつけたのですが、「アッ、そういう考えもあるのね」と一蹴されました。なぜかさみしくなり、私がかつて若いとき、人文主義に基づいた西洋美術史の方法に憧れていた理由を再認識させられました。表面の叙述だけに気を配り、内面に潜む作者の人間感情を重視しないやり方です。多くの日本美術史や中国美術史研究者は、単なる普通の観光案内者であり、概況と表面的特徴にサッと触れるだけ、その者が持つ、内包された宇宙の真実を徹底的に語ることはありません。

研究者と言いつつ、対象の奥深くまで食い込んで行く努力を重ねるよりも、口当たりの良い、通り一遍の解説でお茶を濁すことが多いのです。じゃあ、「貴方にとって、優れた研究者とは？」との問いに、今、数人の名は挙げられますが、ここでは控えておきます。差し障りがありますので。

30年前、多摩美術大学で、学生達に、伊藤若冲の絵画を紹介するときに、辿り着いたのが、伊藤若冲の、「あらゆる生き物・存在に対する愛」、「愛こそすべて」の世界だったのです。若冲から「平等愛」を学びました。

伊藤若冲は京都にたくさんある仏寺を訪れ、そこでお坊さんと様々なお話をしたと思いますが、その中で、独特の平等世界を追求し始めたのです。「物に対する凝視という緻密な方法」が、その裏付けとなっていたことは、言うまでもありません。

以上。再見。これからも、花と鳥と人を愛します。

■参考文献
細川涼一『逸脱の日本中世』（JICC出版局　1993年）

おわりに

　この本は、思いがけなく出来上がったものです。

　多摩美を退職して一年目は、それまで行ってきた絵画史研究から離れ、作品や画家の背景にある政治や文学を中心に調べて、日々を過ごしました。絵画作品という「物」から離れて、概念や心象を表す他の領域に足を踏み込んでみたいと思ったからです。

　いやあ、奥が深かった。私が今まで行ってきた東洋絵画史研究というものは、地球に飛び込んで来た、宇宙からの贈り物、いわば隕石を手に取り撫で繰り回し、それを通して、宇宙のほんの一部を解明しようとする行為に近かった。それなりに健気で慎ましやかなものであったが、宇宙の深遠に潜む暗闇と閃光の理解に、「作品」の意味を近付けることは難しかった。実は、やり方によっては、到達する術もあったのですが、私の住む東洋の一角、日本では、その隕石を床の間に飾って珍重するのが関の山という風習に、私自身もまみれて、科学的な分析や見通しの経路を断ってきたきらいがあるのです。

　こういうのを骨董趣味というのでしょうが、日本の研究は、比較的長い歴史を持つものの、その骨董趣味とその鑑賞法の延長上にあるものが多いのです。

　静嘉堂文庫と松濤美術館に籍を置いていた時には、それらの伝統の継承のほんの一部の手助けになればと思い、ささやかな研究を行っていました。しかし、多摩美術大学に移って、若き美大生と向き合ってからは、それではにっちもさっちも行かないことを、思い知らされました。最初の数年間は、大学で教わった、正統派のやり方で、授業を行っていました。曰く、「画の六法」「文人画」「琳派の垂らし込み」「尚南貶北論」、まあ、大学院の入試に出るような、陳腐で代わり映えのしない、一般常識のようなもの。それでも、伊藤若冲の「桝目画」と、中川幸夫さんの「花」だけは、学生達にその魅力を伝えようと、集中的に講義はしていた。

　転機は、1995年の中国・南京での研究生活を送ったことです。その時は、「絵画作品」に対する執着も旺盛で、南京図書館に通うと同時に、中国各地の美術館や博物館での調査を頻繁に繰り返しました。「人」との出会いは大事なもので、南京藝術学院周積寅教授のお陰で、中国の主要な美術館・博物館での調査は、無事終了することができました。周積寅教授との作品調査の途上で、様々な人々と知り合い、様々な風土に接することができました。中国理解が深まったと思います。南京大学図書館の何慶先さんとの出会いも、貴重なものでした。何さんには、彼の該博な知識の下に、文献の解読の手助けをしてもらいました。お二人との共著が、中国で出版されたのも、ささやかな日中文化交流の一端であります。目くるめくような、陽射しの下での、絵画研究。私は、一種の有頂天状態で、七十歳の定年を迎えたのです。

　しかし、時間がたっぷりとあり、周囲を見回す余裕ができて気づいたのは、「鶏が先か、卵が先か」状態の私。「私は、各種の鳥の卵の比較研究は行ってきたが、その本体である鳥自身の研究は怠って来たのではないか」という強い反省。実は、2012年頃から、詩と

絵画との相関性と共に、互いの領域で表出できる特徴を突き詰めよう、とはしていた。杜甫の絵画に寄せる詩そのものが、絵画的要素を纏い、更にその奥に存在する真実の核を抽出する、偉大な痕跡であることには気づいていたのだ。様々な、杜甫の詩の分析を試みたが、吉川幸次郎の更に奥まで行かねば、論文を纏めることはできないと思い、八合目まで登って、中断、下山した。心には、ポッカリ小さな穴が開いたままだ。いっそのこと、絵画研究なんか棄ててしまえと思いながら始めた退職後の自由研究は、一年間続いた。

　二年目に入ると、矢継ぎ早に、私の嘗ての研究対象である沈銓に関する若手研究者から連絡があった。二人共、米国と英国の大学の博士課程の女性で、そのうちの一人は、日本に滞在中であり、拙宅で凡そ 10 時間ばかり、一挙に話をした。これがきっかけで、私の絵画研究の痕跡を残そうと、多摩美での授業を基盤に書き上げたのが、この本である。内容の殆どは、毎年、多摩美の学生 400 人前後に向けて行った授業の再現である。

　書くと決意した矢先に、早稲田大学でお世話になった、90 歳になんなんとする吉村怜教授から電話があり、「今度、本を出すんだよ」とのこと。この一言が、更に火を着けた。私自身が豪語する、まるでフランケンシュタインのような造形物の誕生。

　編集に携わって戴いた、坂井泉さんは、私同様、少々変人であったが、互いに変人同志、会えば各種雑談に花が咲き、思わず時間を忘れてしまい、なかなか本題に入らなかったのが、悔やまれる。その坂井さんは、2020 年 5 月に、あの世に先立ってしまい、その後は、本庄由香里さんが続けて下さった。とんでもない原稿をお渡ししてしまったものだと、内心、忸怩たるものがあったが、とにかく、「形」にして下さったことに対して、本当に感謝の念が沸き起こるのを禁じ得ません。坂井さんには、いずれ、あの世で直接会って、私の気持ちを伝えます。

　合同フォレストの山中洋二さんと澤田啓一郎さんには、新型コロナウイルス騒動で、世界中、てんやわんやの最中、辛抱強く見守って下さったことに、感謝します。

2020 年 12 月 10 日

近藤秀實

著者プロフィール

近藤秀實
（こんどう・ひでみ）

1948 年 3 月 16 日　岐阜県中津川市生れ
1966 年　岐阜県立恵那高校卒業
1971 年　早稲田大学文学部美術史学科卒業
1983 年　早稲田大学大学院博士課程単位取得修了
1976 年　財団法人静嘉堂文庫学芸員
1981 年　渋谷区立松濤美術館学芸員
1988 年　多摩美術大学専任講師
1994 年　多摩美術大学教授
2012 年　多摩美術大学図書館長、評議員
2018 年　多摩美術大学名誉教授

［著書］
『沈銓研究』（江蘇美術出版社）
『圖繪寶鑑　校勘與研究』（江蘇古籍出版社）
『波臣画派』（吉林美術出版社）

■中国、南京藝術学院訪問学者、北京・中央美術学院訪
　問学者、南京・東南大学客員教授
■早稲田大学文学部・大学院、武蔵野美術大学、
　お茶の水女子大学、実践女子大学、フェリス女学院大学、
　桜美林大学、岩手大学などの非常勤講師

e-mail：hidekon4@gmail.com

編集・組版　　GALLAP
装　　幀　　近藤秀實
表 紙 絵　　石橋佑一郎
著者肖像画　　菅原洋政

近藤先生の面白授業
日中比較美術史

2021 年 2 月 10 日　第 1 刷発行

著　者　　近藤　秀實
発行者　　松本　威
発　行　　合同フォレスト株式会社
　　　　　郵便番号 101-0051
　　　　　東京都千代田区神田神保町 1-44
　　　　　電話 03（3291）5200　FAX 03（3294）3509
　　　　　振替 00170-4-324578
　　　　　ホームページ　https://www.godo-forest.co.jp
発　売　　合同出版株式会社
　　　　　郵便番号 101-0051
　　　　　東京都千代田区神田神保町 1-44
　　　　　電話 03（3294）3506　FAX 03（3294）3509
印刷・製本　　株式会社シナノ

■落丁・乱丁の際はお取り換えいたします。

本書を無断で複写・転訳載することは、法律で認められている場合を除き、著
作権及び出版社の権利の侵害になりますので、その場合にはあらかじめ小社宛
てに許諾を求めてください。
ISBN 978-4-7726-6179-9　NDC702　297×210
Ⓒ Hidemi Kondo, 2021